D1358848

LES TEMPS SAUVAGES

Ian Manook est journaliste, éditeur, publicitaire et désormais romancier. Son premier roman, *Yeruldelgger*, a reçu le Prix Quais du Polar/*20 Minutes*, le Prix SNCF et le Prix des lectrices de *Elle*. Il vit à Paris.

Paru dans Le Livre de Poche :

YERULDELGGER

IAN MANOOK

Les Temps sauvages

ROMAN

ALBIN MICHEL

© Éditions Albin Michel, 2015.
ISBN : 978-2-253-11209-9 – 1re publication LGF

« Quelque chose couvait et pourrissait
silencieusement là, à l'intérieur,
quelque chose commençait à mourir. »

Destruction d'un cœur,
Stefan ZWEIG

1

... et posa son doigt sur la détente.

Engoncée dans sa parka polaire, l'inspecteur Oyun essayait de comprendre l'empilement des choses. Elle s'était accroupie dans la neige qui crissait et s'était penchée pour mieux voir. Le froid lui tailladait les pupilles et l'air glacé lui griffait les sinus à chaque inspiration. C'était comme respirer des brisures de verre. Autour d'elle un autre terrible dzüüd vitrifiait la steppe immaculée. Pour la troisième année consécutive, le *malheur blanc* frappait le pays. De trop longs hivers polaires qui suivaient de trop courts étés caniculaires. Des blizzards de plusieurs jours à ne plus voir sa yourte, à se perdre pour mourir gelé debout à un mètre près. Puis des ciels bleus comme des laques percés d'un petit soleil blanc au-dessus d'un pays figé dans la glace. Oyun n'avait pas souvenir de tels dzüüd dans son enfance. Le premier dont elle se souvenait était celui de 2001. Un hiver si rude et si long que sept millions de bêtes étaient mortes à travers le pays. Elle gardait en mémoire l'image de ces milliers de nomades encore fiers et solides quelques mois plus tôt, venus s'échouer pour mendier et mourir en silence, transis, dans les égouts d'Oulan-Bator. Les hommes avaient perdu tous leurs chevaux, les femmes tous les yacks et toutes les chèvres, et les enfants tous les agneaux et jusqu'à leurs petits chiots. Cet hiver-là avait tué en Mongolie plus d'âmes que les avions des tours de Manhattan. Et les deux années suivantes, d'autres dzüüd avaient décimé ce qui restait des troupeaux affaiblis. Il y avait les malheurs noirs, ces étés torrides qui cuisaient en profondeur les terres craquelées, et les malheurs blancs, où la neige enfouissait la steppe sous une croûte glacée. Les deux malheurs laissaient les troupeaux désemparés pendant l'hiver. Les bêtes s'éparpillaient à la recherche de quoi brouter, s'égaraient, et mouraient de faim et de froid. On ne retrouvait leurs cadavres décharnés qu'au printemps, tannés et cuits par la neige, par milliers. Par millions même, quand un dzüüd unissait dans un malheur encore plus grand les deux malheurs noir et blanc.

Le petit monticule de cadavres était la seule protubérance à des kilomètres de steppe à la ronde. Oyun se demanda ce qui pouvait expliquer sa présence, mais évita de chercher la réponse à l'horizon. L'air vif rendait les lignes de crête si nettes qu'elles lui lacéraient les yeux. Elle se concentra sur les cadavres empilés. Le militaire qui avait piloté l'antique autochenille soviétique descendit de la cabine de son vieil AT-L pour la rejoindre. Elle entendit le claquement de la porte, sec comme un bois creux qui casse, puis le crissement meringué de la neige qui se tassait sous ses bottes. Sans rien dire, il s'accroupit à côté d'elle, lui tendit une tasse en fer-blanc et sortit une thermos de son deel matelassé.

12

— Au-dessus c'est un yack grogneur, ça, c'est sûr ! affirma l'homme.

— Un grogneur ou un dzo, corrigea Oyun. Les nomades d'ici n'ont que des hybrides. Rarement des yacks sauvages.

— Ou un dzo ! concéda l'homme en dévissant le bouchon hermétique de la thermos entre ses énormes moufles doublées de mouton.

Il se servit un thé salé au beurre bouillant avant d'en proposer un à Oyun. Grogneur ou dzo, ça ne changeait pas grand-chose. La bête recouvrait les autres cadavres de son corps éventré. Le gel avait tressé des nattes perlées de givre dans son pelage et ses viscères. Elle était affalée, les quatre pattes écartelées, obscène, par-dessus ce qu'elle ensevelissait de ses entrailles glacées. Au moins il n'y avait pas d'odeur. En été, à plus de quarante degrés au même endroit, cet amas de charogne aurait exhalé des puanteurs insoutenables. L'air glacial aseptisait tout, même l'horreur. L'homme se pencha pour voir à travers les côtes brisées de l'animal, puis glissa une main entre les viscères, durs et raides…

— Dzum ! dit-il. C'est une femelle.

— La belle affaire ! soupira Oyun en se cramponnant à sa tasse de thé. Et en dessous ?

— En dessous c'est un cheval, répondit l'homme sans hésiter.

On le devinait aux sabots des quatre pattes désarticulées qui s'enchevêtraient à celles du yack. Ce que Oyun apercevait de son corps semblait avoir été brisé à hauteur du dos. Le cadavre d'une femelle yack éventrée sur la charogne fracassée d'un cheval, par moins vingt-cinq degrés à cinq cents kilomètres d'Oulan-

13

Bator, ce n'était pas vraiment une enquête pour la criminelle. Elle aurait volontiers laissé tomber l'affaire au profit de la police du district. Mais il y avait la jambe. La jambe bottée, le pied encore pris dans l'étrier, qui dépassait entre le dos gelé du cheval mort et la panse vitrifiée du yack.

— C'est le cavalier, expliqua le soldat.

— Je m'en doute un peu, répliqua Oyun, les reins soudain mordus par le froid et la fatigue. Le problème est de savoir ce qu'il fait là !

— Il était sur le cheval, commenta le militaire.

— Oui, et maintenant il est sous le yack ! s'énerva-t-elle. On a une idée de qui ça peut être ?

— Non, répondit l'homme. On n'a que sa jambe.

— Et tu n'as pas essayé de le dégager, de trouver des indices ?

— Je suis militaire, lâcha le soldat, laconique.

Oyun tourna la tête et le fixa sans gêne. Yeruldelgger lui avait déjà parlé de ces nomades devenus fonctionnaires. Tout ce qui faisait les qualités du nomade faisait les défauts du fonctionnaire. Surtout s'il était militaire.

— On peut quand même essayer de savoir qui c'est, non ?

Oyun s'agenouilla dans la neige sans attendre la réponse et saisit la botte dont la glace avait soudé le cuir à l'étrier. Elle tenta sans succès de dégager le pied du cadavre. La jambe, rigide comme un tronc fossilisé, ne bougea pas d'un pouce. Elle s'arc-bouta pour faire levier, s'appuyant de son épaule contre la carcasse du yack, et dans son mouvement, elle croisa le regard du militaire. Il ne semblait pas approuver ce qu'elle faisait.

— Quoi ? s'emporta-t-elle, essoufflée par l'effort.

Elle transpirait sous sa parka alors que ses poumons se tapissaient de givre à l'intérieur. Elle n'était pas d'humeur à supporter la nonchalance résignée du soldat.

— Il ne faut pas faire ça, dit l'homme dans un murmure réprobateur.

— Ah oui ? Et pourquoi pas ? répondit-elle en tirant sur la jambe comme un galérien sur sa rame.

— À cause du gel.

— Parce que tu crois qu'il…

Quelque chose se brisa net et elle bascula en arrière dans un froissement mat de neige tassée. Quand elle se releva, le visage strié par le froid, elle sursauta avec horreur et jeta la jambe de l'homme loin d'elle.

— J'ai vu des dzüüd geler des troncs de bouleau jusqu'au cœur et les rendre fragiles comme du verre, expliqua le militaire. Alors une jambe… !

— J'y crois pas ! marmonna Oyun en ramassant la jambe pétrifiée.

L'os et les chairs avaient cassé net à mi-cuisse, tout comme le tissu du pantalon. Ça n'avait plus rien d'un membre humain.

— Au moins j'aurai de quoi justifier une recherche d'ADN…

Elle regarda une dernière fois le petit tas de cadavres, réfléchit quelques instants, puis fit signe au militaire de s'approcher.

— Tu crois qu'on pourrait glisser une chaîne autour et tirer avec ton engin pour décoller le tout du sol ?

— Tu vas briser le cheval et peut-être même le cavalier avec…

— On ne peut pas le laisser là tout l'hiver ! Les charognards vont bien finir par s'y attaquer.

— Tu peux rester deux jours ?

— Ici ? s'exclama Oyun.

— Chez moi, au poste.

— Et à quoi ça m'avancerait ?

— Si tu veux récupérer tes trois cadavres, il faut les décongeler et je sais comment faire.

— Oui, j'y ai pensé, répliqua Oyun. On pourrait allumer des feux tout autour…

— Ils ne résisteraient pas à la nuit. Il y a une vieille yourte au poste, abandonnée par des nomades après un dzüüd. On va la monter autour du monticule. On allumera deux ou trois braseros à l'intérieur, et j'ai deux petits générateurs à air chaud. Tout devrait avoir fondu en vingt-quatre heures. Tu pourras repartir avec ton cul-de-jatte au complet.

— Hey, sois respectueux ! coupa Oyun. C'est une victime.

— C'est pas moi qui lui ai cassé la guibole, à ce type ! plaisanta le militaire.

— D'accord. Mais respecte-le quand même. Je suis déjà assez désolée de ce que je lui ai fait.

— Tu n'as pas à l'être, petite sœur, tu lui as déjà bien rendu service !

— Ah oui ?

— Oui. Nos ancêtres pensaient qu'il fallait briser les os des morts pour que leurs âmes puissent s'en échapper. Ils déposaient leurs dépouilles dans la steppe sans les enterrer pour que les bêtes sauvages croquent leurs squelettes et libèrent leurs âmes.

Oyun se souvint que Yeruldelgger lui avait raconté

quelque chose dans le genre. Elle se souvint aussi de tout ce qu'il lui avait appris sur le respect des yourtes.

— D'accord pour la yourte, mais n'offense pas les esprits qui y ont vécu.

— Ne t'en fais pas. Les esprits ont quitté ces tentes depuis longtemps. Et puis nous ne la calfeutrerons pas. Nous ne la couvrirons que de la grosse toile. L'âme des anciens se réfugie dans le feutre. Nous ne les dérangerons pas.

— Bien, dit Oyun qui commençait à apprécier ce militaire de moins en moins militaire et de plus en plus nomade. Je reviendrai avec toi. Je dois bien ça à ce pauvre bougre.

Avant de regagner l'autochenille, elle regarda une dernière fois les corps et le soldat devina ce à quoi elle pensait.

— J'ai déjà vu des yacks bondir comme des chèvres malgré leur poids. On les croit nonchalants et fleg-matiques, mais si on les cherche, ils peuvent devenir vifs et agressifs. Le cavalier poursuivait peut-être la femelle pour la capturer et la rentrer au bercail. Son cheval a pu glisser et, dans la panique, la dzum aura bondi et lui aura sauté dessus avant qu'il ne se dégage de sa monture.

— En brisant les reins du cheval ?

— Une belle dzum, ça pèse dans les trois cents kilos.

— Mais dans ce cas pourquoi la dzum est-elle éventrée ?

— On ne sait pas comment est le cavalier en dessous. Il avait peut-être une urga. Peut-être que sa perche à lasso s'est brisée dans la chute et que la dzum s'est empalée dessus ?

— Empalée peut-être, mais éventrée ?

— Il a peut-être essayé de se dégager avec son coutelas avant de mourir étouffé par les viscères...

— Ça ne colle pas ! lâcha Oyun.

Ils restèrent quelque temps silencieux, debout l'un contre l'autre dans l'air glacial, à regarder les carcasses.

— Ou alors..., murmura-t-elle sans terminer sa phrase.

Il se tourna vers elle, puis leva les yeux au ciel pour suivre son regard. Ils restèrent un long moment sans rien dire, à essayer de se convaincre de ce qu'ils n'osaient pas imaginer.

— Un demi de la masse par la vitesse au carré, finit par dire le militaire sans baisser la tête.

— Qu'est-ce que tu racontes ?

— $1/2$ mv^2. L'énergie cinétique d'un corps qui tombe en chute libre. C'est de la physique.

— Tu t'y connais en physique, toi ?

— Quand j'étais môme, sous la yourte en hiver, je lisais des bouquins de physique quand il n'y avait rien d'autre à faire.

Oyun garda un silence étonné avant de hausser ses sourcils gainés de givre.

— Et alors ?

— Et alors pour une femelle yack un peu décharnée par le dzüüd, d'environ deux cents kilos, ça équivaut à plusieurs centaines de tonnes à l'impact. De quoi briser un cheval.

— Et son cavalier…

— Et son cavalier !

— Mais la hauteur de la chute et la vitesse, ça doit bien jouer quand même, non ? Comment tu les calcules ?

— D'abord tu pars du principe qu'il n'y a rien autour de nous d'où la dzum aurait pu sauter. Donc elle ne peut être tombée que du ciel. Or quelle que soit sa masse, au-delà d'une certaine hauteur de chute, aucun corps ne dépasse la vitesse maximale d'environ trois cents kilomètres à l'heure. C'est physique !

— Oui, lâcha Oyun en regardant l'homme d'un œil nouveau. C'est physique.

Soudain le jeune soldat s'ébroua, comme s'il revenait à lui après une courte absence mathématique.

— Bon, il faut y aller si nous voulons avoir le temps de revenir avec la yourte.

Il chercha à prendre Oyun par le bras pour l'aider mais elle se dégagea d'un geste vif qui le surprit, et le devança dans la neige profonde. L'autochenille était un vieux tracteur d'artillerie de la Seconde Guerre mondiale dont l'armée soviétique s'était débarrassée au début des années soixante. Il avait une bonne gueule de bon gros camion dur à la tâche, avec un long museau copié sur les trucks américains et son pare-brise en trois ventaux amovibles qui lui donnait un air binoclard et têtu. La cabine minimaliste à la russe était coincée entre le long capot du moteur et la petite benne fixe à l'arrière. Le tout reposait bien à plat sur deux bateaux de cinq roues de roulage et deux roues d'engrenage plus petites et relevées à chaque extrémité, enserrées dans des chenilles métalliques. Oyun se demanda qui avait fait exprès de peindre l'engin en blanc pour qu'il se perde dans la neige. Elle se demanda aussi si ce soldat qui maîtrisait l'art de la physique n'avait pas une idée d'elle tout aussi physique, à lui tenir comme ça la portière de l'engin pour l'aider à grimper dans la cabine. Encore une fois elle dégagea son bras, et ça le fit sourire en coin.

— À propos, demanda-t-il, qui t'a prévenue ? Je n'ai même pas encore fait mon rapport au commandement et j'attendais plutôt la visite d'un simple policier de district. J'ai été surpris quand ils m'ont demandé de venir te chercher à la base.

— Je ne sais pas, avoua Oyun. On a reçu un appel au Département de police. Un message avec une photo de la pile de cadavres en pièce jointe...

— Putains de smartphones ! Si les nomades se mettent à appeler directement Oulan-Bator maintenant ! soupira le militaire en secouant la tête. D'un autre côté, j'y gagne quand même au change...

— Comment ça ?

— Toi à la place d'un policier de district, c'est quand même mieux, non ? Même si dans ta parka on ne voit pas trop la différence encore...

Oyun préféra ne pas répondre. Il faudrait une heure pour rejoindre le poste, et elle s'inquiéta vite de l'état de résistance du tracteur d'artillerie qui crapahutait comme un scarabée blindé par-dessus les congères au lieu de les écraser.

— Il nous survivra ! la rassura le soldat en éclatant de rire.

— Comment peux-tu en être si sûr ? douta Oyun qui se cognait l'épaule contre la vitre à chaque soubresaut de l'autochenille.

— J'ai entièrement démonté et remonté cet engin pièce par pièce, vis par vis, écrou par écrou ! répondit-il, faussement modeste.

— Tout ?

— Tout ! Carrosserie, moteur, chenilles, tout ! Ça m'a pris tout un été.

— Ne me dis pas que…

— Si ! Quand j'étais môme, l'hiver, après les bouquins de physique, je lisais des bouquins de mécanique quand il n'y avait rien d'autre à faire, expliqua-t-il sans fanfaronnade.

Oyun resta songeuse à regarder l'homme au volant. Leur véhicule était conçu pour la guerre, pas pour le tourisme. Aucun système de chauffage à l'intérieur. Ils étaient tous les deux emmitouflés dans leurs parkas, la chapka enfoncée jusqu'aux yeux et les pattes en fourrure rabattues sur les oreilles. Mais ce qu'elle essayait d'imaginer de lui, c'était ce soldat seul dans son poste perdu au cœur de la steppe, sous un soleil de canicule déchiré par les orages secs de l'été. Par quoi est-ce qu'on commence à démonter jusqu'à la dernière vis un tracteur de mortier modèle 1939 de l'armée soviétique ? Quel caractère d'homme pouvait volontairement s'attaquer à une tâche aussi inutile ? Elle repensa à un roman italien que lui avait recommandé Yeruldelgger pendant une planque. Le Désert de je-ne-sais-quoi. Des Tartares peut-être. Des hommes perdus aux frontières de quelque part à attendre quelque chose. C'est ainsi qu'elle imaginait le jeune soldat, démontant et remontant son engin pour tromper l'ennui. Avec de temps à autre un regard inquiet vers l'horizon pour confirmer que rien n'arriverait jamais, comme un désir qu'on retient...

Ils parvinrent au poste un peu plus tard qu'il ne l'avait prévu. Ce n'était qu'un de ces gros baraquements surmontés d'un pylône hérissé d'antennes que le régime soviétique d'avant avait dispersés à travers le pays comme des sentinelles égarées. Oyun sauta aussitôt hors de la cabine pour se réfugier à l'intérieur. Le militaire courut lui ouvrir la porte et elle s'y engouffra. Le jour déclinait. La température avait dû descendre sous les moins vingt-cinq maintenant. La chaleur la suffoqua dès l'entrée et elle défit sa capuche et ses moufles au plus vite pour ne pas se trouver mal. À droite, une pièce faisait à la fois office de bureau, d'atelier et de cuisine. À gauche, elle devina une chambre spartiate de militaire. Et juste en face, sans porte, une petite salle de bain ouverte et incongrue. Une baignoire à l'ancienne, sous un gros cumulus électrique capitonné d'isolant, avec les toilettes sur le côté. Et pour tout gage d'intimité, un rideau en plastique opaque sur un vieux tube en chrome écaillé. Dans chaque pièce ronflait un gros poêle chauffé à blanc.

— Coquet ! se moqua Oyun en déboutonnant sa parka.

— Suffisant ! corrigea le jeune homme.

— Internet ?

— Quand ça veut bien, mais ça va être trop tard ce soir. Le générateur s'arrête dans sept minutes.

— Et pour la yourte ?

— Plus le temps d'aller l'installer, mais je vais quand même pousser jusqu'au prochain campement et m'assurer que nous aurons de l'aide pour demain. Je serai de retour dans une heure.

Oyun crut discerner un peu d'amusement dans le ton du militaire.

Elle décida de mettre tout de suite les choses au point.

— Ne compte pas trop sur moi pour mettre la table, camarade. Je ne suis pas vraiment ce genre de femme !

— Pas de problème, répondit-il en éclatant de rire, moi je ne suis pas vraiment ce genre d'homme non plus. À propos, personne n'a utilisé la réserve d'eau chaude depuis ce matin. Profites-en pour prendre un bon bain. Une heure, ça devrait suffire au genre de femme que tu es, non ?

Quand elle entendit le moteur s'ébranler, elle le suivit de l'oreille jusqu'à imaginer l'engin se perdre dans la nuit qui rôdait déjà. Alors elle verrouilla la porte, vérifia la fermeture des fenêtres puis se fit couler un bain bouillant. Quand elle fut nue, son regard accrocha l'image de son corps meurtri dans un miroir. Ses seins étaient encore marqués par les cicatrices des morsures. De longues estafilades marquaient à jamais ses épaules et ses reins. Et juste au-dessus de son sein gauche, elle fit rouler son doigt sur la petite cicatrice où la balle l'avait frappée pour la tuer. Elle lutta pour ne pas laisser le souvenir du viol la submerger à nouveau. Puis elle s'assit dans l'eau chaude et sans savon, et se laissa glisser en pliant les jambes jusqu'à ce que la chaleur lui saisisse la nuque et les épaules. Elle aurait pu s'y endormir, mais depuis ce jour-là, elle n'osait plus fermer les yeux hors de chez elle de peur de voir ressurgir les visages de la meute[1].

Le bruit du moteur la tira de sa torpeur. La fatigue et le bonheur inattendu d'un bain bouillant avaient eu raison de ses angoisses. Elle s'était assoupie. Elle sauta hors de l'eau, ruisselante, saisit une serviette, ramassa ses vêtements, et courut s'enfermer dans la chambre. Mais la porte claqua contre le chambranle et rebondit grande ouverte au moment même où l'homme entrait. Une bourrasque glacée coula des tourbillons de neige dans la pièce et s'enroula autour du corps nu d'Oyun avant de disparaître quand le militaire referma la porte d'un coup de talon, sans quitter des yeux le corps de la jeune femme.

— Quoi ? siffla-t-elle sans chercher à se cacher.

— Toutes ces cicatrices…

— Ce n'est rien. Rien qui te regarde, répondit-elle sur la défensive.

— Qui t'a fait ça ?

Il la regardait sans aucune gêne, et elle ne comprenait pas pourquoi elle le laissait faire. Elle ne cherchait pas à cacher sa nudité et pensa que c'était par colère. Par provocation.

— Qu'est-ce que ça peut te faire ? aboya-t-elle sans maîtriser sa rage.

— Pas difficile de deviner ce qui t'est arrivé.

— Personne ne sait ce qui m'est arrivé !

---

1. Voir *Yeruldelgger*, Albin Michel, 2013 ; Le Livre de Poche n° 33600, 2015.

Le soldat ôta ses moufles et sa chapka sans quitter du regard le corps d'Oyun. Il regardait ses seins, ses hanches, son ventre, toutes ces marques d'une violence passée. Quand il dézippa sa combinaison polaire pour s'en extraire, il la regardait encore.

— Oui, dit-il, je suppose que je ne peux pas comprendre ce que tu as vécu...

— C'est du passé, c'est fini !

— Ça ne se voit ni sur ton corps, ni dans tes yeux ! répondit-il d'une voix calme en avançant vers la chambre.

— N'avance pas et ferme cette porte ! ordonna Oyun.

— Tu as bien vu qu'elle n'a plus de serrure ! dit-il en faisant un pas de plus.

— N'avance pas ! menaça Oyun en tirant son arme des vêtements qu'elle portait encore sous son bras.

— Sinon quoi ? la défia le militaire en passant son pull par-dessus la tête.

Il fit un pas de plus et se trouva si près d'elle qu'elle appuya le canon de son arme contre son front.

— Sinon je te tue !

— Tu me tues ? Et pourquoi ?

— Parce que je me suis promis de tuer tous ceux qui toucheront mon corps sans amour.

Il sourit et défit le bouton du col de sa chemise, puis il appuya son front un peu plus lourdement contre le métal du canon, en regardant Oyun droit dans les yeux cette fois. Elle soutint son regard et posa son doigt sur la détente.

2

Ils sont descendus d'Oulan-Bator pour ça...

— Qu'est-ce que je suis supposé voir ? articula Yeruldelgger les joues prises par le froid.

Il était adossé contre le yack blanc que l'autre appelait Grandgousier, à rechercher contre son visage la puanteur tiède du souffle chargé de l'animal qui l'abritait de la bise acérée. Malgré ses deux manteaux, il croyait sentir ses os se contracter tant il se gelait.

— Ça ! dit le professeur en désignant un caillou sur la croûte neigeuse du glacier.

— Professeur, il fait moins trente. Si tu m'as fait chevaucher ce ruminant immonde en plein dzüüd juste pour aller à la pêche aux cailloux...

— Ce n'est pas un caillou, expliqua le professeur sur qui le vent glacé semblait n'avoir aucune prise. C'est un os !

— Os ou caillou, je m'en fous ! grogna Yeruldelgger en se collant contre le cou du yack. Tu ne pouvais pas rapporter ça chez toi et me le montrer là-bas, au chaud, devant ta cheminée ?

— Je ne pouvais pas ! répondit le professeur en tournant le dos à une brusque bourrasque.

— Je suppose que je dois te demander pourquoi ? s'impatienta Yeruldelgger.

— Je supposais surtout que tu comprendrais !

— Professeur, explosa-t-il, tu sais à quoi ressemblent mes jours et mes nuits de flic pour oser me faire descendre au cœur d'un des pires dzüüd que j'ai connus jusque sur ce foutu glacier pour me les geler à ramasser des cailloux ?

— Des os ! rectifia à nouveau le professeur.

— Os ou caillou, où est la différence ? hurla Yeruldelgger.

— Eh bien avec des cailloux, ça ne serait pas une scène de crime ! répondit le professeur sur le ton de l'évidence.

— Une scène de crime ? Tu veux dire que…

— Que c'est un os humain, parfaitement. Un bout de fémur humain, pour être précis. Très certainement un fémur gauche, d'ailleurs.

Yeruldelgger retrouva aussitôt sa concentration de flic et s'en voulut de s'être emporté. Le froid avait engourdi son raisonnement.

— Il y en a d'autres ? demanda-t-il.

Ils étaient à une heure de marche du refuge douillet du musée. Plus ils s'étaient enfoncés dans la gorge étroite, et plus le glacier s'était bombé entre les murailles. Ses eaux tassées par l'hiver se durcissaient en séracs pour éroder la vallée au rythme lent et irrésistible d'une excavatrice silencieuse. Ils avaient dû marcher en évitant les crevasses jusqu'à cet endroit où un vent de cristal limait l'étroit couloir d'un nuage de neige rêche comme du gros sel. Yeruldelgger sentit la bise lui abraser les joues et les narines.

— Je suppose ! répondit le professeur. On le ramasse, alors ?

C'était un homme sec et court sur pattes, moitié moins vêtu que Yeruldelgger malgré la tempête. Il était coiffé d'une maigre chapka en nylon kaki, mais il avait passé autour de sa tête et de ses oreilles une large écharpe en laine rouge, jaune et bleue. Sa barbe noire semblait suffire à protéger son cou. L'homme était une sorte de conservateur officieux de cette partie de la Zone Strictement Protégée du massif de l'Otgontenger. Tous, ici ou là-bas, lui donnaient du « professeur » depuis qu'il avait pris sur lui de créer un petit musée dédié à la faune et à la flore de la région.

— Celui-là, oui, concéda Yeruldelgger qui ne demandait qu'à regagner les appartements chauffés du professeur. Si tu en trouves d'autres, tu les laisses sur place en les protégeant et en marquant leur position par quelque chose. On sait comment il est arrivé là ?

— Bien sûr : s'il est tombé par terre, c'est la faute à Voltaire ! dit le professeur dans un bon français.

Yeruldelgger se tourna vers lui et le professeur se méprit sur la surprise qu'il lut dans son regard.

— C'est du français et Voltaire est un…

— Je sais qui est Voltaire ! coupa Yeruldelgger, et je sais qui a dit ça !

— Qui a dit ça ? demanda l'homme, incrédule.

— Victor Hugo, dans *Les Misérables*. Gavroche.

Le professeur bondit aussitôt dans la neige en écartant les bras pour prendre le ciel à témoin.

— Ah je n'y crois pas ! Un flic, un policier, un pandore qui connaît Voltaire et Hugo ! Le ciel soit loué, le monde n'est donc pas encore tout à fait pourri ! Tu connais *Les Misérables* ? Tu as lu *Les Misérables* ? Tu les as vraiment lus ?

— J'ai suivi les cours de l'Alliance française, à Oulan-Bator, avoua Yeruldelgger comme s'il confessait une faute. L'extrait était sur ma liste de lecture.

— Magnifique ! Splendide ! Éblouissant ! Tu es le premier flic des Lumières que je rencontre ! s'enthousiasma le professeur en se jetant dans ses bras.

Le policier le repoussa d'un geste plus brusque qu'il ne l'aurait voulu, pour reprendre ses distances d'enquêteur.

— C'est qui, ce Voltaire ? demanda-t-il pour reprendre bonne contenance.

— Mais, je croyais que… C'est l'auteur de… Mais non, je plaisante, je plaisante : Voltaire est le surnom que j'ai donné au gypaète de Schiller !

— Au quoi de quoi ? Qu'est-ce que c'est que ce charabia !

— Depuis des années j'étudie le comportement des gypaètes barbus. Ce sont les rapaces les plus…

— Je sais aussi ce que sont les gypaètes ! s'emporta Yeruldelgger.

— Décidément, tu en sais des choses pour un flic. Tu es sûr d'être vraiment flic ? Je plaisante, je plaisante ! En fait j'étudie le comportement d'une demi-douzaine de gypaètes que j'ai identifiés en leur donnant des noms d'auteurs français du siècle des Lumières. Il y a Diderot qui niche loin là-bas, Montesquieu dans la vallée derrière, D'Alembert du côté du lac, Rousseau beaucoup plus au nord. Beaumarchais a disparu l'an dernier, et ici, nous sommes sur le territoire de Voltaire.

Yeruldelgger resta sans voix. Il n'arrivait pas à se

convaincre qu'il était bien là au cœur du massif de l'Otgontenger, à parler avec un homme qui donnait aux rapaces des noms d'auteurs français.

— Schiller n'est pas un auteur français des Lumières ! lâcha-t-il malgré lui.

— Schiller n'est pas un oiseau non plus, répliqua le professeur. Chaque gypaète défend un territoire de chasse de plusieurs dizaines de kilomètres carrés à partir d'un nid de plus de deux mètres abrité sur le rebord ou dans une grotte d'un éperon escarpé. J'ai donné des noms de romantiques allemands à chaque éperon. Il y a…

— Oui, bon, ça va ! Ça va ! Tu veux dire qu'un gypaète aurait fait tomber ce morceau de fémur humain de son nid ?

— Pas du tout ! expliqua le professeur. Les gypaètes sont des vautours charognards. Ils se nourrissent d'os de cadavres. Ils se régalent des tendons et des ligaments, mais surtout de la moelle, donc ils préfèrent les os longs, comme ce fémur. Alors pour extraire cette substantifique moelle, comme aurait dit Rabelais… Tu connais Rabelais ?

— Professeur ! s'exaspéra Yeruldelgger.

— Pour extraire la moelle donc, ces oiseaux qu'on appelle aussi des « briseurs d'os » s'envolent avec leur butin et le laissent tomber de plusieurs centaines de mètres sur des rochers ou des pierriers pour les briser et s'en régaler. Et comme ici nous sommes chez lui, si cet os s'est brisé sur la pierre, c'est la faute à Voltaire.

— Écoute, supplia Yeruldelgger à qui le froid enserrait à présent les reins, il fait moins trente, nous avons encore une heure de route avant de rejoindre ton musée, et j'ai l'impression d'avoir des caillots de glace dans les veines tellement je suis frigorifié, alors si tout ce que tu racontes a un quelconque sens pour mon enquête, dis-le vite ou je t'éventre pour me réchauffer les mains dans tes tripes.

— Eh bien, ça veut dire que le cadavre dont vient ce fémur est sur le territoire de Voltaire. Les gypaètes sont aussi fidèles à leur territoire qu'ils le sont à leur femelle.

— La belle affaire ! maugréa Yeruldelgger qui tentait de pousser Grandgousier à faire demi-tour pour signifier au professeur qu'il voulait rentrer. Si son territoire est de plusieurs dizaines de kilomètres carrés, autant chercher un aarul blanc dans une tempête de neige !

— Hey, j'adore ces boulettes aigres de fromage séché, répondit avec gourmandise le professeur.

Il s'approcha du yack et d'une caresse sur le museau lui fit faire la lourde manœuvre que Yeruldelgger cherchait à provoquer à coups d'épaule.

— C'est bien pour ça que je t'ai appelé, et que tu devrais rester encore un peu. Ici, c'est bien le territoire de Voltaire, mais c'est plutôt son aire de confort et de repos. Son aire de nourriture est effectivement à des kilomètres à l'ouest. Alors quand j'ai vu son manège de briseur d'os, ça m'a intrigué et je l'ai bien observé. Et j'ai vu ça...

Il sortit une paire de jumelles d'ornithologue de sa poche et la tendit à Yeruldelgger en désignant une falaise abrupte au-dessus d'eux.

Une longue faille verticale fendait la paroi et Yeruldelgger l'aperçut aussitôt. Une chose moins minérale, moins dure, moins noire que la roche. Une chose enfichée dans la pierre, comme un bout de chiffon dans une entaille. Une chose désarticulée. Il porta les jumelles à ses yeux en redoutant déjà ce qu'il était sûr de découvrir.

— Depuis quand est-il là ?

— Le petit manège de Voltaire a commencé à m'intriguer il y a une dizaine de jours. Je l'ai repéré avant-hier, et j'ai prévenu la police aussitôt.

— On sait qui c'est ? Des disparus dans la région ? Des absents ?

— Non, personne apparemment.

— Un touriste ? Un alpiniste ?

— Un touriste, non. Tous viennent ici accompagnés, en général. Un grimpeur peut-être. Tu sais, un de ces mômes qui s'enivrent d'adrénaline à grimper n'importe quoi, n'importe quand. Mais je n'ai remarqué aucun piton ni aucune corde. Ou alors un voltigeur à mains nues, c'est possible.

— En plein dzüüd ? Ce serait suicidaire !

— C'était peut-être ce qu'il cherchait ?

— Suicide en montagne ? Trop rare… Et puis les suicidés veulent qu'on retrouve leur corps. Il aurait dû être au pied de la falaise, pas perché là-haut !

— Je suis d'accord avec toi, concéda le professeur. Rien n'explique ce que ce corps fait coincé là-haut, ni comment il y est arrivé.

Yeruldelgger pointa à nouveau les jumelles vers la falaise. Il identifia des lambeaux d'anorak, une main, des cheveux, mais pas de visage. Il revint vers la main et nota qu'elle était sans gant. La tête n'était couverte que par un bonnet de laine sombre. D'instinct, il pencha pour un homme, plutôt jeune, pas vraiment habillé pour un grand froid. Yeruldelgger chercha d'autres indices. De la toile, des sangles, des cordes, un harnais…

— Est-ce qu'il y a un moyen de monter là-haut ?

— Personne ne s'y risquera en hiver. Je ne sais même pas si on pourrait hélitreuiller quelqu'un. Il est trop profond dans la faille. Il faut attendre des jours meilleurs ! conseilla le professeur.

— À moins que ton Voltaire n'ait becqueté les indices entre-temps !

— Des indices ? À quoi penses-tu ?

— Ce pauvre type n'a pas pu s'encastrer si profond juste en dévissant ou en trébuchant, expliqua Yeruldelgger.

— Comment alors ?

— Il est tombé de bien plus haut ! murmura Yeruldelgger en levant les yeux vers le ciel blanc.

— Quoi, lâché du ciel, comme par un gypaète ?

— Pourquoi pas ? « Il en est des hommes comme des plus vils animaux : tous peuvent nuire ! »

— Voltaire ?

— Voltaire !

Ils rentrèrent au musée en silence, accrochés à la longue fourrure de rasta du yack blanc pour ne pas glisser. C'était une lubie du professeur, de toujours voyager accompagné de son animal pendant l'hiver. Yeruldelgger avait refusé de grimper dessus par peur du ridicule, mais dans ce froid de verre pilé, il était rassuré de savoir que ce recours existait.

Quand ils atteignirent le musée, le professeur abandonna Grandgousier dehors sans l'attacher. Il ne s'inquiétait d'un abri pour l'animal que si la température descendait sous les moins quarante. En dehors de ces extrêmes, le yack transpirait une huile qui le protégeait autant que ses sous-poils denses et son long pelage. Quand il en avait à nouveau besoin, il suffisait au professeur d'appeler le gros ruminant myope à voix basse. Le yack savait reconnaître sa voix à plus d'un kilomètre dans la tempête.

Aussitôt à l'intérieur, le professeur invita Yeruldelgger à rejoindre son bureau surchargé de livres et d'animaux naturalisés. Il jeta quelques bouses de yack séchées dans le poêle en fonte, puis sortit deux verres et une bouteille d'alcool. Yeruldelgger crut à de l'arkhi, de l'alcool de lait de yack fermenté, mais l'homme leur servit de l'artz, résultat d'une seconde distillation de l'arkhi. Celui-ci titrait au moins quarante degrés et leur incendia la gorge avant de remonter bouillonner derrière leurs yeux. Yeruldelgger attendit que ses cordes vocales vibrent à nouveau avant de demander au professeur l'autorisation d'appeler Oulan-Bator. Il désirait qu'on fasse le nécessaire pour arranger son retour à partir de l'aéroport d'Uliastay, le professeur s'étant proposé de l'accompagner jusque-là. À l'autre bout du fil, le long silence du jeune inspecteur eut vite raison de sa patience.

— Quoi, inspecteur, un problème ? aboya Yeruldelgger.

— C'est-à-dire que… En fait il n'est pas utile que vous vous rendiez à Uliastay, monsieur…

— Ah oui ? Et pourquoi ça ?

— Parce qu'une voiture est déjà en route pour venir vous prendre, monsieur…

— Une voiture ? Tu veux dire ici, dans l'Otgontenger, par ce temps ? Et pour quelle raison ?

— Ça, monsieur, je ne suis pas habilité à vous le dire. Ils vous l'expliqueront eux-mêmes. Ils sont descendus d'Oulan-Bator pour ça...

3

Trouvez-moi Yeruldelgger, vite !

Solongo reçut le corps en fin de matinée. Une jeune femme dans la trentaine, non encore identifiée. Cause apparente du décès : hémorragie massive consécutive à un égorgement. Elle signa les fiches de transfert et désigna aux brancardiers la table d'autopsie sur laquelle elle voulait opérer. Quelques secondes plus tard, le cadavre reposait sur la table en acier, dans son linceul de plastique noir encore scellé par un zip. Elle passa des gants d'autopsie, glissa un masque sur son nez, et attendit que les brancardiers sortent par le sas automatique. Elle ne supportait pas cette tendance morbide qu'ils avaient à attendre qu'elle sorte le corps de sa macabre chrysalide. Pour elle, la poche dans laquelle on glissait les morts avait valeur de fondu au noir dans le montage d'un film. Elle séparait deux séquences fondamentalement différentes. Celle violente, agitée, bruyante, autour des enquêteurs et des secours sur la scène de crime, avec la victime abandonnée sans pudeur à sa tragédie, exposée au milieu des témoins, des flics, des voyeurs et des ambulanciers, sous les flashs des policiers et les caméras des chroniqueurs. Puis sa séquence à elle. Le tête-à-tête silencieux avec une personne inconnue. Le long examen externe pour apprendre à la connaître. La dénuder et la laver, lentement, précautionneusement, au jet doux. La nettoyer de son sang, de ses vomissures, et de toutes les souillures dont les traces prélevées allaient raconter ses derniers instants. Puis ouvrir son corps pour lister, une à une, toutes les traces de sa vie jusqu'à sa mort. Ce corps allait lui confesser, dans l'intimité de la morgue, ce qu'il avait vécu, ce qu'il avait fait, et ce qui l'avait tué.

Quand elle se sentit prête, Solongo alluma la grande lampe articulée au-dessus de la table et brancha le micro pour consigner ses observations. Puis elle descendit la fermeture à glissière et suspendit son geste dès qu'apparut le visage de la jeune femme.

— Oh non ! soupira-t-elle.

Ses yeux s'embuèrent aussitôt de larmes et elle sentit son cœur défaillir. Elle ôta son masque, défit ses gants, et décrocha le téléphone.

— Trouvez-moi Yeruldelgger, vite !

4

... avec les traces de la voiture.

Oyun tenait à deux mains un grand bol de thé au beurre. Elle était assise en coin à une petite table de la pièce fourre-tout, en culotte, avec juste une chemise ouverte sur ses seins. Elle avait trouvé de la crème au lait de yack et de la confiture de myrtilles du lac de Khövsgöl en fouillant dans le vieux frigo. Pas de pain. Le regard perdu dans la fumée du thé, elle piochait dans la crème et la confiture de la pointe d'un couteau de cuisine.

Il sortit de la chambre en pantalon, pieds et torse nus, et passa derrière elle pour aller jusqu'à l'évier faire quelques rapides ablutions.

— Il ne s'est rien passé ! dit-elle sèchement sans se retourner vers lui.

— Il ne s'est rien passé ! accepta-t-il en souriant.

— Ne va rien t'imaginer !

— Je n'imagine rien ! sourit-il à nouveau. Ce qui est arrivé me suffit.

— Il n'est rien arrivé !

Elle se leva, posa sa tasse et le couteau dans l'évier où il se lavait le visage, et se dirigea vers la chambre en le bousculant de l'épaule.

— Ne reste pas là, va t'habiller ! commanda-t-elle.

— J'y pensais, admit-il, mais c'est toi qui portes ma chemise.

Elle s'arrêta pour la lui jeter de loin et retourna dans la chambre en claquant la porte, devinant que, dans son dos, il regardait ses fesses.

— À propos, puisque tu ne me le demandes pas, mon nom c'est Gourian !

La veille au soir, elle avait appuyé le canon de son arme contre le front de cet homme, prête à lui exploser le crâne s'il osait la toucher. Et ce matin elle se réveillait contre lui, dans son lit, tourmentée et rendue furieuse par une chose dont elle se souvenait, et par une autre dont elle ne se souvenait pas. Le souvenir qui la hérissait, c'était le plaisir que cet homme lui avait donné, elle qui se le refusait depuis plus d'un an.

Elle se souvenait de son corps crispé jusqu'à la crampe pour ne pas lui céder, de ses tremblements de panique, de son cou tendu comme un faisceau de câbles. Elle se souvenait avoir été aimée avec une tendresse inattendue, de baisers et de caresses uniquement, sans son sexe à lui ni le sien. Il ne l'avait pas pénétrée. Elle se souvenait de tout ça, et ce qui la rendait plus furieuse encore, c'était de ne pas se souvenir de ce qu'il avait dit. Qu'avait-il pu dire pour ébranler un à un tous les remparts de ses peurs et de ses dégoûts ? Comment avait-il pu trouver les mots pour déchirer ses cauchemars ? C'est contre cette faiblesse retrouvée qu'elle laissait monter sa colère. Elle croyait être devenue si forte après le viol, et voilà qu'elle avait cédé sans même se souvenir pourquoi.

Elle s'habilla en flic comme on enfile une armure, et sortit de la chambre. Gourian était prêt lui aussi.

— Bon, on redevient flics ? demanda-t-il comme on propose une paix des braves.

— Moi je suis flic, et toi tu es militaire ! corrigea-t-elle en se surprenant d'en plaisanter.

Ils s'équipèrent chaudement, mais quand il ouvrit la porte, le froid leur plissa aussitôt le visage. Trois nomades les attendaient autour de l'autochenille. Ils avaient déjà chargé la yourte dans la benne, quelques barils de fioul et les deux générateurs d'air chaud.

— À nous voir sortir tous les deux comme ça, ils vont croire que nous sommes en retard pour une histoire de cul ! lâcha Gourian en saluant les nomades d'un large sourire.

Ce type ne manquait pas d'audace à la chercher comme ça.

— Tu n'es pas le genre d'amant à mettre une fille en retard.

— Au moins je suis un amant, c'est déjà ça !

— C'est déjà ça. Mais si tu recommences, ce n'est pas entre les yeux que je t'en mets une, c'est entre les couilles.

— Quoi, pour te punir, encore ?

Elle savait bien qu'elle aurait dû le gifler, ou l'agonir d'injures devant les autres. Tout ce qu'elle réussit à faire, ce fut de lui balancer son poing dans l'épaule comme on fait entre copains.

Les trois nomades insistèrent pour voyager dans la benne. Oyun n'aurait pas su dire si leur sourire n'était qu'un rictus figé par le froid, ou bien un petit rire entendu à propos d'elle et du militaire. Elle n'aurait pas su dire non plus si Gourian jetait volontairement ou pas son engin au creux des ornières ou à l'assaut des congères. Plusieurs fois ils se cognèrent l'un à l'autre en essayant de ne pas en rire, puis soudain, profitant d'un soubresaut de l'engin qui la jeta contre la portière, il la rattrapa par l'épaule et la tira vers lui. Quand il passa son bras autour de ses épaules pour la garder contre lui, Oyun devina que ce n'était pas seulement pour lui éviter de se cogner à nouveau. Elle se laissa faire sans résister et se cramponna d'une main à sa cuisse pour qu'il comprenne bien qu'elle avait compris.

— Je crois bien que je t'aime ! dit-il en haussant les sourcils avec résignation.

— Moi ?

— Toi, peut-être pas encore. Mais ta bouche déjà un peu, tes petits seins beaucoup, ton beau cul passionnément, ton joli sexe à la folie…

Elle ne répondit pas. Comme une collégienne, elle resta quelques instants silencieuse en se souriant à elle-même. Puis elle posa la tête sur son épaule et ne dit plus rien jusqu'à ce qu'ils atteignent l'endroit où la nuit avait pétrifié la petite pile de cadavres.

Sans avoir à en calfeutrer l'intérieur, il ne leur fallut pas plus d'une heure pour monter la yourte autour des cadavres. Ils roulèrent ensuite trois petits braseros qu'ils disposèrent en triangle autour des corps, puis installèrent les deux générateurs d'air chaud à l'extérieur en glissant les tuyaux qui pulseraient l'air sous la toile. Quand ils eurent terminé, ils vérifièrent tout une dernière fois avant d'autoriser les nomades à allumer les braseros. Gourian remplit les réservoirs et lança le

moteur des générateurs. Puis il retourna jusqu'à l'autochenille pour décharger une tente de survie, quelques
vivres, de la vodka et les jerrycans de fioul. Il désigna un volontaire parmi les trois nomades, et ordonna
à l'homme de rester sur place pour veiller sur l'instal-
lation jusqu'au lendemain matin. L'homme, résigné,
planta la tente à l'intérieur de la yourte et en ressortit
pour voir l'autochenille s'éloigner. Depuis la benne,
les deux autres l'abandonnèrent à son sort en le regardant disparaître, sans un geste. Dans la cabine, Gourian se penchait pour embrasser Oyun quand la radio
de bord crachota un signal. Il coiffa un casque sous
le regard frustré et curieux d'Oyun. Le message était
court. Solongo, le médecin légiste du Département de
police, demandait à Oyun de rentrer de toute urgence
à Oulan-Bator. Un hélico était en vol pour venir la
prendre dans la petite garnison à deux heures de route
du poste de police.

— Nous n'aurons pas le temps ! dit le policier.
— D'aller jusque là-bas ?
— De baiser une dernière fois.
— Hey, il ne s'est rien passé ! fit mine de s'offus-
quer Oyun.
— C'est sûr. À côté de ce qui se passera la pro-
chaine fois, on peut dire qu'il ne s'est encore rien
passé.

Il la reconduisit jusqu'au poste où il troqua l'autochenille pour un gros pick-up Toyota surélevé. Ils partirent aussitôt en ligne droite vers l'horizon immaculé
de la steppe mais Oyun ne put résister longtemps à la
tentation. Au beau milieu de n'importe où, au cœur
de la plaine immense et glacée, sous un ciel de nacre

mat poncé par un soleil bas, elle le força à s'arrêter et se donna à lui violemment dans le désordre de leurs parkas défaites avec une fièvre qui embua aussitôt les vitres du Toyota. Puis ils reprirent la route jusqu'à la petite garnison, en silence et le sourire aux lèvres, après qu'il eut écrit son nom en grand dans la neige avec les traces de la voiture.

5

Prévenu, mon cul !

Ils arrivèrent au milieu de l'après-midi. Deux hommes plus un chauffeur. Ils arrêtèrent leur Land Cruiser à vingt mètres du musée et descendirent tous les trois. À leur façon de faire, Yeruldelgger comprit qu'ils étaient armés. Il s'habilla, ouvrit la porte et fit deux pas dehors, sous le regard inquiet du professeur.

— Yeruldelgger ? cria l'homme du milieu.

Les deux autres s'écartèrent aussitôt en sortant leur automatique.

— Que se passe-t-il ? demanda Yeruldelgger.

— Tu es armé ?

— Je suis flic !

— Si tu es armé, jette ton arme loin devant toi.

— Que se passe-t-il ?

— Jette ton arme loin devant toi, répéta l'homme pendant que les deux autres le mettaient en joue.

— Je vous dis que je suis flic. Qui êtes-vous ?

— Ne complique pas les choses, Yeruldelgger, et obéis.

— Je veux d'abord savoir qui vous êtes.

— … Affaires spéciales, finit par lâcher l'homme après une longue hésitation. Maintenant jette ton flingue.

Yeruldelgger essaya de comprendre ce qui se passait. Les trois hommes se comportaient bien comme des flics. Les Affaires spéciales prenaient en charge les enquêtes impliquant des policiers. Après celle sur les terres rares et l'inculpation de plusieurs chefs de la police qu'il avait lui-même provoquée[1], Yeruldelgger avait participé à la création de cette nouvelle unité. Que pouvaient lui vouloir maintenant les Affaires spéciales ?

— C'est bon, dit Yeruldelgger en levant les mains. L'un de vous peut venir me désarmer. Je n'opposerai pas de résistance.

L'homme sur la gauche resta à sa place en le maintenant dans sa ligne de mire. L'homme à droite décrivit un long arc de cercle pour venir dans son dos à mesure que celui qui semblait être le chef avançait vers lui. Il avait sorti un automatique lui aussi. Le bras plié à hauteur de l'épaule pour rester hors de portée de Yeruldelgger, il le tint en respect le temps de le fouiller de l'autre main.

— Ne bouge pas !

— Dans un holster, à gauche, sous la parka.

Dès que l'homme se fut emparé de son arme, celui qui était derrière rabattit les bras de Yeruldelgger dans son dos et le menotta.

— C'est vraiment nécessaire ? lui demanda-t-il calmement.

— Ce sont les ordres. C'est la procédure habituelle.

— Je peux savoir ce qui se passe ?

---

1. Voir *Yeruldelgger*, *op. cit.*

— Tu es flic. Tu sais qu'on ne peut rien te dire.

— Je suis flic, et je sais que tout peut se dire…

— Pas avec nous. Pas avec les Affaires spéciales.

— J'ai contribué à créer cette unité !

— On sait. Et on sait ce que tu as fait…

Yeruldelgger les laissa l'emmener jusqu'au Land Cruiser, sous le regard défait du professeur à qui personne ne donna aucune explication. Le chauffeur maîtrisait la conduite sportive et ils furent à Uliastay en un peu plus d'une heure, le temps d'attraper le dernier vol pour Oulan-Bator. Quatre places leur étaient réservées, qui pourtant avaient été retenues par une famille de nomades que le représentant de la compagnie débarqua sans ménagement pour les planter au milieu du hall désert. Quelques passagers remarquèrent les menottes aux mains de Yeruldelgger et prirent bien garde de ne jamais croiser son regard, ni celui des policiers. À Oulan-Bator, une berline les attendait. Elle les déposa au Département de police et Yeruldelgger traversa tout le service, entravé, sous le regard sidéré des inspecteurs et du personnel présent. Les hommes des Affaires spéciales le conduisirent jusqu'à l'une des salles d'interrogatoire qu'il connaissait par cœur. Ils l'y abandonnèrent plus d'une heure, comme il était de coutume de faire pour conditionner les prévenus. Puis un homme plutôt jeune entra dans la salle et jeta un fin dossier sur la table comme s'il était flic dans *New York Unité Spéciale*. Il tenait dans l'autre main un iPad qu'il posa plus délicatement devant lui. Puis il resta un long moment à regarder Yeruldelgger droit dans les yeux.

— Je suis flic, tu sais ? expliqua Yeruldelgger. Je connais les ficelles du métier. Tu t'appelles Bekter et tu es un bleu. Si tu évitais de nous la faire genre Actors Studio et que nous allions droit au but ?

— Altantsetseg, tu connais ?

— Elle est morte ?

— Comment tu le sais ?

— Envoyer une équipe me chercher dans l'Otgontenger pour me ramener ici avec les bracelets, ce n'est sûrement pas parce qu'elle a demandé que je sois son parrain.

— Donc tu connais ?

— A priori non.

— Ça veut dire quoi ? Tu connais ou tu ne connais pas ?

— Ça veut dire ce que ça veut dire : a priori, je ne connais pas.

— Comment sais-tu qu'elle est morte, alors ?

— Ah, donc elle est bien morte ! Tu vois que tu peux dire les choses, quand tu veux !

— Ce n'est pas un jeu, Yeruldelgger !

— Parce que tu crois que je m'amuse en ce moment ? Écoute, gamin, c'est très simple : tu ne me dis pas tout, je ne réponds pas tout. Et ça peut durer jusqu'à demain sans problème.

Le déclencheur, c'était *gamin*. Le jeune inspecteur ne pouvait pas encaisser ça sans un coup de colère, et il fit ce que Yeruldelgger attendait qu'il fasse. Il abattit ses cartes plus vite que prévu. Sur l'iPad qu'il tourna vers lui, Yeruldelgger vit apparaître la photo du cadavre d'une jeune femme. Et celle-là, il la connaissait bien.

— Tu ne connais toujours pas ?

— Si. Je ne me souvenais plus de son nom mongol. Elle se faisait appeler Colette. C'est du français.

— Je m'en fous. D'où la connaissais-tu ?

— Ne me prends pas pour un con, gamin. La réponse est dans ton dossier et tu le sais déjà. Cette fille a été mon indic.

— Vous étiez amants ?

— Ça, c'est vraiment une question à la con !

— Vous avez passé deux nuits ensemble dans une yourte au camp de l'Ours pendant une enquête, l'an dernier. Vous étiez amants ?

— Si tu n'étais pas si jeune, je t'assommerais bien d'un coup de tête pour t'apprendre ton métier et la politesse.

— Essaye toujours, provoqua le jeune inspecteur.

Mais Yeruldelgger avait déjà noté l'imperceptible mouvement de recul du policier. Il en profita pour prendre l'ascendant. Il s'approcha de la table en raclant les pieds métalliques de sa chaise sur le sol en béton. Cette fois, le jeune flic eut un véritable sursaut.

— Ne t'en fais pas, je ne frappe pas les gosses.

— Le gosse t'emmerde. Qui tu es n'excuse pas ce que tu as fait.

— Eh bien alors, parlons de ce que j'ai fait.

— Vous étiez amants ?

— Non. J'avais besoin de jouer les touristes en couple pour faire tomber un assassin et elle m'a servi de couverture, si je peux dire ça sans que tu ne l'interprètes de travers.

— À l'époque de l'affaire des terres rares ?

— Oui !

— Et tu l'as revue depuis ?

— J'ai failli, il y a trois jours. Elle m'a appelé pour me parler d'un truc. Elle m'a donné rendez-vous à l'hôtel Mongolia mais elle n'est pas venue. Le soir même je suis parti enquêter sur le corps signalé dans le massif de l'Otgontenger. Comment est-elle morte ?

— Tu dois le savoir, puisque c'est toi qui l'as tuée !

— Ah, nous y voilà ! Donc je suis accusé d'avoir assassiné Colette. Tu ne pouvais pas le dire tout de suite au lieu de le faire genre *Esprits criminels* ? Je n'ai pas revu cette pauvre fille depuis le camp de l'Ours, et je l'ai encore moins tuée.

— Dommage pour toi, le vieux, mais moi j'ai la preuve du contraire !

Le jeune policier se leva triomphalement, manipula avec agilité les commandes de l'iPad, et lança la lecture d'une vidéo. Yeruldelgger reconnut le couloir d'un hôtel qu'il identifia aussitôt comme le Mongolia. Il s'agissait des images d'une caméra de sécurité. Puis il se vit sortir de l'ascenseur et se diriger droit vers la porte de la chambre située juste en face. Il ne frappe pas. Il sort une carte magnétique, ouvre la porte lui-même et disparaît à l'intérieur de la chambre. La bande défile alors en accéléré pendant quelques dizaines de secondes et le timecode reprend un quart d'heure plus tard. Il se voit sortir de la chambre et tient un mouchoir dans sa main quand il referme la porte. Il essuie la poignée avant de reprendre l'ascenseur, et disparaît.

— Et alors ? demanda Yeruldelgger.

— Alors cette chambre du Mongolia était réservée au nom d'Altantsetseg. Tu es le seul à y être entré, à 15 h 18 pour être précis, et le seul à en être ressorti à 15 h 36 très exactement.

— Et tu vas me dire que Colette est morte dans

cette chambre justement entre 15 heures et 16 heures d'après le médecin légiste, c'est ça ?

— Tu vois que tu peux comprendre, toi aussi, quand tu veux !

— Le problème, c'est qu'il n'y avait personne dans cette chambre à 15 h 18 quand j'y suis entré, et toujours personne à 15 h 36 quand j'en suis sorti.

— J'aurais bien aimé te croire, tu sais, par respect pour le vieux flic que tu es, mais s'il n'y avait pas de cadavre dans cette chambre, explique-moi une chose : pourquoi essuyer tes empreintes sur la poignée de la porte en partant ?

Yeruldelgger n'eut pas le temps de répondre. La porte de la salle d'interrogatoire s'ouvrit à la volée et Oyun se précipita à l'intérieur.

— Qu'est-ce que c'est que cette histoire d'arrêter Yeruldelgger ?

— Inspecteur, je vous prie de sortir immédiatement ! hurla le jeune flic.

— Qui tu es, toi ? Depuis quand on interroge un collègue menottes aux mains ? Depuis quand on lui fait traverser tout le service avec les pinces ?

— Depuis que monsieur Mains-Propres s'est lavé les siennes dans le sang d'une pauvre fille, répondit l'inspecteur en maîtrisant sa colère. Yeruldelgger, il est 20 h 12 et à partir de cette heure tu es en garde à vue dans le cadre de l'enquête sur le meurtre d'Altantsetseg. Et toi, Oyun, comme tous les autres membres de son service, interdiction absolue d'approcher le prévenu.

Elle sortit en claquant la porte de toutes ses forces.

— Prévenu, mon cul !

6

Maintenant ? En pleine nuit ?

— Alors ? demanda Solongo.

La jeune femme ne voulait pas trahir son inquiétude. Elle servit le thé à Oyun qui rentrait à nouveau dans la yourte. Malgré le froid, elle était déjà sortie trois fois pour répondre à des appels sur son portable.

— Alors quoi ?

Oyun glissa le téléphone dans sa poche et s'agenouilla près de la table basse. Elle se réchauffa les mains autour de sa tasse de thé.

— Ça fait trois fois que tu sors pour que je n'entende pas. Qu'est-ce que tu me caches ? Ça s'aggrave pour Yeruldelgger ? Tu as des infos sur l'enquête ?

— Tu n'y es pas ! répondit Oyun. Ça n'a rien à voir avec Yeruldelgger !

— Avec qui, alors ? Tu as des ennuis ?

Solongo était la compagne de Yeruldelgger depuis qu'Uyunga, sa femme, s'était éloignée de lui. Lui et Solongo, c'était comme un rocher au milieu de l'eau. Ils auraient pu rester leur vie entière l'un contre l'autre, lui immobile et solide et elle profonde et calme. Mais quand l'affaire des terres rares l'avait fragilisé, la carapace de Yeruldelgger s'était fendue et de mauvaises cicatrices s'étaient rouvertes. Solongo s'était alors coulée en lui par la faille comme une eau apaisante pour calmer ses cauchemars.

Oyun aussi avait souffert. Un gang l'avait violée et on l'avait laissée pour morte, une balle dans le cœur. Yeruldelgger l'avait sauvée. Sauvée de ses blessures d'abord, au moment des faits, puis sauvée de ses cauchemars, tout au long des mois qui avaient suivi. Solongo était plus que la légiste du service et Yeruldelgger plus que son partenaire à la criminelle. Tous les trois étaient unis par beaucoup plus qu'une amitié. Yeruldelgger leur avait expliqué un soir qu'ils partageaient entre eux une âme commune.

— Je n'ai pas d'ennuis, Solongo. En fait, étant donné les circonstances, j'ai même un peu honte d'avouer ce qui m'arrive...

— Quoi ? Tu as quelqu'un dans ta vie ? devina Solongo.

— Oui... C'est lui qui m'appelle. C'est le militaire qui m'a assistée dans l'enquête sur la pile de cadavres...

— Celui avec qui tu as cassé la jambe congelée que tu m'as rapportée ?

— Oui, c'est lui. Je ne comprends pas ce qui m'a pris, je ne sais pas comment j'ai pu...

— Comment tu as pu quoi : tourner la page ? Réapprendre à être heureuse ? Viens vite t'asseoir près de moi et raconte-moi tout !

Solongo s'adossa contre son grand lit traditionnel en bois peint et invita Oyun à se glisser à ses côtés.

— Écoute, Solongo, ça me gêne de te raconter mes

histoires de gamine en chaleur pendant que tu t'inquiètes pour Yeruldelgger.

— Oyun, je ne m'inquiète pas pour Yeruldelgger. Je ne m'inquiète jamais pour Yeruldelgger.

Elle savait que Solongo se mentait à elle-même, mais elle comprenait ce que la jeune femme voulait dire. Qu'on s'inquiète ou pas pour lui, Yeruldelgger s'était toujours sorti des situations qui semblaient devoir lui être fatales.

Elle se cala confortablement contre l'épaule de Solongo, et lui raconta par le détail ses amours fulgurantes avec Gourian. Elle allait lui confier comment elle avait osé l'arrêter au cœur de la steppe pour sauter sur lui, quand son téléphone sonna à nouveau. Elle bondit comme une gamine et s'éloigna en s'excusant d'un geste rieur pour sortir de la yourte. Elle n'en eut pas le temps. Elle resta un moment interdite à regarder son téléphone puis se retourna vers Solongo, l'air préoccupé.

— Tu connais un certain Ganzorig ?

— Non, qui est-ce ?

— Je n'en sais rien. Un inspecteur vient de me prévenir qu'un Ganzorig met le souk dans le service à propos de Yeruldelgger. L'autre taré de Bekter est en train de rappliquer vite fait au Département et il paraît qu'on devrait s'y pointer nous aussi.

— Maintenant ? En pleine nuit ?

7

... et le premier coup le tua.

La peur lui tenaillait les entrailles. Cette nuit était ce qu'il pouvait vivre de pire. Il sentait déjà le vent de la mort souffler sur son âme parce que dehors, aussi loin qu'il pouvait l'imaginer dans sa terreur, ce n'était que la nuit sans fond sur la steppe sans fin. Il ne maudissait pas le policier qui lui avait ordonné de rester. Les nomades ne maudissent pas. Ils ne se révoltent pas. Ils se résignent et pleurent. L'homme, ivre, pleurait à l'intérieur de lui-même pour cacher sa honte. Il avait fermé sa tente pour ne pas voir la mort s'avancer vers lui. Il était prostré au cœur de ce qui restait vivant au milieu de l'univers défait par l'hiver. Ça ne pouvait être qu'une nuit de malheur. Le feu allait réveiller l'esprit du cheval et l'esprit du yack. Puis l'âme du cavalier allait se glisser hors de ses os brisés. Et il serait le seul à devoir subir leur colère d'avoir vu leur honneur ainsi bafoué.

Un loup hurla dans la nuit et sa peur vira à la panique. L'âme du cavalier avait appelé les loups pour le venger. La meute était là pour l'égorger ! Terrifié, il but une autre longue goulée de vodka. Les loups hurlèrent à nouveau puis se turent, et leur brusque silence lui glaça le sang malgré l'alcool qu'il avalait par rasades. Parce que ce qui les avait fait taire, c'était l'autre rugissement. Les loups n'étaient là que pour encourager le plus féroce, le plus cruel des leurs, celui qui sert de monture à Begtse, le Maître de la Vie Rouge, le protecteur de la Mongolie, le guerrier au masque d'or qui massacre et piétine ceux qui violent la tradition et déshonorent les âmes mongoles.

L'homme s'extirpa de sa tente. Begtse venait pour lui, dans son armure de cuir et d'acier, chevauchant à cru le roi des loups assoiffé de sang, brandissant son épée flamboyante au pommeau en forme de scorpion. Et à ses côtés galopaient sûrement les huit bouchers, ses compagnons de mort, armés de marteaux et de haches, qui dépècent les cadavres des âmes perdues et boivent leur sang et leur souffle de vie pour les cracher jusqu'au ciel !

Le nomade tituba entre la tente et les braseros et sortit de la yourte, trop ivre pour avoir peur maintenant. Tout ce qu'il voulait, c'était voir Begtse. Il voulait aller à lui et s'offrir à ses crocs vengeurs. Il voulait être celui qui avait regardé Begtse dans les yeux au milieu de ses bouchers.

Quand le monstre surgit en bondissant par-dessus les congères, ses yeux de feu aveuglèrent le nomade qui tomba à genoux, les bras au ciel, en hurlant le nom de Begtse contre la nuit sans étoiles. Puis le monstre s'abattit sur lui et le premier coup le tua.

8

... à ce drôle d'inspecteur Yeruldelgger.

Le professeur Boyadjian avait regardé les trois hommes emmener Yeruldelgger. Quelque chose en eux lui déplaisait. Quand ils eurent disparu, le froid le saisit à nouveau et il rentra dans le musée boire un autre trait d'artz. Il pensa à ce flic qu'il ne connaissait pas la veille, et qui lui avait été d'emblée sympathique. Plus encore depuis que d'autres flics étaient venus le chercher pour l'embarquer comme l'aurait fait une bande de voyous d'une balance ou d'un traître. Boyadjian était d'origine arménienne. Sa famille avait été déportée en Sibérie par Staline. Son père, seul survivant des siens, avait fui le goulag pour se réfugier en Mongolie, puis il avait poussé jusqu'au sud de ce pays immense pour échapper aux sbires du Régime d'Avant. Mais plutôt que d'échouer chez les maoïstes chinois, il avait décidé de se faire oublier en s'installant au pied de la chaîne du Gurvan Saikhan. C'est là qu'Agop Boyadjian était né, du grand amour d'une jeune Mongole et de son vieux père encore vigoureux. Le Régime d'Avant ayant interdit les noms de famille, père et fils se cachèrent derrière des prénoms mongols jusqu'à l'avènement de la démocratie dans les années quatre-vingt-dix. À la mort de son père, il avait repris ses noms et prénoms arméniens et personne ne lui avait jamais contesté la nationalité mongole. Mais il avait choisi une autre montagne pour commencer sa vie de survivant.

Il se coula dans son vieux fauteuil de velours, bien au chaud au milieu des murs surchargés de livres et de trophées. Qu'allait-il advenir de ce Yeruldelgger ? Quelque chose d'irrémédiable ? Il lui rappelait son père, mort fier et respecté et seul, tout seul, sans famille et sans pays. Lui-même était en voyage en Europe quand l'âge lui avait enlevé ce qu'il lui restait de vie.

« La vie n'est qu'une longue perte de tout ce qu'on a aimé », avait écrit Hugo. Qu'allait perdre encore ce Yeruldelgger ? Cela avait-il un rapport avec le cadavre de la montagne ? Il avait menti pour abréger leur expédition sur place. Accéder au cadavre n'était pas chose impossible. Toute sa jeunesse dans les montagnes du Gurvan Saikhan, et plus tard en Europe pendant ses études, l'Arménien avait gravi des parois et des falaises. Il n'était pas alpiniste, il n'escaladait pas : il grimpait. La falaise n'offrait aucun attrait pour un passionné. Ni même pour un amateur. Seules les conditions climatiques la rendaient difficile, mais il avait menti à Yeruldelgger et il le regrettait. Il ne serait pas très compliqué d'atteindre le corps. Il but cul sec un autre shot d'artz et se leva pour aller jusqu'à la fenêtre. La pleine lune inondait les horizons enneigés d'une clarté chromée. La beauté surnaturelle du paysage lui chavira le cœur. « Chaque homme, dans sa nuit, s'en va vers sa lumière ! » Comme il aimait ce vers de Hugo, et comme aujourd'hui il allait enfin pouvoir le vivre ! Il posa son verre sur une étagère et se dirigea vers le débarras où il stockait son équipement.

Il marcha plus d'une heure, accompagné du yack taciturne à qui il tentait de démontrer que la philosophie des Lumières procédait d'un humanisme laïque. Dans la clarté magique, leurs souffles mêlés en éphémères fumerolles, il expliquait au placide animal qu'il ne fallait rien attendre des hommes, comme l'avait écrit Voltaire, mais simplement leur faire tout le bien dont nous étions capables.

Il arriva au pied de l'éperon rocheux et s'équipa en continuant de philosopher avec le yack. Puis il s'attaqua à la paroi en bénissant l'astre qui l'éclairait et la glace qui réverbérait sa lumière. Dans l'air vif, ses coups de piolets sur les pitons claquaient sans résonner. L'ivresse le prit soudain d'une ascension magnifique et il se félicita de ne pas avoir attendu le jour. Moins vingt-cinq au lieu de moins trente-cinq n'aurait pas fait de différence. Et quel soleil laiteux dans quel azur plaqué aurait pu rivaliser avec la magie de cet astre d'opale dans la nuit sans fond ?

Il lui fallut deux bonnes heures pour atteindre le corps. Il se hissa en équilibre sur une fine lame de roche et tira une lampe de son vêtement. Le cadavre était encore vêtu de lambeaux d'anorak et sa tête fracassée couverte d'un bonnet de coton bleu comme en portent souvent les marins ou les soldats. Ses vêtements évoquaient une tenue militaire, sans pour autant ressembler à un véritable uniforme. Un chasseur à l'affût peut-être, ou un photographe animalier en camouflage. Mais uniforme ou pas, il n'était pas assez chaudement couvert pour survivre à une seule nuit de cet hiver. Tous ses membres s'étaient brisés contre la roche et la jambe d'où Voltaire avait arraché le fémur pendait, raide et dure, au bout d'un fragment de muscle congelé. Dans ce qui restait des vêtements, il ne trouva qu'un briquet qu'il glissa dans une des poches de sa combinaison. Puis il réfléchit au moyen de redescendre le corps. Il ne pouvait se résoudre à le basculer dans le vide pour le récupérer au pied de la paroi. Il trouva une fissure dans la roche, assez haut au-dessus de lui, et y planta un crochet équipé d'un mousqueton. Il s'y assura pour descendre dans le vide de quelques mètres sur le côté et glisser une corde sous le corps. Il répéta plusieurs fois l'opération puis se reposa de son effort. Des nuages s'amoncelaient maintenant autour de la lune et il dut se faire violence pour ne pas s'abandonner à la contemplation du paysage. Il ressentait l'ivresse de son audace et il aurait voulu en jouir plus longtemps, mais le temps pressait maintenant et les conditions allaient vite changer. Il accrocha toutes les cordes à une autre, plus longue, qu'il passa dans le mousqueton et tira de toutes ses forces pour dégager le corps de la crevasse. Il dut s'y prendre à plusieurs reprises pour briser la glace qui le soudait à la paroi. Il allait pouvoir le pousser au-dessus du vide suspendu à la corde et le laisser descendre jusqu'en bas en le retenant à la force des bras. Mais un nuage engluea soudain la lune et tout ce qui était magique devint aussitôt sombre et terrifiant. Une bourrasque souleva de violentes spirales de neige autour de lui et le vent se mit à hurler. Le temps qu'il reconnaisse le bruit strident des turbines, l'hélicoptère avait surgi de nulle part et l'aveuglait en braquant sur lui un projecteur de poursuite. Dans le mouvement qu'il fit pour se protéger les yeux, le professeur perdit l'équilibre et bascula dans le vide au moment où trois commandos glissaient en rappel depuis l'hélicoptère. Les deux premiers se reçurent avec agilité sur le rebord de la faille. Le troisième plongea dans l'obscurité comme s'il voulait poursuivre l'Arménien dans sa chute. Mais Agop réussit à se rattraper in extremis à sa corde et le commando, surpris, le dépassa au moment même où il lâchait sur lui une rafale d'arme automatique. La corde à laquelle se cramponnait maintenant le professeur se tendit et souleva violemment le corps disloqué jusqu'au piton planté dans la roche au-dessus de lui, déséquilibrant un des deux hommes restés sur la corniche qui bascula dans le vide à son tour. Suspendu d'une main à la corde qui tournoyait, Agop gesticula pour éviter l'homme qui le frôla sans crier et percuta le premier qui cherchait encore à se stabiliser cinq mètres plus bas, pour le mitrailler à nouveau. La rafale déchira le ciel en ricochant contre la roche et la carlingue de l'hélico. Sur la corniche, le troisième homme n'avait pas encore réussi à s'assurer et le filin empêchait l'hélicoptère de manœuvrer. Le professeur en profita pour se laisser glisser le long de sa corde en brûlant ses gants jusqu'à la trame. Il toucha le sol à l'aveugle et bascula à la renverse sur le corps du premier commando qui amortit sa chute.

Le survivant parvint à accrocher un mousqueton aux cordes qu'Agop avait nouées autour du cadavre qu'un quatrième homme treuilla en guidant le câble par la porte grande ouverte de l'hélico. L'engin put alors se déplacer et le faisceau du projecteur repéra d'abord le commando qui tournoyait, inanimé, au bout de sa corde, puis l'autre fracassé au sol. Le troisième pendait à présent sous l'engin, la Kalachnikov à la hanche, cherchant à dénicher Agop. Puis il fit signe au pilote de le déposer au sol et organisa le treuillage des corps de ses deux compagnons. Pendant toute la manœuvre, le projecteur continua de fouiller la nuit. L'hélico était descendu le long de la falaise et le dernier commando se hissa sur un des patins pour grimper à bord de l'engin qui tanguait nerveusement. Soudain le doigt de lumière se figea.

— Là ! hurla quelqu'un.

— Qu'est-ce que c'est ?

— Je ne sais pas. On dirait un buffle !

— C'est un yack.

Dans la lumière striée par la neige brassée par les pales, le yack dormait à l'abri d'un grand rocher. Allongé sur ses pattes repliées, il leva à peine la tête quand le faisceau se posa sur lui. Il resta quelques instants, immobile, à essayer de comprendre ce qui l'aveuglait, puis rentra à nouveau la tête entre ses épaules pour se protéger du froid et se rendormir.

— Qu'est-ce qu'il fout là, on le tire ?

— Tu ne crois pas qu'on a assez foiré la mission comme ça ? Il faut retrouver le type qui était sur la corniche.

— Trop tard. Trop dangereux. On reviendra.

— Putain, ce fumier a eu deux d'entre nous !

— Il faudra qu'il paye pour ça.

Le sifflement de la turbine se fit plus strident et le trait lumineux s'étira dans le ciel. L'hélico se souleva en dodelinant jusqu'au-dessus de la falaise, pivota sur lui-même, bascula son museau de squale vers l'avant, et disparut aussitôt dans la nuit redevenue noire.

Le professeur attendit autant qu'il put avant de se dégager. Il avait couru vers Grandgousier en pensant le chevaucher pour s'enfuir, mais ils l'auraient repéré. Il avait préféré se terrer entre le rocher et le yack, et le tirer pour qu'il se couche de côté contre lui. La bête l'avait presque écrasé contre la roche et il avait cru mourir étouffé, mais la ruse avait fonctionné. Agop était persuadé que l'animal avait compris la situation et qu'il avait joué son rôle de yack sauvage surpris en plein sommeil hivernal. Dès qu'Agop s'extirpa de sa cachette, le yack se releva à son tour et posa son museau fumant contre le ventre de l'homme. Le professeur enlaça sa grosse tête entre ses bras et posa sa joue dans la fourrure épaisse. Puis s'excusant, expliquant sa fatigue et le choc de l'attaque, il se hissa sur son dos en s'agrippant à son poil long et dru et n'eut rien besoin de dire pour que le yack prenne le chemin du musée de son pas lent et sûr.

— Voltaire, le vrai, pas l'oiseau, murmura le professeur à l'oreille de Grandgousier, aurait dit que je viens d'approcher « ce moment où les philosophes et les imbéciles ont la même destinée ». Mais que connais-tu de la mort, toi, l'animal bienveillant ? « On voudrait revenir à la page où l'on aime, et la page où l'on meurt est déjà sous nos doigts », tu sais qui a écrit ça ? Non, bien sûr, tu ne connais pas Lamartine, toi ! Alors laisse-moi t'expliquer : Lamartine…

Il leur fallut plusieurs heures de marche et de romantisme français pour rejoindre le musée. Le professeur avait eu bien besoin de l'esprit des Lumières et de l'écoute de Grandgousier pour conjurer sa peur. Il se laissa glisser le long du pelage rêche incrusté de givre, enserra encore le cou du yack, puis le regarda disparaître dans la nuit d'un pas nonchalant mais sans hésitation. Il rentrait chez lui, et chez lui c'était n'importe où dans la steppe. Quand il eut disparu, le professeur aussi rentra chez lui. Il se laissa tomber dans son vieux fauteuil et la terreur de ce qu'il venait de vivre le secoua soudain de sanglots puissants.

Quand il parvint à se reprendre, après une longue gorgée d'artz, il chercha son portable et laissa un message à ce drôle de Yeruldelgger.

9

... pour les besoins de l'enquête.

Oyun et Solongo arrivèrent dans le service en même temps que Bekter. Il les fusilla du regard et leur interdit d'approcher de la salle d'interrogatoire. Sans s'inquiéter de sa menace, elles entrèrent dans la pièce d'où l'on pouvait observer les suspects derrière une vitre sans tain. Deux autres inspecteurs des Affaires spéciales étaient déjà là, qui les regardèrent de travers.

De l'autre côté, Yeruldelgger était assis à une table scellée au sol, les mains toujours entravées. Debout, un inspecteur se faisait sermonner par un homme dont elles ne voyaient pas le visage. Il faisait face à Yeruldelgger, le dos au miroir. La porte s'ouvrit et Bekter entra dans la petite salle.

— Qu'est-ce que c'est que ce bordel ? hurla-t-il à l'adresse de l'homme. Qui êtes-vous ? Et tirez-vous de là, c'est ma place !

— Une place n'appartient qu'à celui qui se la destine, répondit l'homme calmement. Allez vous chercher une chaise, si vous voulez vous asseoir.

Quelqu'un apporta aussitôt une chaise pour éviter que Bekter n'explose, mais l'autre ne bougea pas d'un

64

pouce, obligeant le policier à s'asseoir sur le côté de la table.

— Qu'est-ce que vous foutez là ?

— Avant que je réponde, je vous conseille vivement d'enlever les menottes à mon client, et de respecter ses droits à un traitement humain et sa présomption d'innocence.

— Eh bien si vous êtes son avocat, vous devriez savoir que votre client s'est montré suffisamment violent et incontrôlable par le passé pour justifier qu'on lui laisse les bracelets. Par ailleurs, les preuves matérielles que nous avons accumulées contre lui justifient amplement sa garde à vue.

— Parfait. C'est justement ce dont je veux vous entendre parler. Vos preuves.

— Je n'ai pas à…

— À propos, puisque vous ne le demandez plus, je m'appelle Ganzorig, et je représente Yeruldelgger à la demande de la communauté des moines du Septième Monastère.

Ganzorig savourait toujours le moment où ses adversaires comprenaient à qui ils avaient affaire. Les moines du Septième Monastère de Shaolin étaient des légendes vivantes. Ceux qui en connaissaient l'existence les redoutaient. Ceux qui les rencontraient étaient terrifiés de la puissance physique et morale qu'ils représentaient. Leurs combats étaient toujours justes et ils ne faisaient d'exception à cette règle que pour défendre l'un des leurs, quitte à le punir eux-mêmes par la suite, de façon toujours plus sévère et plus impitoyable que ne l'aurait fait la justice.

— Les moines n'ont rien à faire dans cette histoire

et leur passé prestigieux ne les autorise pas à interférer dans une affaire criminelle.

— Il les autorise cependant à exiger un traitement respectueux de leur protégé et une levée immédiate de sa garde à vue.

— Vous n'avez aucun droit d'exiger quoi que ce soit ! s'emporta Bekter. Vos mandants…

— Mes mandants n'exigent rien. Ce sont les faits qui l'exigent et c'est ce dont je suis venu vous parler.

— Yeruldelgger est en garde à vue parce qu'il a un mobile, qu'on le situe sur les lieux à l'heure du crime et que nous avons une preuve matérielle contre lui.

— Est-ce que sa relation personnelle avec la victime constitue votre mobile ?

— Yeruldelgger connaissait la victime, avec qui il a entretenu des rapports privilégiés et intimes de nature à justifier l'hypothèse d'une vengeance ou d'un règlement de comptes passionnel.

— Altantsetseg et mon client n'ont jamais eu de relations intimes. Si vous relisez les rapports et les témoignages de l'époque, cette jeune femme lui a servi de couverture pour jouer le rôle d'un couple et enquêter en immersion dans une affaire criminelle. Par ailleurs je ne pense pas que vous puissiez vous prévaloir d'un seul indice permettant d'affirmer que mon client et la victime se sont revus une seule fois depuis cette enquête. Vous pouvez donc dire adieu à votre mobile.

— Il me reste les images de la vidéosurveillance de l'hôtel que notre équipe scientifique a saisies sur place, rétorqua Bekter, ébranlé par l'assurance du jeune avocat.

— Très bien, parlons-en ! Moi j'y vois Yeruldelgger sortir d'un ascenseur, traverser un couloir, et entrer dans une chambre…

— À la bonne heure ! coupa Bekter. J'y vois très exactement la même chose !

— Non, vous, vous affirmez que mon client sort de l'ascenseur dans le couloir du sixième étage et entre dans la chambre 601 où la victime a été assassinée.

— Quoi ? Vous mettez en doute ce qui est évident à l'écran ?

— Évident ? Vous en êtes sûr ? Où voyez-vous le numéro de l'étage sur la vidéo ? Où voyez-vous le numéro de la chambre ?

— Cette vidéo vient de l'enregistreur dédié à la surveillance du sixième étage ! Pas besoin de numéro !

— Ah oui ? Dans ce cas, pouvez-vous répondre à quelques petites questions du genre : qui a saisi cette bande ? Qui l'a matériellement retirée de l'enregistreur ? Avez-vous procédé à une analyse d'empreintes avant de vous la repasser de main en main à travers tout le service ? Qui a visionné toutes les autres vidéos de tous les autres étages ? La 601 n'a-t-elle pas une chambre jumelle, la 602, qui peut s'ouvrir sur elle par une porte de communication pour former une suite ? Avez-vous inspecté la 602 ? Dans l'état actuel de l'enquête, cette bande situe Yeruldelgger dans l'hôtel et c'est tout. Ni à l'étage, ni dans la chambre. Et nous venons de voir qu'il n'avait pas de mobile ! Quand vous aurez répondu à toutes ces questions, nous pourrons alors envisager de parler de l'éventualité d'une garde à vue. En attendant, Yeruldelgger doit être libéré.

Cette fois Bekter resta sans voix. Il se contenta de

secouer la tête pour bien montrer qu'il ne pouvait pas croire ce qu'il entendait.

— Écoutez, je ne doute pas que vous ayez des compétences dans le domaine des âmes et de l'au-delà, mais pour ce qui est d'ici-bas, vous faites un piètre avocat et vous feriez un plus piètre inspecteur encore. Yeruldelgger connaissait la victime, il était dans cet hôtel suite à un rendez-vous qu'elle lui avait donné, et sa présence le jour et à l'heure de la mort est confirmée sur les lieux par une vidéo de surveillance. Alors il n'est peut-être pas encore tout à fait coupable, mais il est déjà grandement suspect et il reste en garde à vue.

— Je vous remercie de me reconnaître quelque compétence dans le domaine des âmes, et je suis prêt à prier pour la vôtre qui en a bien besoin. Pour ce qui est des choses d'ici-bas, n'oubliez pas qu'au Septième Monastère, nous sommes des moines, mais des moines guerriers. Nous en savons autant sur ce qui survient après la mort que sur ce qui la provoque. Vous permettez que j'appelle quelqu'un ?

Bekter soupira et signifia d'un geste résigné que le jeune avocat pouvait bien appeler Gengis Khan en personne, le bourreau Begtse ou le Roi Brigand, ça ne changerait rien. Le moine se retourna vers le miroir et fit signe à Solongo de le rejoindre.

— C'est moi qu'il appelle ? s'inquiéta Solongo derrière la vitre sans tain. Tu as vu comment il m'a pointée du doigt alors qu'il ne peut pas me voir ?

— J'ai surtout vu comment il déglingue le dossier de Bekter, alors tu devrais lui obéir, répondit Oyun.

Solongo entra dans la salle d'interrogatoire. Son

premier regard fut pour Yeruldelgger qui lui répondit par un sourire confiant.

— J'ai interdit que les membres de l'équipe de Yeruldelgger l'approchent pendant sa garde à vue ! protesta Bekter.

— Solongo ne fait pas partie de l'équipe de Yeruldelgger, ni même du service. Elle est la légiste du Département. Si vous voulez vous passer du témoignage de la légiste qui a pratiqué l'autopsie de la victime, ça ne va pas arranger votre dossier !

— Elle n'est pas de son équipe mais elle est sa...

— Sa quoi ?

— Okay, okay, c'est bon, allez-y ! Que voulez-vous lui demander que nous ne sachions déjà ?

— Les causes de la mort, Solongo ?

— Mort par hémorragie massive.

— Provoqué par ?

— Arme blanche.

— Accidentelle ?

— Non, l'entaille franche et profonde ne fait pas de doute sur l'acte intentionnel.

— Sur quelle partie du corps ?

— Au niveau du cou avec section des carotides, d'une veine jugulaire, de la trachée-artère et du nerf pneumogastrique.

— En d'autres termes un égorgement. Avec hémorragie massive ?

— Oui. Les carotides sont des artères très proches du cœur, ce qui leur assure une forte pression. Dès que les carotides sont tranchées, le corps se vide...

— Vous voulez dire que le sang s'écoule ?

— Non, je veux dire qu'il gicle très fort dans un

premier temps, surtout si la victime se débat ou si la peur augmente les pulsations de son cœur. Ensuite, la pression retombe très vite et ce qui reste de sang ne fait que couler.

— Peut-on déduire de la forme des blessures la façon dont les coups ont été portés ?

— Oui. Ici de face, de gauche à droite par un droitier au geste sûr et sans doute habitué à ce geste.

— Merci Solongo, je ne vous retiens pas plus longtemps !

Solongo regarda le moine. Elle n'avait pas l'impression d'avoir apporté d'éléments nouveaux par rapport à ce qu'elle avait consigné dans son rapport. Puis elle regarda Yeruldelgger qui lui confirma d'un signe de la tête qu'elle pouvait partir.

— Et voilà ! lâcha le moine avec un sourire satisfait.

— Voilà quoi ? demanda Bekter aussi exaspéré qu'étonné.

— Voilà comment en instruisant une affaire à charge on passe à côté des indices essentiels ! Vous avez les photos de la scène de crime ?

Bekter tira six clichés d'un dossier et les étala sur la table de mauvaise grâce. Ganzorig les retourna calmement dans l'autre sens pour les aligner face à Bekter.

— Voilà donc un homme qui, à 15 h 18, entre dans la chambre d'une femme et l'égorge les yeux dans les yeux, de la main droite, en tranchant de gauche à droite les carotides d'où le sang gicle jusqu'à maculer trois des quatre murs de la chambre, et…

Sans en demander l'autorisation, il ouvrit le dossier

de Bekter et le fouilla pour trouver une autre photo qu'il plaça par-dessus les autres.

— … et qui ressort tranquillement de la chambre à 15 h 36, comme ça !

— Oui, et alors ? s'impatienta Bekter que l'arrogance du moine avocat énervait de plus en plus.

— Je veux dire comme ça. Comme sur la photo de 15 h 36 : propre comme un sou neuf alors que s'il avait égorgé la victime, il serait maculé de sang de la tête aux pieds. Les mêmes vêtements qu'à son entrée dans la chambre à 15 h 18, pas le temps matériel de se nettoyer ou de se changer… Comment faites-vous coller tout ça avec vos accusations ?

— Il est sur les lieux, il a l'opportunité, je continue à penser qu'il a le mobile, voilà comment je vois les choses ! répondit Bekter sur la défensive.

— Eh bien moi je vais vous dire comment je vois les choses. Je vois une sale guerre des polices et de méchantes ambitions opportunistes. Je vois un tout jeune service arrogant, trop pressé d'affirmer son pouvoir et son emprise sur la police en déboulonnant une légende. Je vois une enquête bâclée et uniquement menée à charge dans le seul but de coffrer un ténor. Et je vais vous dire ce que je vois de pire encore : je vous espère suffisamment intelligent pour être parvenu, depuis le début de l'enquête, aux mêmes conclusions que moi. Ce qui signifie que ce que vous avez fait à Yeruldelgger, l'arrestation spectacle, la parade à travers les services, l'humiliation des menottes, les interrogatoires entravé, tout cela était volontaire, simplement pour marquer le territoire de vos compétences. Alors laissez-moi vous dire que si vous avez imaginé savonner la carrière de mon client pour faire mousser la vôtre, je vous prédis une longue et brutale glissade à votre tour. Parole de moine. En attendant, mon client n'a plus rien à faire en garde à vue. Je repars avec lui, même s'il reste à votre disposition pour les besoins de l'enquête.

10

Il savait qu'elles pensaient
au même monstre.

Solongo s'en voulait d'avoir trop cuisiné. Yeruldelgger hésitait entre le rave fermenté en saumure et la queue de mouton en bouillon doré, gras et chaud à s'en brûler les lèvres. Les aigres boulettes de fromage séché, les crêpes au gras d'agneau ou le yaourt tiède. Ou encore la tête de chèvre bouillie. Il se sentait mal à l'aise, comme un rescapé à un banquet de convalescence.

— Excuse-moi, je me suis laissé emporter…

— C'est délicieux ! répondit-il. Et puis Oyun et Ganzorig sont là. Nous en viendrons bien à bout à nous quatre !

— C'est le seul moyen que j'ai trouvé pour juguler mon angoisse : penser à te nourrir de tout ce que tu aimes.

— Alors la nuit sera longue ! murmura Yeruldelgger dans un sourire entendu qui fit baisser les yeux à Oyun et Ganzorig.

Solongo, surprise, ne répondit pas. C'était la première fois que Yeruldelgger osait une allusion à leur vie intime en public. Ganzorig rompit le silence.

— « L'homme qui mange épouse la femme qui cuisine ! »

— Lao Tseu ? demanda Oyun.

— Ganzorig, répondit Ganzorig rieur en servant à chacun un verre d'alcool de genièvre.

Le jeune avocat s'était remis à l'aise dans sa robe de bonze. Il n'exerçait que pour le Septième Monastère et sur l'ordre exclusif du Nerguii. Aussitôt son rôle de défenseur terminé, il reprenait sa vie de moine guerrier, faite de croyance et d'assurance.

— Comment le Nerguii a-t-il su que j'avais besoin de toi ?

— Comment serait-il le Nerguii s'il ne l'avait pas su aussitôt ? Où que tu sois, tu es un des nôtres et le Nerguii veille sur toi.

— J'ai eu si peur ! avoua Solongo. Quand j'ai découvert le visage de Colette à la morgue, j'ai tout de suite pensé à toi ! Et pourtant pas une seconde je n'aurais imaginé qu'on puisse t'accuser.

— Que va-t-il se passer maintenant ? demanda Oyun.

— Yeruldelgger n'est plus en garde à vue, mais il reste inculpé, expliqua Ganzorig. J'ai forcé le trait avec mon histoire de guerre des polices. Ça les a mis en porte-à-faux, surtout avec cette histoire d'éclaboussures. Mais il reste ton lien avec la victime et cette vidéo. Je suis convaincu qu'on a voulu te piéger. Il nous reste la nuit pour comprendre comment, pourquoi, et surtout qui.

— Tu veux passer la nuit là-dessus ? dit Solongo qui s'inquiétait de la fatigue de Yeruldelgger.

— Yeruldelgger se le doit, « il en tirera des jouissances amères qui compenseront largement sa fatigue », répondit-il en citant Baudelaire.

— J'ai affronté le blizzard avec un Arménien qui citait Hugo, et me voilà défendu par un moine de Shaolin qui cite Baudelaire. Ce monde n'est donc pas encore tout à fait pourri, comme dit mon ami Agop !

— Trêve de poésie, si nous commencions par essayer de comprendre « comment » ? Raconte-nous ce qui s'est passé.

— Il y a trois jours, j'ai reçu un appel de Colette. Je n'avais eu aucune nouvelle d'elle depuis l'enquête dans laquelle je l'avais entraînée. Elle voulait me voir sans pouvoir m'en dire plus au téléphone. Elle m'a dit avoir besoin de moi et j'ai pensé à des ennuis avec la police, ou avec des souteneurs. Elle m'a dit de m'adresser au concierge du Mongolia à 15 heures. Je suis arrivé un peu juste parce que nous venions de recevoir les informations sur le corps dans l'Otgontenger et que j'avais commencé à organiser ma virée là-bas pour le lendemain. Le concierge avait une clé pour moi, qui correspondait à la chambre 601. Il m'a dit : « Sixième étage, la porte en face de l'ascenseur. » J'ai pris l'ascenseur. Maintenant que j'y repense, il y avait un technicien de la maintenance dans la cabine. Il m'a demandé l'étage et il a appuyé à ma place. J'ai surveillé l'affichage des étages et je suis sorti au sixième. Le type m'a dit au revoir, les portes se sont refermées, et je suis allé vers la porte 601, juste en face de l'ascenseur, au début du couloir. J'ai frappé, personne n'a répondu, alors j'ai ouvert avec la clé. La chambre était vide. J'ai appelé Colette, j'ai jeté un coup d'œil dans la salle de bain, j'ai attendu un peu, puis je suis reparti parce que j'avais plein de trucs à régler avant mon départ pour Uliastay. En sortant, il y avait un truc gras sur la poignée quand j'ai ouvert la porte. Je me suis essuyé la main avec un mouchoir en papier, et je l'ai gardé pour refermer la porte de l'autre côté. Puis j'ai repris l'ascenseur pour redescendre. Je me suis dit que Colette avait dû avoir un empêchement et qu'elle me rappellerait. Le concierge était occupé ailleurs. J'ai laissé la clé derrière son comptoir et je suis sorti. Voilà l'histoire.

— Est-ce que le type de la maintenance était encore dans l'ascenseur quand tu es redescendu ?

— Non. Je ne l'ai pas revu.

— Tu es sûr qu'il a appuyé sur le bouton du sixième ?

— J'ai vu le numéro six s'afficher, j'en suis sûr. Le type a même lâché une plaisanterie du genre « Un poil trop court pour le septième ciel ! »

— Tu es certain de l'étage ?

— Oui. La porte était bien marquée 601 : première porte, sixième étage.

— Tu as regardé les autres portes ?

— Non, pourquoi l'aurais-je fait ?

— Parce que s'il y a eu un piège, il se peut qu'on t'ait trompé d'étage pour commencer.

— Écoute : la clé, l'ascenseur, la porte et la vidéo montrent que je suis bien allé au sixième.

— La clé ne prouve rien, et d'ailleurs tu ne l'as plus. Tu n'as pas non plus appuyé toi-même sur le bouton de l'étage. Un type de la maintenance est comme par hasard à l'intérieur et balance justement une mauvaise blague pour te convaincre que tu es bien au sixième. La vidéo, ce n'est jamais qu'un DVD non identifié qu'on a retiré d'un lecteur non identifié et qui d'ailleurs montre un couloir d'étage identique à tous les autres couloirs d'étage. Quant à la porte, elle n'est marquée que par un numéro qui se visse et se dévisse. Donc je répète ma question : tu es certain de l'étage ?

— Non, répondit Oyun à la place de Yeruldelgger. Ganzorig a raison. Il faut vérifier chacun de ces points. On ne te laissera pas approcher de la scène de crime à l'hôtel, alors je m'y colle dès demain matin. Toi, Yeruldelgger, tu vas à la chasse au type de la maintenance. Tu es le seul à pouvoir le reconnaître. Je demanderai les coordonnées de la société de maintenance au patron du Mongolia et je les balance sur ton portable.

— D'accord, approuva Yeruldelgger, mais posons clairement l'hypothèse de Ganzorig. Quelqu'un aurait donc égorgé Colette simplement pour me piéger ? Ça représente quand même une machination assez complexe : un ou des tueurs, le type de l'ascenseur, quelqu'un pour manipuler la vidéo, peut-être même quelqu'un d'autre pour bricoler le numéro de la porte, des guetteurs sûrement, pour gérer le timing de mon arrivée et éloigner les témoins…

— Quelqu'un aussi pour gérer la direction de l'hôtel et enclencher une opération de maintenance de l'ascenseur. Yeruldelgger a raison, dit Oyun, c'est une machination complexe qui a demandé beaucoup de préparation et pas mal d'intervenants.

— Dans ce cas, releva Ganzorig, la vraie question est : qui peut t'en vouloir à ce point, Yeruldelgger, et qui en a les moyens ?

Personne n'osa prononcer le nom qui pouvait répondre à ces deux questions. Mais Yeruldelgger connaissait bien Solongo et Oyun. Il savait qu'elles pensaient au même monstre.

11

Lui aussi savait exactement quoi faire...

Agop perçut une ombre dans la nuit. Un mouvement furtif. Il s'était assoupi dans son fauteuil, un peu ivre d'artz et d'un trop-plein d'adrénaline. Trois heures du matin. Il n'avait dormi que dix minutes. Le cauchemar qu'il revivait le tenait éveillé malgré l'épuisement. C'était un commando auquel il avait échappé, et ils allaient revenir. Il était le seul à habiter cette vallée en hiver. Les premières yourtes tassées par le gel sous un mètre de neige faisaient le dos rond au dzüüd loin de l'autre côté des montagnes. Il avait pensé fuir en se faisant aider par Grandgousier, mais la neige les aurait trahis. Il aurait bien posé ses pas dans ceux du yack, pour tenter de dissimuler ses traces, mais la ruse n'aurait pas échappé à ses chasseurs depuis un hélico. Il avait imaginé se terrer, creuser sous le plancher de son bureau, se plaquer sur le toit. Mais le dzüüd était sur lui et eux étaient des guerriers. Alors il s'était résolu à attendre. Qu'ils arrivent et le tuent, ou que le petit matin le délivre de ses angoisses. Sans trop savoir pourquoi, mourir la nuit l'effrayait plus que mourir de jour. Et voilà maintenant qu'une ombre avait surgi dans la nuit.

Il n'avait ni volets, ni rideaux à son musée. Il aimait tout éteindre et s'assoupir dans son fauteuil, laissant la lune bleue poncer les angles des meubles de reflets d'acier brossé. Personne ne lui prendrait cet instant magique. Il se cala dans son fauteuil, sans oser se retourner vers l'ombre qui masquait la fenêtre dans le noir. Ses doigts jouaient avec l'objet arraché à la pauvre âme dont le commando lui avait disputé le corps. Un briquet. Une sorte de Zippo juste un peu trop gros pour être un vrai. Plutôt une imitation publicitaire marquée du logo « Las Vegas, The Sin City ». Agop l'avait longtemps examiné, avec l'angoissante conviction qu'il ne fallait pas chercher à en savoir plus. Il l'avait mis dans une pochette de plastique transparent où il gardait ses précieuses découvertes. Pelotes, fientes, phanères… Yeruldelgger saurait mieux que lui quoi en faire. S'ils se revoyaient un jour…

Il se leva pour ranger le sachet dans le frigo. Un réflexe de naturaliste : tout garder au frais. Il fut surpris de la maîtrise avec laquelle il marcha jusqu'à la cuisine, sans un regard pour l'ombre grandissante qui l'épiait derrière la vitre. Mais quand il tira la porte d'un geste trop brusque, la poignée lui échappa des mains. Il perdit l'équilibre et, dans le mouvement qu'il fit pour se retenir, son bras décrocha quelque chose du frigo. Une de ces grosses pinces aimantées avec lesquelles il affichait toutes sortes de messages en rappel à sa mémoire distraite. Il s'agenouilla pour récupérer les papiers annotés, les remit dans la pince, et se redressa pour l'aimanter à nouveau sur la porte du frigo qu'il ouvrit. Un trapèze de lumière jaune trancha l'obscurité et il déposa le briquet dans son sachet entre du lait de chèvre caillé et une grosse motte de beurre rance déjà bien entamée. Il en profita pour prendre la précieuse bouteille de raki Duze. Du raki des Arméniens de France. De Marseille. Après tout, il avait échappé cette nuit à des Kurdes, comme disait son père qui nommait ainsi tous ceux qui en voulaient à la vie des siens, et cela méritait bien un peu de chaleur dans son cœur. Il dévissa le bouchon et but au goulot une courte rasade de l'alcool anisé pailleté par le froid. Puis il rangea la bouteille dans le compartiment intérieur de la porte, les yeux mouillés de souvenirs et des quarante-cinq degrés d'alcool.

Cette fois l'ombre glissa jusque sur lui à travers la vitre. Il se retourna dans un sursaut et une lame de frayeur lui estafila le cœur avant qu'il reconnaisse Grandgousier. Dehors, le yack blanc appuyait son front contre la vitre. Ses naseaux l'embuaient de vapeur que le givre étoilait aussitôt en cristaux.

— Grandgousier, qu'est-ce que tu fais là ? s'étonnat-il en se dirigeant vers la fenêtre.

La bête appuyait son front contre le bois des ventaux comme si elle cherchait à les ouvrir.

— Hey, calme-toi, mon gaillard, tu veux défoncer ma maison ?

Mais sans hargne et de tout son poids, l'animal autiste continuait à cogner obstinément son front en rythme.

Le professeur ouvrit la fenêtre et se cogna à l'air glacé de la nuit. Le yack passa la tête à l'intérieur et attrapa le vêtement d'Agop entre ses méchantes dents jaunies.

— Doucement, doucement, mon gars ! Qu'est-ce

qui te prend ? Tu as couru, on dirait ? Ça ne ressemble pas au sage que je connais, ça !

Il passa ses bras autour de l'encolure du yack et se serra contre lui. Il sentit l'animal énervé tressaillir sous son étreinte.

— Tu as la trouille, ma parole ! De quoi veux-tu avoir peur encore, hein ? Il n'y a que nous ici pour l'instant. Tu te souviens de ce que disait Sophocle, n'est-ce pas : « Tout est bruit pour celui qui a peur. » Tu comprends ? Ta peur se nourrit de ta peur, mon grand, alors oublie le bruit et n'écoute que le silence, écoute ton père, le curé de Meudon, quand il s'écrie : « Quelle musique, le silence ! »

Il serra le yack encore un peu plus fort dans ses bras, et comme si l'animal avait compris le sens des mots de Sophocle et de Rabelais, il se figea contre l'homme au point de retenir sa respiration. Et c'est dans ce silence immense qu'Agop entendit le sifflement. Comme un long vent continu de bise aiguë. Têtu, pointu, suspendu…

— Les Kurdes ! jura-t-il entre ses dents. Attends, ne bouge pas, mon ami, ne bouge pas !

Il se précipita vers le réfrigérateur. Il savait ce qu'ils venaient faire. Lui aussi savait exactement quoi faire…

12

Va manger avec le diable !

Le petit combi russe tout-terrain gravissait en déra-
pant la pente enneigée de la ravine. Depuis près d'une
heure, ils remontaient le torrent gelé et le Kazakh n'avait
toujours pas dit un mot. Yeruldelgger n'aimait pas cet
homme-là. Comme tout le paysage autour de lui, il était
sombre et fermé. Le matin déjà, un brouillard jaune
avait étouffé la ville. Un million de miséreux dans leurs
pauvres tentes mitées à brûler dans leurs poêles du mauvais bois, du charbon brut ou des pneus découpés pour
survivre à l'hiver. L'air rêche à s'en limer les poumons.
Yeruldelgger avait découvert à l'aube un de ces jours
maudits où le soleil ne perçait pas l'air saturé. Comme
souvent l'hiver, depuis l'afflux des nomades dans les
quartiers de yourtes, on n'y voyait pas à dix mètres.
Pas même jusqu'à l'autre côté de la rue. Utaan Bator,
le héros enfumé, plaisantaient en toussant, les yeux pon-
cés par le carbone, ceux qui préféraient encore en rire.
La deuxième ville la plus polluée du monde, juste après
Ahvaz, en Iran, selon les statistiques de l'OMS. Peut-
être même la première à ce jour, avant Linfen, avant
Dzerjinsk, avant Mexico. Une seule ville digne de ce

nom au pays des steppes aux herbes ondoyantes, des troupeaux libres et sauvages et des lacs aux eaux pures, et elle était plus dangereuse que Tchernobyl, avait pesté Yeruldelgger en conduisant à l'aveugle jusqu'à l'aéroport.

Quand le Fokker F50 de l'Aero Mongolia avait lancé ses deux turbos propulseurs, Yeruldelgger n'était même pas parvenu à apercevoir les hélices par le hublot. Pas même la piste sous les ailes et encore moins les lumières de la ville qui se réveillait. Devait-il vraiment continuer à aimer ce pays qui courait à sa perte, avec la même arrogance qu'il avait chevauché, des siècles plus tôt, à la conquête de civilisations qui lui étaient cent fois supérieures ?

Et puis, quelques minutes à peine après son envol, le Fokker déchira de ses hélices vrombissantes le voile épais qui étouffait la ville et jaillit dans le bleu lumineux du ciel. Oulan-Bator n'était rien en regard de la Mongolie tout entière. Juste une petite métropole prétentieuse encaissée dans une petite vallée fermée qui gardait sur elle ses fumées. Et tout autour, la Mongolie. La vraie Mongolie qu'il aimait.

Dès que l'avion eut terminé son long virage pour se mettre en ligne vers Uliastay à l'ouest, Yeruldelgger trouva un siège libre pour poser son front contre un hublot et regarder son pays glisser sous les ailes.

Le Khustain Nuruu juste en dessous. Les forêts de mélèzes mouchetées de pointes enneigées, les plaines immenses et verglacées, les fleuves sombres et bleus charriant des glaces, et les yourtes parsemant l'immensité au hasard des traces folles laissées dans la neige par des voyageurs enivrés d'espace. Ils contournèrent par le sud les montagnes du Khangaï et il resta fasciné par les quatre mille mètres de l'Otgontenger. Là où il allait rejoindre Agop dont le message l'avait alarmé. Le ciel s'obscurcit soudain d'un lourd nuage et la lumière se durcit sur le paysage. La montagne se fit aussitôt menaçante, dressant sous le regard des voyageurs sa face sud, la plus haute falaise granitique de toute la Mongolie. Chacun dans son silence, à l'intérieur de la carlingue bruyante, essaya alors de chasser de son esprit le souvenir du 4 août 1963, jour funeste où un Iliouchine II-14 de la MIAT s'était fracassé en plein vol contre l'Otgontenger, tuant tous ses passagers et l'équipage. Vingt-cinq ans plus tard, un Harbin Y-12 cette fois s'était écrasé contre l'autre face du massif, jetant dans la mort ses vingt-six occupants. Mais ce drame-là avait une cause. L'appareil emportait bien plus que les dix-sept personnes pour lequel il était prévu et n'avait pu prendre assez d'altitude pour passer la montagne. Alors que rien n'avait jamais expliqué le crash de l'Iliouchine. D'où les superstitions…

Yeruldelgger resta silencieux malgré les sourires trop confiants de l'hôtesse. Il connaissait la route et le plan de vol. Plonger au sud-ouest pour ensuite virer plein nord, s'engouffrer entre les montagnes dans la brèche que creusait la rivière Bogd et la remonter à basse altitude jusqu'à rejoindre l'aérodrome de Donoi. Quand le Fokker vira brusquement sur l'aile pour préparer son approche, Yeruldelgger s'inquiéta de savoir par quels savants calculs les ingénieurs et les architectes avaient conclu que le meilleur tracé pour la piste était de couper la vallée à la perpendiculaire.

Donoi n'était qu'un aérodrome. Rien d'autre. Juste

une piste, deux petits blockhaus pour protéger des équipements électriques, et un autre plus grand pour que les voyageurs patientent à l'abri. Quand Yeruldelgger posa le pied sur la passerelle métallique qu'un pauvre bougre avait poussée à la main jusqu'à l'appareil, l'air d'altitude lui tenailla les sinus. Le froid des montagnes, plus sec, plus tranchant que le froid des steppes. Mais plus que la vive douleur de la première inspiration, ce fut encore la beauté cinglante du paysage qui l'arrêta sur la passerelle. Impressionnés pas sa carrure, les voyageurs qui le suivaient n'osèrent pas bousculer cet homme qui admirait la haute vallée déserte et givrée de glace, entre les crêtes en dents de scie des montagnes enneigées et, loin vers l'est, le dôme sombre et glacé de l'Otgontenger. C'est du haut des marches qu'il repéra l'homme venu l'attendre pour le conduire à Uliastay, à vingt-cinq kilomètres de piste de l'aérodrome. Un Kazakh. Ils se reconnurent sans se parler et l'homme ne s'étonna pas que Yeruldelgger n'ait qu'un sac pour tout bagage. Il le précéda jusqu'au petit van UAZ russe garé n'importe comment en bordure de piste et s'installa au volant en démarrant le moteur sans même attendre que Yeruldelgger ait refermé sa portière.

Ils arrivèrent une grosse demi-heure plus tard, mais quand le Kazakh voulut entrer dans la ville pour le déposer à l'hôtel, Yeruldelgger lui commanda de la contourner par la rue qui longeait la rivière, de passer le pont, et de prendre la piste vers la montagne. Il préférait rejoindre au plus vite le petit musée chaleureux d'Agop à qui il demanderait l'hospitalité jusqu'au lendemain.

Le massif de l'Otgontenger tout entier était une Zone Strictement Protégée. Autant pour la faune et la flore qu'il abritait que pour l'esprit sacré qu'il représentait aux yeux de tous les Mongols. Aucune implantation humaine permanente n'y était autorisée à l'exception du petit musée d'Agop et de deux temples bouddhistes. Le premier pour étudier et préserver la nature, les seconds pour protéger et honorer les âmes. Il était encore jeune novice au Septième Monastère quand le Nerguii en personne l'avait sensibilisé à la signification tellurique de ce lieu sacré habité par l'esprit divin. Comme dans toute religion dominante, les autorités bouddhistes avaient partout cherché à calquer des célébrations et des significations sur les lieux déjà chargés de sens par les religions soumises. Mais l'Otgontenger dégageait une telle force d'âme que l'artifice n'y avait pas suffi. Le bouddhisme, renouant avec ses racines hindouistes, avait alors dû se nourrir du massif sacré pour en digérer la puissance et s'en approprier la magie spirituelle des rites chamaniques. « *Ô esprit des puissances victorieuses, Maître des secrets, investis cette montagne. Du mont Semuru, axe du monde et séjour des dieux, cœur des auspices et des dix signes vertueux, viens ici sur la montagne sacrée de l'Otgontenger...* » Yeruldelgger se souvenait encore de cette incantation qui, privilège exceptionnel, plaçait l'Otgontenger au centre même d'un mandala englobant toutes les montagnes sacrées de Mongolie.

L'homme qui conduisait l'UAZ semblait insensible à la spiritualité de l'endroit. Il était musulman et la peur de son Dieu, si miséricordieux fût-il, lui faisait plus craindre une vengeance divine qu'espérer une communion cosmique. Il conduisait de mauvaise grâce, dans la crainte de l'accident ou de la panne qui les condamnerait à tenter de survivre à la nuit. Comme il semblait bien connaître la piste, sa conduite ne préoccupait pas Yeruldelgger. Ce qui inquiétait le policier à mesure qu'ils approchaient du but, c'était la froidure et la noirceur du paysage autour d'eux. L'Otgontenger était un massif austère en hiver, mais plus que ses murailles de granit tailladées de failles et de ravines, plus que ses calottes glacées fracturées de séracs grisâtres, un air immobile et gris figeait aujourd'hui le décor dans une humeur funeste. Les lieux semblaient imprégnés à jamais du souvenir des victimes de l'Iliouchine et de leurs ultimes terreurs. Yeruldelgger en était intimement persuadé, tout comme il se convainquit assez vite que la montagne, ce jour-là, pleurait en silence un autre malheur. Peut-être était-ce ce qui rendait le Kazakh si taciturne. Lui aussi semblait devenir perméable à cette sensation étrange que la roche et la glace s'endeuillaient d'un tragique devoir. La première de se faire caveau, la seconde de devenir le linceul.

C'est lui qui les aperçut en premier et les désigna à Yeruldelgger d'un haussement du menton. Trois rapaces tournoyaient contre le ciel blanc dans une échancrure de la crête devant eux.

— Gypaètes ? demanda Yeruldelgger.

— Vautours fauves ! répondit le Kazakh, confirmant sans le dire la présence d'une charogne là où ils allaient.

S'il disait vrai, la découverte du corps par les rapaces était récente. Ils ne tournoyaient que quelques heures seulement au-dessus d'un cadavre, le temps de s'assurer qu'ils pouvaient se poser sans danger. Après c'était la curée et ils pouvaient se retrouver à plusieurs dizaines pour déchiqueter la chair morte.

Seul Agop vivait là-haut. Le Kazakh le comprit et accéléra, lançant l'UAZ au bord du déséquilibre à l'assaut des dernières pentes de congères et de pierrailles. Quand ils débouchèrent enfin sur le petit plateau où Agop avait construit son musée, ce qu'ils découvrirent était pire encore que ce qu'ils avaient craint. Il ne restait plus rien du chalet de rondins où l'Arménien avait accueilli Yeruldelgger deux jours plus tôt. Tout avait brûlé, calciné jusqu'au sol, et le musée n'était plus qu'une longue dalle noirâtre jonchée de débris épars. Seuls deux vieux poêles et les carcasses tordues d'un frigo et d'une cuisinière rappelaient qu'une maison avait existé ici.

Yeruldelgger retrouva aussitôt ses réflexes de policier. Il ordonna au Kazakh de s'arrêter et de ne pas quitter le véhicule, ou bien de le suivre en mettant chaque pas dans un des siens. L'autre préféra descendre sans répondre et suivre Yeruldelgger qui cherchait déjà à repérer des traces. Ils s'avancèrent ainsi jusqu'aux restes du chalet et Yeruldelgger photographia la scène sous tous les angles avec son iPhone. On ne devinait aucune logique dans l'articulation des ruines. Tout semblait s'être consumé instantanément dans la même intensité. Ils firent quelques pas de plus sur la grande dalle puis le policier fit signe de s'arrêter. Il s'accroupit, ôta un gant, et passa un doigt sur le sol. Il se releva pour observer la cendre grasse et visqueuse qu'il écrasa entre son pouce et son index. Le feu avait été allumé et attisé par un accélérateur. Maintenant qu'il le savait, il remarqua la consistance et la couleur légèrement différente que le produit donnait à la cendre. Il repéra la traînée qui courait tout au long de la dalle. Le chalet entier avait été aspergé, y compris à l'intérieur, et l'incendie avait dû être un enfer instantané. Yeruldelgger pensa aussitôt au professeur.

Il perçut un mouvement, de l'autre côté des ruines, et dans le même temps devina que le Kazakh sortait une arme dans son dos. Il dégaina la sienne par réflexe, sans trop savoir s'il devait la pointer sur ce que visait le Kazakh ou sur le Kazakh lui-même. Leurs regards se croisèrent et il lut dans celui du chauffeur un mélange de gêne et de peur.

— Tu as une arme, toi ?

— Pour me défendre, lâcha l'autre sans le regarder.

— Donne ! exigea Yeruldelgger en tendant la main. Ici, c'est moi qui défends.

L'homme lui remit son arme sans que Yeruldelgger ne baisse la sienne.

— Qu'est-ce que tu as vu ? demanda-t-il en rangeant l'automatique russe dans la poche de son manteau.

— Quelque chose a bougé derrière le tas de neige, là-bas.

Yeruldelgger regarda dans la direction qu'indiquait le Kazakh.

— Tu te trompes. Rien n'a bougé derrière le tas de neige. C'est le tas qui a bougé. Viens !

Ils se dirigèrent vers le monticule. Yeruldelgger avait rangé son arme et le Kazakh pensa que c'était très imprudent. Il ne quittait pas des yeux le tas de neige et bondit en arrière quand il le vit bouger à nouveau. Yeruldelgger au contraire s'élança aussitôt vers le grand yack blanc qui s'ébrouait. L'animal se défit de sa gangue de glace et Yeruldelgger aperçut son pelage brûlé jusqu'à la peau par endroits.

Grandgousier, couché, balança la tête de haut en bas dès qu'il vit le policier, comme s'il l'implorait de se dépêcher. Yeruldelgger se précipita vers lui en cherchant le professeur du regard.

— Agop ! Agop !

Dès qu'il arriva à sa hauteur, le yack se releva avec difficulté et Yeruldelgger découvrit le corps à moitié nu de l'Arménien sur lequel l'animal s'était couché.

— Agop !

Il s'agenouilla près du corps, sachant déjà qu'il était trop tard. Il chercha un pouls, un souffle, mais les chairs bleuies par le froid et marbrées par les brûlures ne lui laissèrent aucun doute. Il se releva et fit signe au Kazakh qui accourait de ne plus faire un seul pas. Jusqu'ici il avait un chalet incendié, mais maintenant il avait un corps. Et ami ou pas, ses réflexes de flic reprirent le dessus : c'était devenu une scène de crime. Il réfléchit quelques instants, observant les alentours, puis se tourna vers le Kazakh.

— Tu vas m'aider ! lui dit-il sans lui laisser le choix. Retourne de l'autre côté des ruines en mettant tes pas dans les traces que nous venons de laisser. Quand tu seras à vingt mètres du chalet, fais un grand cercle tout autour en restant toujours à la même distance de moi. Si tu croises des traces, ou quoi que ce soit d'autre, tu cries pour me le dire, mais surtout tu ne dévies pas de ton cercle, d'accord ? Et si tu as peur, tu peux marcher plus près pour que je te voie.

— Je n'ai pas peur !

— À la bonne heure. Alors vas-y !

Il regarda le Kazakh s'éloigner, puis se tourna vers le corps d'Agop. Il était presque nu, en slip et en chaussettes. Surpris dans son sommeil ? Surpris par le feu ? Possible. Mais pourquoi si loin des ruines ? Je me réveille et tout brûle. Je m'enfuis. Sans avoir le temps d'emporter le moindre vêtement ? D'arracher ne serait-ce qu'une couverture à mon lit ? La panique peut-être ? Je sors et dehors il fait moins trente et rien ne peut arrêter l'incendie. Que du bois, sec et verni depuis des années. Le brasier doit être violent et la chaleur intense jusqu'à une bonne dizaine de mètres au moins. C'est pour ça que je reste si loin ?

Mais si je survis au froid grâce à la chaleur, j'aurais dû me rapprocher du brasier à mesure que son intensité baissait. J'aurais dû me glisser jusque dans les ruines fumantes, rassembler sur les dernières braises ce qui pouvait encore brûler. Faire un feu dans les ruines du feu. Tout essayer jusqu'à ce que plus rien ne brûle et que le froid retombe sur moi en me figeant la nuque et les reins. On aurait dû trouver mon corps moitié brûlé, moitié gelé au milieu des cendres. Pas à dix mètres de là...

Quand il reporta son attention sur le corps d'Agop, le yack était là, qui léchait le visage de celui qui avait été son maître. L'émotion gagna le policier. Il s'approcha de l'animal, empoigna la fourrure de sa tête hirsute, et l'attira contre lui.

— Mon pauvre Grandgousier, que s'est-il passé ? Tu t'es couché sur lui pour lui donner ta chaleur, c'est ça ? Pour le garder en vie jusqu'à ce que quelqu'un arrive. Jusqu'à ce que moi, j'arrive. Et j'arrive trop tard ! Je te demande pardon, Grandgousier, et je…

Comme il le serrait plus fort, son bras glissa sur un objet au milieu de la tignasse de l'animal. Il pensa d'abord à un glaçon pris dans le pelage, mais c'était trop profond dans la toison. Yeruldelgger plongea la main à travers les longs poils rêches et saisit à l'aveuglette ce qui y était accroché. Il essaya sans succès de détacher l'objet une première fois. Il essaya de nouveau en tirant plus fort et le yack fit un brusque écart, comme pour le forcer à arracher ce qu'il tenait.

Un sachet en plastique transparent fermé par une pince, avec un briquet à l'intérieur. Un genre de Zippo gravé d'un logo de Las Vegas. Agop l'avait sans aucun doute accroché dans la fourrure de l'animal pour qu'il échappe à tout le monde sauf à lui. Il savait qu'il allait revenir pour répondre à son appel. « Yeruldelgger, j'y suis allé. Il faut que tu reviennes. Vite. » Il n'était pas revenu assez vite et son ami arménien était mort. Ou plus exactement on l'avait tué.

Il se pencha à nouveau sur le corps. Aucune trace de blessure. Pas même de coups. Peut-être mort intoxiqué par les fumées, ou de peur.

Mais l'incendie ne pouvait être que volontaire et criminel. Qu'avait voulu lui dire Agop avec ce briquet ? Était-ce l'objet qui avait mis le feu au chalet ? Dans ce cas, à qui appartenait-il, à Agop ? À ses agresseurs ? Et quel lien avec le cadavre de la montagne ?

Soudain le froid glacial le poignarda entre les épaules et son corps entier tressaillit. Le ciel s'était couvert. Les roches noires semblaient prêtes à se fendre sous la neige. Il ferait nuit dans deux heures, le temps qu'il leur fallait pour redescendre à Uliastay. Il chercha des yeux le Kazakh pour le rappeler et sursauta quand il le devina dans son dos, légèrement de côté, les yeux rivés sur le briquet. Yeruldelgger fourra l'objet dans la poche de poitrine de son manteau et sortit son iPhone pour prendre une dernière série de photos. Il y avait, à côté d'Agop, des traces dans la neige. Comme celles des pattes d'un oiseau. Peut-être un vautour s'était-il déjà aventuré jusque-là.

— Va chercher quelque chose ! dit-il.

— Nous appartenons à Dieu et à lui nous ferons retour. Allah le Miséricordieux est grand ! murmura le Kazakh, paumes ouvertes vers le ciel, avant de retourner à la voiture.

Il rapporta une bâche dans laquelle ils s'efforcèrent d'envelopper le corps. Par deux fois Yeruldelgger glissa sur ses genoux et bascula tête en avant sur la dépouille gelée du pauvre Agop avant d'y parvenir et de le porter jusqu'au van. Puis ils ne dirent plus rien pendant les deux heures de cahots et de glissades que dura le retour à Uliastay. Ils y arrivèrent par l'est, dans l'ombre froide et menaçante des montagnes, juste avant la nuit. Ils passèrent le premier pont au-dessus des eaux sombres encombrées de glaces, puis le nouveau quartier qui tentait de s'inventer une vie dans le triangle du confluent des deux rivières, et rejoignirent l'autre pont, sur l'autre rivière, qui débouchait sur la place d'Uliastay. Une sorte de rond-point, avec son indéchiffrable monument en obélisque post-soviétique en béton, entouré d'une balustrade blanche, au pied d'une petite colline hérissée d'antennes disgracieuses et menaçantes. C'est par cette porte qu'on entrait vraiment dans la ville, sous un lacis de câbles électriques repiqués au hasard et quelques réclames placardées sur des panneaux mastoc. Au-delà, la ville se dispersait, sauf au sud où elle surplombait la rivière, bordée par une longue rue courbe comme un chemin de ronde soutenu par des contreforts de pierraille. En fait de ville, Uliastay n'était que quelques carrés plats de yourtes et de baraques et une dizaine de bâtiments entre la rivière et la rue principale, droite comme un trait tracé à la règle, à deux cents mètres à peine plus au nord.

Le Kazakh voulut la prendre pour déposer Yeruldelgger à l'Uliastay Hotel, avec son hall en marbre prétentieux, ses lustres en verroterie, et son faux luxe pour oligarque.

— Quoi, tu veux qu'on aille à l'hôtel avec un cadavre dans le coffre ? On va au Central ! lâcha Yeruldelgger.

Il ignora les bougonnements du Kazakh et se demanda s'il existait vraiment un autre hôpital dans un tel bled pour qu'on qualifiât de « central » celui où il se rendait. Un grand bâtiment triste au milieu d'un terrain en friche brûlé par l'hiver, avec une vue grandiose sur le confluent des deux rivières fracassées de glaces et le chaos immobile et éternel des éboulis au pied des montagnes. Ils se rendirent directement aux urgences, dont l'accès se faisait par une simple porte de côté sur le terrain vague, et attendirent en vain que quelqu'un surgisse...

— De toute façon, il n'y a pas vraiment urgence ! admit Yeruldelgger. Ramène quelqu'un avec un brancard, il faut que je téléphone.

Il sortit du van en même temps que l'autre, attendit de le voir pousser la porte de l'hôpital, puis appela

Solongo sur son portable. Quand le brancardier surgit en courant, Yeruldelgger avait l'information qu'il lui fallait.

— Dans le coffre, un corps pour la morgue !

— Il est mort ? s'inquiéta le brancardier.

— D'après toi ?

— Merde alors ! C'est mon premier !

— Tu n'es pas brancardier aux urgences ?

— Si, mais depuis ce matin seulement. Je suis étudiant à l'Université nationale, dit-il en levant le menton vers l'ouest. C'est un job pour les vacances.

Yeruldelgger ne chercha même pas à savoir de quelles vacances il parlait. Il redressa la tête, comme pour apercevoir au-delà de la ville les bâtiments de l'Université nationale, puis renonça à philosopher sur le destin d'un môme d'Uliastay qui vivait à Uliastay, était allé à l'école à Uliastay, allait à l'université à Uliastay et se faisait de l'argent de poche en brancardant les ivrognes et les accidentés d'Uliastay…

Le gamin les aida à charger le corps d'Agop et les guida jusqu'à la morgue. Yeruldelgger arrêta le Kazakh d'un geste et lui donna congé jusqu'au lendemain dix heures pour le conduire à l'avion.

Quand ils entrèrent dans le hall, une petite femme ronde sursauta sur sa chaise derrière le bureau réservé aux médecins de permanence où elle lisait. Elle tourna vers eux son visage camus d'éleveuse de yacks aux pommettes abrasées par le vent.

— Vous n'avez pas appris à frapper ?

— Il faut prendre rendez-vous ?

— Qui tu es pour me parler comme ça ?

— Je suis flic. J'ai un corps !

— Je peux rester ? demanda l'étudiant soudain intéressé.

— Tu étudies quoi ?

— Ingénierie environnementale.

— Alors dégage ! ordonna Yeruldelgger en le regardant filer.

— Qu'est-ce que tu veux ? demanda la femme.

— Savoir comment cet homme est mort.

— Tu as prévenu la police ?

— C'est moi la police, je te l'ai déjà dit !

— Je parle de la police d'ici. Moi je ne connais qu'elle.

— Et Solongo, tu la connais ?

— Je devrais ?

— C'est la légiste principale de la criminelle à Oulan-Bator.

— Et qu'est-ce que Madame la légiste principale d'Oulan-Bator me veut ?

— La même chose que moi. Qu'on nous dise comment cet homme est mort.

— Eh bien tu n'as qu'à lui ramener ton cadavre à Madame ta légiste et qu'elle se débrouille avec. Je ne suis pas aux ordres d'une planquée de la capitale. Dis-lui que les temps soviétiques sont finis, à ta légiste, et que j'ai d'autres choses à faire qu'obéir à cette pimbêche.

— De la lecture en retard, je suppose, ironisa Yeruldelgger en tentant de maîtriser la colère qui montait en lui.

— Exact, tu as raison, le provoqua-t-elle en se replongeant ostensiblement dans son livre.

— Il se trouve que tu as raison, grand-mère. Cette légiste est bien *ma* légiste. C'est *ma* femme, *ma* compagne, la femme que j'aime, et quand on lui manque de respect, moi je manque souvent de maîtrise de moi-même, tu comprends ? Et ce pauvre garçon, là, à qui la tradition de nos ancêtres exige que tu portes une attention respectueuse, il se trouve que c'était aussi mon ami. Et là, tu vois, ça fait beaucoup d'arrogance de ta part envers deux personnes que j'aime. Alors tu prends soin de ce corps, et je veux savoir comment il est mort. Il y a un légiste ici ?

— C'est moi qui en fais office.

— Alors c'est parfait, tu as tout ton temps. Tu y passes la nuit s'il le faut.

— Pas la peine, aboya la femme en le congédiant. Repasse dans quatre heures, j'aurai les résultats.

— Je suppose que nous sommes trop en froid pour que tu me conseilles un bon endroit pour dîner ?

— Va manger avec le diable !

13

... dans un sommeil brutal,
en travers du lit.

En sortant de l'hôpital, des appels de phares
l'éblouirent. Il reconnut le van du Kazakh au milieu
du terrain vague et se dirigea vers lui. L'autre en descendit sans venir à sa rencontre. Quand ils furent face à
face, le chauffeur lui tendit le sac de voyage qu'il avait
oublié sur le siège. Yeruldelgger le prit en le remerciant à peine, et l'autre remonta dans son van sans
répondre ni démarrer, le regardant contourner l'hôpital pour aller « en ville ». Quelques projecteurs plantés à chaque coin des bâtiments trouaient l'obscurité
d'une lumière sinistre. Yeruldelgger se rendit compte
qu'un mur de mauvaises palissades derrière lesquelles
se terraient des yourtes lui barrait le passage. Il aurait
bien forcé son chemin dans la tradition nomade, mais
il n'était pas convaincu que ceux qui se cachaient derrière le feutre des tentes étaient encore ouverts à l'esprit des steppes. Eux ou leurs chiens jaunes. Il avisa
une ruelle qui remontait vers la rue principale sur la
droite et, en se dirigeant vers elle, il aperçut au loin
le van qui n'avait toujours pas bougé. Il ne sut dire
si le Kazakh était encore au volant ou non. Il tomba

sur le Balorjin Hotel qui ne proposait que cinq petites chambres simples et propres dans un semblant d'isba en bois, toutes vides, avec douches collectives mais chaudes. Il choisit la seule chambre sur la rue et se jeta sur le lit.

Il dormit une petite heure à peine, d'un sommeil agité, puis se releva pour passer son visage à l'eau glacée du lavabo. Quand son regard croisa son reflet dans le miroir, il resta longtemps interdit, ne voyant que l'enveloppe vide d'une âme inquiète. Puis un frisson le saisit et il habita son corps à nouveau. Il avait trois heures à perdre avant de retourner à la morgue.

Dehors, la ville transie se tassait sous l'hiver. Malgré le repère des quelques trottoirs et de l'asphalte, yourtes et bâtisses semblaient jetées n'importe où, n'importe comment. Seules les palissades redonnaient aux rues un peu de géométrie. Par instinct, il traversa en direction de l'hôpital et dépassa une ruelle où se cachait un restaurant végétarien. Il avait besoin d'un vrai repas et préféra continuer sur le même trottoir désert, vers l'est. Quand il atteignit le carrefour suivant, il réalisa qu'il avait déjà atteint le centre d'Uliastay. Une rue étroite se glissait sur la droite entre le musée des Célébrités et le théâtre. Les deux premiers présidents de la République étaient nés dans ce bled. Le musée annonçait fièrement neuf salles. Yeruldelgger pensa au temple au-dessus de la ville et à ses neuf stupas blancs en hommage à neuf moines célèbres. Il se remémora aussi les neuf muses de la mythologie grecque et s'amusa à fouiller ses souvenirs : neuf divinités chez les Égyptiens, les neuf fils du dragon de la mythologie chinoise, les neuf planètes de notre système solaire, les neuf mois de la gestation humaine. Et aussi le nombre de vies présumées des chats, le chiffre porte-poisse au Japon, et porte-chance en Chine. Il avait su pourquoi, une histoire de consonance avec d'autres mots. Pour le chinois, cela avait quelque chose à voir avec le mot faste. D'ailleurs la Cité interdite aurait neuf mille neuf cent quatre-vingt-dix-neuf pièces. Et encore le chiffre de l'accomplissement selon la Kabbale, celui de l'éternité pour les francs-maçons, la triple trinité, etc.

Le temps qu'il oublie pourquoi il pensait au chiffre neuf, Yeruldelgger avait redescendu la ruelle. Il en passait une autre qui partait sur la droite pour rejoindre l'hôpital quand il avisa, un peu plus loin en retrait, un bâtiment blanc coiffé de tôles bleues qui dépassaient sous une croûte de neige. Bien que mal éclairé, l'endroit ressemblait à un restaurant. Il traversa un parking déchiré de flaques gelées, poussa la porte du Chigistei et son cœur se réchauffa aussitôt en découvrant un bon vieux restaurant de l'époque soviétique. Grand, vide, à l'éclairage trop cru, avec un long bar massif, une vaste salle où deux serveurs jouaient aux osselets sans vraiment attendre le client, un four à pizza éteint et, à l'autre bout, une petite salle délimitée par des bacs de fleurs en plastique ficelées d'une maigre guirlande fixe et multicolore. La VIP Room. Un des serveurs lui porta trois cartes avant même qu'il ne choisisse une place et retourna jouer avec son collègue. Yeruldelgger comprit qu'il devait choisir sa salle, parce que son menu en dépendait. Dans la salle principale, c'était cuisine chinoise, coréenne et pizzas. Au bar, c'était nourriture locale. Dans la VIP Room, on servait du cheval à la carte. Il décida de compliquer les choses en mangeant mongol d'un bon aduu au bar. Sa commande provoqua un long conciliabule entre les deux serveurs qui filèrent en référer aux cuisines. Quand le cuisinier entra dans la salle en s'essuyant les mains à son tablier, Yeruldelgger reconnut aussitôt le brancardier de l'hôpital.

— Ah, c'est pour vous ! sourit le garçon, alors je vous prépare ça tout de suite.

Yeruldelgger se demanda comment on pouvait préparer tout de suite un plat qui, selon la tradition, devait cuire au moins quatre heures, mais quand il fut servi et que le gamin vint s'asseoir fièrement à ses côtés, il ne put que le féliciter. C'était le même ragoût de cheval que dans son enfance et Yeruldelgger passa deux heures agréables à parler de choses et d'autres avec ce jeune étudiant aux cinq ou six boulots. Avant de le laisser fermer le restaurant où personne d'autre n'était venu, il lui laissa sa carte au cas où il passerait par Oulan-Bator.

— Pour des études plus sérieuses, plaisanta-t-il en sortant. La littérature comparée, ça ne t'intéresse pas ? Le français, l'allemand, les autres langues !

— *Wer reitet so spät durch Nacht und Wind ? Es ist der Vater mit seinem Kind !* déclama alors le garçon en claquant la porte.

Yeruldelgger se souvint qu'on disait que la Mongolie était le pays au monde où on parlait le plus l'allemand en dehors de l'Allemagne et de l'Autriche. Le temps d'essayer de trouver une raison à cela, et il était à nouveau seul dans la nuit silencieuse, soudain submergé par le souvenir des photos du cadavre de Colette.

Trois quarts d'heure plus tard, il se réveillait allongé sur la table d'autopsie, à la morgue de l'hôpital, le visage moqueur de la vilaine légiste penchée sur le sien.

— Vous m'appréciez donc tant que ça ? se moqua-t-elle.

— Qu'est-ce que je fais là ? demanda Yeruldelgger, le crâne en airain dans lequel roulait le boulet d'une douleur sourde.

— Il vous a porté ici. Il savait que j'étais encore là. À cause de vous.

Yeruldelgger voulut voir celui qui se tenait à ses côtés mais le seul fait de tourner les yeux le jeta au bord de la nausée. Il reconnut la voix du brancardier.

— Vous étiez parti depuis une demi-heure quand je suis sorti à mon tour après avoir fermé le restaurant. Normalement je remonte la grande rue et je marche jusqu'à l'université où j'ai une chambre, mais j'ai voulu savoir si vous étiez encore là pour avoir des nouvelles du mort. Je vous ai trouvé dans une ruelle qui coupe à travers les yourtes vers l'hôpital. J'ai cru qu'on vous avait tué.

— Malheureusement ce n'est pas le cas ! soupira la légiste. L'arrogante résistance des gens de la capitale, je suppose. On vous a assommé, mais il n'y a pas de traumatisme. Chacun s'accordera pour dire que vous avez la tête dure, mais vous auriez pu mourir de froid, il fait moins trente cette nuit. Il vous a donc sauvé la vie.

— Par contre on vous a dépouillé, s'excusa presque

l'étudiant. Tout était éparpillé autour de vous. J'ai essayé de récupérer ce que j'ai pu, mais…

— Comment ai-je pu me laisser surprendre ? grogna Yeruldelgger.

— Bah, même les grands policiers d'Oulan-Bator sont faillibles parfois ! se moqua la légiste.

— Garde tes sarcasmes, vieille sorcière. Tu ne sais pas qui je suis !

— Le septième Avenger peut-être ? Le John McClane des steppes ?

— Tu y es presque. J'ai reçu l'enseignement du Septième Monastère. Jamais je n'aurais dû me laisser surprendre.

— Le Septième Monastère ! s'exclama le brancardier. Alors ce n'est pas une légende ? Il existe vraiment ?

— S'il existait vraiment, l'agresseur de cet homme serait mort, siffla la légiste.

— Il ne serait pas mort, corrigea Yeruldelgger. Je l'aurais neutralisé.

— Neutralisé, c'est bien du vocabulaire de flic, ça ! Ton copain aussi il a été neutralisé. Au thiopental sodique pour être plus précise. Mon rapport d'autopsie est dans la poche de ton manteau et le gamin va te raccompagner à ton hôtel. Ne lui bourre pas trop le crâne avec tes fadaises. Il a presque intégré la vision scientifique de ce merdier où nous survivons. Ne va pas lui donner trop d'espoir. Maintenant dégagez, j'éteins et je ferme.

Yeruldelgger se releva et descendit de la table d'autopsie en chancelant avant de retrouver son équilibre.

Ils sortirent par les urgences et le froid lui givra aussitôt l'intérieur du crâne.

— Hey, Shaolin, attends. Il y avait ça dans la bâche qui enveloppait ton macchabée !

Elle lui tendit le sachet plastique avec le briquet à l'intérieur, puis cadenassa la porte et les abandonna sans un mot. Yeruldelgger contempla le briquet avant de l'enfoncer dans la poche de son pantalon. Il avait dû tomber dans la bâche quand il avait trébuché en enveloppant le corps d'Agop. Il comprenait maintenant pourquoi on l'avait assommé.

— Vous êtes descendu où ?

— Au Bolorjin.

— C'est glauque, mais l'eau est chaude. J'ai été portier de nuit là-bas !

Dès que Yeruldelgger regagna sa chambre, après avoir pris congé de l'étudiant sans le remercier assez, il remarqua qu'elle avait été fouillée. Il ne chercha même pas à savoir si on lui avait volé quelque chose. Il savait qu'ils étaient venus pour ce briquet que, d'une certaine façon, Agop avait encore réussi à lui transmettre. Dès qu'il serait à Oulan-Bator, il ferait dire à cet indice tout ce qui pourrait expliquer la mort de l'Arménien. Puis la fatigue lui tomba dessus et il sombra dans un sommeil brutal, en travers du lit.

14

... ils n'arrivent pas
à mettre la main dessus.

— Putain j'y crois pas ! pesta Billy en prenant les
autres à témoin. Je me suis perdu dans cette foutue
ville à la con, vous croyez ça, vous ? J'ai pris la mauvaise rue dans ce smog empoisonné où on ne voit pas
à cinq mètres et je me suis paumé ! Dans la ville où
je suis né !

— Ça t'apprendra à venir en voiture les jours de
grande pollution. À pied on ne se perd pas ! lâcha
Oyun.

— À pied on crève, petite sœur ! Si personne ne
t'écrase, tu meurs asphyxié. Demande à la demi-
douzaine de zombies sur qui j'ai failli rouler quand
ils surgissaient du brouillard. Je roulais sur le trottoir
à force de ne plus rien y voir !

Le petit groupe éclata de rire en regardant Billy
jeter ses clés et son blouson sur le bureau qu'il parta-
geait avec deux autres inspecteurs.

— Non mais regardez-moi ça ! soupira Billy en
contemplant la fenêtre derrière son siège.

Le service occupait le troisième étage du nouveau

Département de police, en centre-ville, mais la pollution était si dense qu'on ne devinait rien à l'extérieur. L'air jauni par des fumées âcres était comme de la laine de verre plaquée de l'extérieur contre les vitres. Les autres avaient allumé les néons au-dessus de la table où ils travaillaient.

— Oulan-Bator, tu parles ! Utaan-Bator, la ville des fumées épaisses, oui, c'est encore son meilleur surnom.

— Attention les gars, Billy s'est shooté l'humeur aux particules fines.

— Fous-toi de moi, à deux cent quatre-vingts milligrammes par mètre cube en moyenne, vous êtes tous au bord de l'overdose vous aussi. Tu sais quelle est la concentration maximale acceptable selon l'OMS ?

— Je ne sais pas, moi, moitié moins ?

— Quatorze fois moins ! On se goinfre ici quatorze fois la dose maximale de particules fines tolérée dans le monde ! Dix pour cent des morts d'Oulan-Bator le sont pour avoir juste respiré dehors !

— Et cent pour cent des morts de nos dossiers du jour le sont pour avoir pris un yack sur la tronche ! coupa un inspecteur pour ramener Billy à son métier de flic.

— Vous êtes sur quoi ? demanda-t-il.

— La pile de cadavres d'Oyun…, lâcha un inspecteur.

— Et ?

— Et Oyun et son joli cœur…

La jeune flic plaqua l'insolent joue contre la table d'une clé de bras qui faillit lui démettre l'épaule.

— Faites pas chier avec ça ! siffla la jeune femme en s'adressant à tout le monde. D'accord ?

Chacun se retint de rire et l'inspecteur impertinent se releva en se massant l'épaule.

— Oyun et son « collègue militaire local », donc, pensent que le yack…

— La dzum ! corrigea un autre inspecteur.

— … que la dzum, c'est-à-dire la femelle du yack sauvage, n'a pu écrabouiller le cavalier et son cheval qu'en tombant du ciel !

— Whaouu ! Ça fait très argentin, ça, s'exclama Billy.

— Argentin ?

— *El Chino* ! Tu ne connais pas le film de Sebastián Borensztein ? Un petit bijou du cinéma argentin !

— Et qu'est-ce que tu connais du cinéma argentin, toi ? Ça existe, ça, le cinéma argentin ?

— Quoi ? s'emporta Billy. *Bombón el perro*, de Carlos Sorín, vous ne connaissez pas ? Et *Les Acacias* ? *Ultimo Elvis* ? *El Estudiante* ? Ne me dites pas que vous n'avez pas vu *Dans ses yeux*. Personne n'a vu *Dans ses yeux*, le chef-d'œuvre de Campanella ?

À leurs regards ébahis, Billy dut se résoudre à accepter l'ignorance de ses collègues.

— Et quel rapport avec notre dzum, ton film argentin ? demanda Oyun.

— Oh alors ça, c'est génial. C'est la première scène du film. Il y a ce type, le Chinois, parce que l'histoire commence en Chine même si ça n'a rien à voir avec la suite qui se passe à Buenos Aires. Donc il y a ce type, tout timide, dans une barque au milieu d'un lac, et qui s'apprête à demander une fille en mariage, une Chinoise, qui est dans la barque elle aussi. Et là, paf ! Une vache tombe du ciel pile-poil sur la fille qu'elle écrabouille et tue sur place en même temps qu'elle coule la barque !

Billy avait pratiquement joué la scène avec ses mains et s'attendait à ce qu'ils partagent son enthousiasme, mais leur silence fut retentissant.

— C'est une scène géniale, je vous jure, il faut la voir ! La vache. Paf. Sur la fille ! Vous ne trouvez pas ça grandiose ?

— Et en quoi ça peut nous aider dans le dossier de nos cadavres empilés ? Tu crois que le cavalier nomade demandait sa monture en mariage quand la dzum leur est tombée dessus ?

Cette fois la moquerie d'Oyun déclencha l'hilarité des autres et Billy en fut d'autant plus vexé.

— Marrez-vous ! Mais ce que vous ne savez pas, c'est que pour cette scène Borensztein s'est inspiré d'un vrai fait divers !

— Quoi ? Tu veux dire qu'une fiancée chinoise s'est vraiment pris une vache tombée du ciel sur la tronche ?

— Pire que ça ! répliqua Billy, conscient qu'il captivait enfin son auditoire. En 1997 ou 98, un patrouilleur russe récupère des pêcheurs japonais en pleine mer au milieu des débris de leur bateau. On les interroge et les marins racontent que leur bateau a été coulé par une vache tombée du ciel. Comme les Russes ne sont pas des joyeux, et les militaires russes encore moins, ils expédient les japs en prison en les croyant ivres ou shootés ou espions ou n'importe quoi du genre. Sauf qu'un peu plus tard, un bateau récupère le corps flottant du bovidé. L'explication vient de l'état-major de l'armée de l'air russe qui s'excuse auprès des Japonais. Des militaires ont profité d'une manœuvre en Sibérie pour voler des vaches histoire d'améliorer leur ordinaire à la cantine. Ils les embarquent à bord de leur avion-cargo, mais une fois en l'air les bêtes paniquent et deviennent incontrôlables. Alors les bidasses les balancent dans le vide, sauf que neuf mille mètres en dessous, il y a les pêcheurs japonais...

— Tu déconnes ! murmura un inspecteur.

— Légende urbaine ! trancha un autre.

Aussitôt Billy s'approcha d'un ordinateur et se connecta à un moteur de recherche : vache tombée du ciel militaires russes pêcheurs japonais...

— Et voilà ! dit-il en tournant l'écran vers son auditoire. Sept cent vingt-quatre mille résultats qui confirment mon histoire !

— Légende urbaine quand même ! insista l'inspecteur.

— Légende ou pas, trancha Oyun, c'est la seule explication plausible à notre histoire. Et si la dzum est tombée du ciel, ça ne peut être que d'un avion.

— Ou d'un hélico...

— Ou d'un hélico !

— Donc on cherche un hélico qui fait de la contrebande de femelles de yack, c'est bien ça ?

— Pour l'instant on cherche tout ce qui a déposé un plan de vol passant au-dessus de la scène de crime jusqu'à un mois avant la découverte des cadavres.

— Et on cherche où ?

— Qui a des avions ou des hélicos d'après toi ? Les compagnies aériennes nationales et internationales, privées ou publiques. On oublie les appareils privés trop petits pour charger une dzum. Par contre on prend les multinationales étrangères et les conglomérats nationaux.

— Pas les militaires ?

— Si, si, bien sûr, les militaires aussi !

Il y eut quelques instants de flottement, puis l'équipe se dispersa en se répartissant les recherches. Oyun retint Billy et attendit que les autres se soient éloignés.

— Billy, qui enquête sur l'histoire de Yeruldelgger ?

— Le type dans la montagne ?

— Non, le meurtre de Colette.

— Ah ça ? Personne. Les Affaires spéciales nous l'ont interdit. J'ai juste un contact dans l'équipe qui s'en charge et j'essaye de suivre l'affaire de loin.

— Et ils en sont où ?

— Après le gosse de Colette. Il paraît qu'elle avait un gosse, mais ils n'arrivent pas à mettre la main dessus.

15

Je suis déjà en route !

— Comment vas-tu ? demanda Solongo encore inquiète.

— Ça va, j'ai la tête dure, répondit Yeruldelgger.

Il était rentré d'Uliastay en fin de matinée, pensant la retrouver dans sa grande yourte chaleureuse à l'est de la ville au-delà du marché aux voitures, dans le dix-septième district, mais la jeune femme était retenue à l'hôpital par une autopsie urgente. Un ivrogne était mort, poignardé, la tête dans son vomi. Les enquêteurs voulaient savoir s'il était mort du coup de couteau ou s'il s'était étouffé dans les kuushuurs qu'il avait rendus. Solongo pensait que l'homme était mort d'avoir trop bu, ce qui l'avait exposé aux deux dangers. Sans doute saoul pour oublier cette ville empoisonnée et désespérante. Oublier que rien ne le retenait, au-delà des jours à passer les uns après les autres, pas même le souvenir de ses maigres troupeaux d'antan qui les rendaient gais et joyeux, lui et sa petite famille aujourd'hui silencieuse dans une yourte sale sous un nuage de charbon. Silencieuse et encore plus seule, maintenant qu'il était mort, étouffé ou poignardé. La belle affaire !

— On n'a rien à savoir sur les morts, avait dit un collègue. On travaille juste à savoir qui les a tués.

Solongo n'avait pas eu le temps de rentrer déjeuner. Elle avait appelé plusieurs fois Yeruldelgger, inquiète d'entendre qu'il était déjà sur pied après son agression. Il avait répondu au cinquième appel en lui avouant ne pas avoir eu le courage de répondre aux quatre premiers. Ils avaient échangé quelques mots pour se rassurer l'un l'autre et elle lui avait recommandé de profiter du sale temps et de son absence pour se reposer. Avant de raccrocher, il lui avait demandé si elle avait des nouvelles de l'enquête sur la mort de Colette. Elle n'avait pu que lui répéter ce qu'Oyun lui avait rapporté.

— Un gosse ? C'est impossible ! Elle était stérile depuis un avortement imposé par son souteneur de l'époque. Nous en avons longtemps parlé, elle ne pouvait pas avoir d'enfant.

— Écoute, ça, je peux le vérifier dans le rapport d'autopsie. Je serai vite fixée. Je te le fais savoir dès que je le sais.

— Moi je le sais déjà ! insista Yeruldelgger.

— Elle a peut-être adopté…

— Elle ne m'a jamais parlé d'enfant, Solongo, même adopté. Elle ne m'a parlé que de son désespoir de ne pas en avoir. Elle a même dit ce truc cruel : c'est parce que son ventre ne pouvait pas lui donner l'amour d'un enfant qu'elle se foutait de le vendre à l'amour des hommes !

— Elle a peut-être adopté depuis. Tu m'as dit à l'époque qu'elle t'avait promis de changer de vie. C'est peut-être ce qu'elle avait fait !

112

— Peut-être bien, Solongo, je ne sais plus… Qu'est-ce qu'on sait sur cet enfant ?

— D'après les enquêtes de voisinage, un gamin, assez grand pour aller jouer avec des copains dans la rue. Dix, douze ans peut-être, je vais me renseigner…

— Non, laisse, je vais le faire !

— Tu n'as pas le droit, Yeruldelgger.

— Je sais, dit-il en coupant court. Fais-moi plaisir, Solongo, récupère le corps d'Agop au plus vite, et occupe-toi bien de lui. Je ne sais pas de quelle religion sont les Arméniens, mais tâche de te renseigner que nous puissions l'enterrer convenablement.

— Je vais le faire, mais ne va pas du côté de chez Colette.

— Je suis déjà en route !

16

... un des deux aimait les buzz
de mouton gras.

Yeruldelgger s'assit à la table en bois, les pieds
dans la neige au bord de la route, devant l'échoppe
du vieil homme. Le bol de raviolis de mouton à la
vapeur, gras et moelleux à souhait, fumait dans l'air
glacé entre ses mains emmitouflées. Il tournait le dos à
la bicoque du grand-père, une petite guérite de bric et
de broc tout enturbannée de fumées d'huile des kuushuurs et de vapeurs des buzz. Quelques bières locales,
des cannettes de Coca et des cigarettes de contrebande
traînaient sur la planche qui faisait office de comptoir.
Les buzz promettaient d'être délicieux. Il se souvint
soudain de la dernière fois qu'il avait vu Colette et des
kuushuurs savoureux qu'ils avaient partagés. C'était
juste avant qu'il n'aille abandonner aux ours dans la
forêt le corps blessé d'un salaud qui avait massacré
une petite famille. Et maintenant Colette était morte
elle aussi. Elle avait changé de vie comme elle le lui
avait promis. Elle s'était installée au sud de la ville,
de l'autre côté de la Tuul, dans ce qui essayait d'être
un nouveau quartier de la capitale. C'était la dernière
rue de ce côté de la ville, bordée d'un long cordon de

yourtes collées les unes aux autres. Elles formaient un collier au pied de la colline aux Symboles qui ondulait en douceur au sud jusqu'à la force granitique de la montagne sacrée de Khogno Khan. Par temps clair, la vue depuis la yourte de Colette devait être inspirée et sereine. Yeruldelgger ôta sa moufle droite, pinça un buzz entre deux doigts, et le goba avec gourmandise. Ce fut comme croquer dans son enfance. Il ignorait ce que le vieil homme savait faire d'autre, mais il savait cuisiner la pâte et le mouton gras. Ses raviolis avaient juste la bonne taille pour être engloutis d'une seule généreuse bouchée gourmande, et la pâte avait la bonne consistance pour rester en bouche chaude et fumante et ne gicler son gras bouillant qu'au premier coup de dents et ainsi libérer la farce de viande.

Et il y avait sûrement un peu de chèvre, même, dans ce mouton-là ! Yeruldelgger se leva, le bol dans sa main gantée, piochant de l'autre les buzz fumants pour les engloutir un à un, et se dirigea vers l'échoppe. Le grand-père, le visage émacié et le cou maigre dans le col de son deel bleu élimé, le regarda s'approcher à travers l'ouverture sans volet de sa guérite à friture.

— Ah, tu te décides enfin !

— Je me décide à quoi, grand-père ? s'étonna Yeruldelgger.

— À me demander ce que je sais d'Altantsetseg, pardi !

— Et comment sais-tu que je suis venu te demander ça ?

— Parce que tu es policier.

— Et comment sais-tu ça aussi ? Ça se voit tant que ça ?

— Ce qui se voit, c'est que ton cœur est meurtri. De cette ville, de ce que deviennent les gens, de ce que tu fais pour vivre, de ce que tu ne peux plus faire pour les autres. Tu es fort dehors, mais tu pleures à l'intérieur. Alors que tu aimerais que la montagne sacrée te rapproche du ciel, tu as au contraire l'impression qu'elle pèse tout entière sur tes seules épaules. Tu sais qu'on va te battre, encore et encore, et que tu vas tenir bon. Tu sais que des gens t'aiment, mais tu ne sais pas comment les aimer. Tu voudrais remettre de l'ordre dans ta vie et dans la ville, mais tu ne peux le faire que par la force et la colère. Tu apportes la mort comme punition alors que tu as reçu l'Enseignement. Tu as sauvé Altantsetseg et pourtant elle est morte à cause de toi…

— Attends ! Pourquoi dis-tu ça ?

— Parce que c'est ce que je vois dans ton aura, répondit avec calme le vieil homme.

— Je ne parle pas de ça ! coupa Yeruldelgger. Je me moque de qui tu penses que je suis. Mais pourquoi dis-tu qu'elle est morte à cause de moi ?

— Parce que tu le penses et que la culpabilité alourdit chacun de tes gestes. Qui crois-tu tromper ? Altantsetseg est morte et tu t'en veux mais sans savoir pourquoi.

— Qui es-tu, grand-père ? s'inquiéta soudain Yeruldelgger.

— Un nomade qui va mourir en ville. Un vieil homme qui sauvegarde le souvenir des steppes de son enfance dans le fumet de ses kuushuurs. Un ancien. Un ancêtre qui sait reconnaître celui qui souffre. Où as-tu reçu l'Enseignement ?

— Au Septième Monastère, murmura Yeruldelgger.

— J'aurais dû m'en douter, sourit le vieil homme. Et pourquoi ne te viennent-ils pas en aide ?

— Ils le feront, quand ce sera l'heure. Peut-être même l'ont-ils déjà fait en te mettant sur mon chemin…

— C'est me faire beaucoup d'honneur, répondit le grand-père en baissant les yeux, de penser que ceux de Shaolin m'ont choisi pour apaiser ta colère. Mais j'ai peur que ce que j'ai à te dire ne la fasse grandir au contraire. Altantsetseg a cherché à s'installer ici il y aura bientôt six mois. Tu es l'homme dont elle parlait en silence, n'est-ce pas ? J'ai senti qu'elle m'était envoyée et je lui ai loué une yourte à deux pas d'ici. Elle voulait travailler et je lui ai trouvé un emploi aux cuisines de l'école 32. Elle ne voulait pas que son fils soit l'enfant d'une désœuvrée.

— Son fils ? Elle avait donc bien un enfant ?

— Ganshü. Ce n'était pas son fils. Elle l'aimait trop. Elle ne vivait que pour lui, comme si le seul but de sa vie, c'était de le sauver de la sienne.

— Écoute, grand-père, tu peux faire en sorte que je comprenne ce que tu dis ? implora Yeruldelgger.

— Je parle d'un enfant qu'elle s'était mis en tête de sauver de sa condition de vagabond. Un gamin des cités, un gosse des égouts peut-être. Ce n'était pas le sien. Je ne pense même pas qu'elle l'avait adopté. C'était plus fort que ça : elle l'avait choisi. Elle l'habillait, elle lui donnait une éducation, elle surveillait ses fréquentations…

— Quelles fréquentations ?

— Les bonnes et les mauvaises.

— Commence par les mauvaises.

— Des gamins de son âge, rien de grave. Des gamins qui sont nés avec un trou d'égout puant pour toute yourte, de l'asphalte pour steppe, et toute cette pollution à la place des grands vents. Des petites âmes grises qui revenaient quelquefois hanter Ganshü ou qu'il allait rejoindre en disparaissant plusieurs jours.

— Que des gamins ?

— Bien sûr que non. Là où il y a de petites âmes grises, rôdent toujours des âmes plus noires…

— De qui parles-tu, grand-père ? Je n'ai pas trop de temps à perdre.

— Je sais. J'ai bien compris que tu cours déjà après ta colère et que tu es pressé. Tu parles comme un homme chassé qui chasse à son tour. Tu sais bien que tu ne t'en sortiras pas comme ça, n'est-ce pas ?

— Je le sais, grand-père, et c'est mon affaire. Qui sont les âmes noires ?

— Il y a ce Touva, Salchak. Il est venu de Kyzyl il y a quelques mois pour vendre son herbe aux touristes et aux gamins. Sec comme un coup de trique, le regard fuyant, avec un blouson de cuir clair et cintré par tous les temps. Tu sais reconnaître ces hommes-là. Tu le trouveras autour de la statue du Grand Bouddha, ou du côté du Mémorial. L'autre c'est un Bouriate de Krasnokamensk. Celui-là est plus mauvais. Il se fait appeler Knyaztsy mais ce n'est pas son nom. C'est le nom qu'on donnait aux princes subalternes des temps féodaux dans son pays. Ceux qui rançonnaient le peuple au nom des grands princes. Lui s'intéresse plus aux gamins. Il ne leur vend pas de drogue. Il en fait des petites bandes, il joue parfois au foot avec eux. Je ne sais pas à quoi il les entraîne, mais ses jeux ne sont pas innocents.

— Pédophilie ?

— Je ne crois pas. J'espère que non. Mais ce Bouriate a l'âme bien plus noire et le cœur bien plus dur que le Touva. Trouve le Touva et tu trouveras Knyaztsy.

— Je connais mon métier ! se vexa Yeruldelgger.

— Tu connais beaucoup de choses pour quelqu'un qui demande, mais reste méfiant : je te sais capable de reconnaître le Touva, mais le Bouriate, lui, reconnaîtrait un flic dans une assemblée de militaires en civil.

Yeruldelgger regarda le vieil homme qui, manifestement, arrêtait là son discours.

— Que peux-tu me dire d'autre ?

— Que tes buzz sont froids !

— Désolé, grand-père, ils étaient délicieux.

— Tu en veux d'autres ? Des kuushuurs peut-être ?

— Non, des buzz encore, si tu insistes…

Il s'affaira dans la guérite en bois et les volutes odorantes d'un bouillon de mouton embrumèrent la cabane. Yeruldelgger aperçut un bol fumant et s'en saisit à travers les vapeurs gourmandes qui se condensèrent contre l'air glacé et givrèrent aussitôt sur ses manches.

— Et si tu me parlais des bonnes fréquentations du fils d'Altantsetseg maintenant ? dit le policier en se brûlant les lèvres à une raviole fumante.

— Je préfère que tu termines tes beignets de mouton, répondit le vieil homme.

— Tu as peur que ceux-là refroidissent aussi ?

— Non, j'ai peur que ça ne te refroidisse, toi !

— Comment ça ? demanda Yeruldelgger soudain inquiet.

— Un gamin veillait sur Ganshü. Un gosse de son âge, dont il se dégageait quelque chose de toi. Vous avez de très jeunes novices au Septième Monastère ?

— Gantulga !

— Oui, j'ai entendu ce nom-là. C'est une belle âme, mais impétueuse comme la tienne. Il ne portait jamais la robe des moinillons et il avait tous les gestes et les mots des gamins des rues.

— C'en était un. Où est-il ?

— Je pensais que ceux du Septième Monastère savaient tous se situer les uns les autres par la pensée ?

— J'ai reçu l'Enseignement dans ma jeunesse… Comme c'était la coutume, j'ai été l'enfant choisi pour être éduqué chez les moines, et la chance a voulu que ce soit au Septième Monastère. Mais j'ai oublié beaucoup de choses. Où est-il ? répéta Yeruldelgger.

— Il a disparu peu de temps après Ganshü. Mais peut-être que la fille sait où ils sont.

— La fille ? Quelle fille ?

— La tienne, je dirais. Même regard, même colère, même force. Tout de noir vêtue, des piercings un peu partout.

— Des traces de brûlure ? coupa Yeruldelgger.

— À peine perceptibles, oui, quand le froid marbrait un peu plus sa peau sur la joue droite. Très bien cicatrisées. Vieille graisse d'ours et résine d'acacia, sans doute. Et de la toile d'araignée aussi…

— Saraa ! s'exclama Yeruldelgger en renversant ses buzz.

— Peut-être, répondit le vieil homme. Elle n'a jamais dit son nom. Elle aime mes buzz autant que toi. Elle en voulait chaque fois qu'elle venait filmer Ganshü.

— Pourquoi filmait-elle le fils d'Altantsetseg ?

— C'est ta fille, c'est toi qui devrais le savoir !

— Ne joue pas à ça, coupa Yeruldelgger soudain méchant. Dis-moi ce que tu sais !

— Rien qui mérite ta colère. Elle et le moinillon réalisaient une sorte de reportage sur Ganshü, pour son blog.

— Son blog !

— Le journal très intime et très public des jeunes d'aujourd'hui ! se moqua le vieux.

Il s'accroupit dans sa guérite, disparaissant quelques instants de la vue de Yeruldelgger, et surgit à nouveau en pianotant sur une Samsung Galaxy Tab.

— Regarde ! dit-il en lui tendant la tablette : Ovooïd, c'est son blog. Bien choisi comme titre, tu ne trouves pas ?

Yeruldelgger s'empara de la tablette sans répondre, incapable de détacher ses yeux de l'écran. Rien ne trahissait Saraa dans ce qui s'affichait, sauf que tout lui ressemblait. Le fond noir, ce titre défiant la tradition, et le sous-titre surtout : *Chronique annoncée de la mort d'un peuple éternel*. C'était toute sa colère. La colère de sa fille, qui se trouvait liée à la mort de Colette d'une façon qu'il ne pouvait encore imaginer, et celle de Gantulga, le gamin intrépide, jailli des bas-fonds de la ville pour sauver Saraa d'une mort atroce au cours d'une enquête précédente. Son image dansait dans sa tête et brouillait les pistes.

C'est le très mauvais moment que choisirent les deux hommes pour apparaître.

— Des amis à toi, je suppose ? lâcha le vieil homme en récupérant prudemment sa tablette, le regard par-dessus l'épaule de Yeruldelgger.

— Je n'ai pas beaucoup d'amis ces derniers temps...

— Tu as raison, ce ne sont pas des amis, conclut le vieil homme en s'abritant dans sa guérite.

Yeruldelgger se retourna et reconnut aussitôt deux inspecteurs des Affaires spéciales. Mais qu'avaient donc tous ces jeunes flics à vouloir ressembler aux héros des séries américaines ? Ces deux-là se la jouaient *Men in Black* avec leurs Ray-Ban malgré le nuage de particules qui masquait le soleil depuis trois jours. Avant qu'ils ne lui tombent dessus, il se surprit à espérer qu'au moins un des deux aimait les buzz de mouton gras.

17

Très convaincant. Surtout de ta part...

— Arrête ! rougit Oyun, tu sais que les Américains ciblent par mots de référence toutes les communications dans le monde ?

— Tu crois que *chatte de miel* est un vocable de référence à la NSA ? Tu crois qu'il y a un fonctionnaire du Pentagone dédié à l'interception du vocable *chatte de miel* ?

— Arrête de répéter ça ! Et puis les mots référents sont identifiés par ordinateur !

— Mais qu'est-ce qu'un ordinateur pourrait comprendre à ta petite *chatte de miel* ? s'offusqua Gourian.

— En plus, avec l'affaire de Yeruldelgger, toute l'équipe est probablement sur écoute par les Affaires spéciales, tu imagines ?

— Quoi ? Tu penses que des salauds tout nus avec des écouteurs se branlent en pensant à ta petite *chatte de miel* ?

— Gourian, je t'en supplie, sois un peu sérieux ! Attends, je trouve un endroit plus discret...

Elle se réfugia dans la cage d'escalier que personne

n'empruntait par temps de grande pollution pour épargner ses poumons.

— Attention, si je sais que plus personne n'écoute, je vais vraiment oser te dire tout ce que j'ai envie de faire à ta petite *chatte de miel* !

— Ferme-la, Gourian ! rigola Oyun tout émoustillée par son audace. On peut se rappeler ce soir pour se dire ce genre de choses, mais là nous sommes tous un peu sur les dents. Yeruldelgger s'est fait agresser hier à Uliastay pendant une enquête et…

— Ah bon ? Que lui est-il arrivé ?

— Un traquenard, pour lui voler quelque chose, on suppose.

— On sait quoi ?

— Il n'a rien dit, mais sa chambre aussi a été fouillée.

— Et lui ?

— Assommé par moins trente, il aurait pu y rester si un gamin ne l'avait pas aidé.

— Un témoin ?

— Non. Il fermait le restaurant dont Yeruldelgger était sorti une demi-heure plus tôt. Il n'a rien vu. Il l'a juste porté jusqu'à l'hôpital.

— Mais qu'est-ce qu'il faisait dans ce bled perdu ?

— C'est l'homme qui passe sa vie dans le trou du cul de la steppe qui demande ça ?

— Hey, surveille ton vocabulaire, petite sœur, les grandes oreilles des Affaires spéciales ou de la NSA pourraient t'entendre !

— En fait il enquêtait sur ce type qu'on a retrouvé mort dans le massif de l'Otgontenger. Figure-toi que son principal témoin est parti en fumée dans l'incendie de son chalet !

— …

— Gourian ?

— …

— Gourian ? Tu es toujours là ?

— … Écoute, Oyun, je ne sais pas comment te le dire, surtout après ce que tu viens de raconter à propos de Yeruldelgger…

Son ton avait changé. Il ne plaisantait plus et Oyun devina qu'une catastrophe s'annonçait. Elle se maudit de penser qu'il allait peut-être lui dire que leur aventure s'arrêtait là. Elle s'apprêta à encaisser ce genre de choc, et fut sonnée pour le compte quand il se décida enfin à parler.

— Oyun, tes cadavres aussi sont partis en fumée !

— Quoi !

— Ce con de nomade a réussi à foutre le feu partout. Je ne sais pas comment il s'y est pris, mais tout a brûlé. Je suppose qu'il a mis le feu à la yourte, ou même à sa vodka, et que ça s'est propagé. Toujours est-il que tout a cramé. Il a même réussi à faire exploser les générateurs et leurs réservoirs. Ta scène de crime n'est plus qu'un cratère dans la glace, Oyun, je suis désolé, sincèrement désolé, et maintenant tes cadavres congelés sont carbonisés !

Oyun était effondrée. Elle perdait de précieux indices et l'occasion de revoir Gourian. Personne ne l'autoriserait à redescendre là-bas après un tel fiasco.

— Et le nomade ?

— C'est ton quatrième cadavre maintenant !

— Quand as-tu découvert ça ?

— Ce matin, en allant le relever pour nous attaquer aux cadavres décongelés.

— Tu as touché à quelque chose ?

— Non, à rien du tout.

— Alors tu y retournes avec l'autochenille et tu fais le tour de la scène à cinq mètres des premiers indices : poteaux calcinés, bouts de toile, débris… Et aux quatre coins cardinaux, tu montes debout sur la cabine, tu fais une photo de l'ensemble, et tu m'envoies ça par mail dès que tu rentres. D'accord ?

— Et pour les corps ?

— Laisse tout en place comme c'est.

— Même le nomade ?

— Même le nomade !

— Écoute, je suis vraiment désolé. J'aurais dû suivre ton idée, c'est vrai. Nous aurions dû veiller nous-mêmes sous la yourte, bien serrés dans la petite tente, dans le souffle des générateurs, tout nus l'un contre l'autre, mes mains cherchant entre tes cuisses la chaleur mielleuse de…

— Gourian !

— Quoi ! Ne me dis pas qu'ils ne dorment jamais, tes obsédés des Affaires spéciales ! À propos, je me demande s'ils se masturbent, ces types chargés d'écouter toutes les cochonneries du monde ? Ça serait con pour des grandes oreilles…

— …

— Parce que ça rend sourd, paraît-il…

— Gourian, ce n'est plus drôle, d'accord ? Je dois retourner à mes enquêtes. J'attends tes photos, n'oublie pas !

— Hey, Oyun, je voulais te dire…

— Quoi encore ?

— … Surprise ! J'ai une semaine de permission et demain je suis à Oulan-Bator. Alors ? Lequel de nous deux s'occupe du miel ?

— Ne t'en fais pas pour ça, j'en aurai bien assez pour te badigeonner de la tête aux pieds et te rouler dans le duvet de ma couette façon Far West. Appelle-moi quand tu es là.

Oyun raccrocha et resta quelques instants songeuse, une bienheureuse chaleur rayonnant entre ses cuisses. Comment ce type presque inconnu pouvait-il lui dire des choses aussi obscènes sans qu'elle s'en offusque ? Comment pouvait-elle au contraire espérer secrètement qu'il osât plus encore ? Il y a quelques mois à peine, elle aurait tué celui qui aurait osé l'effleurer, ne serait-ce que pour l'aider à se relever d'une chute. Et quelques jours plus tôt, elle appuyait le canon de son arme sur le front de ce Gourian qui aujourd'hui inondait son intimité de désirs violents. Elle fit un effort pour se recomposer une attitude plus flic que femme et retourna dans la salle d'enquête.

Au cœur de la steppe, dans le petit bureau du poste militaire, Gourian avait raccroché le téléphone fixe lui aussi. Il se tourna vers l'homme qui tenait encore l'écouteur à son oreille.

— Parfait ! dit l'homme. Très convaincant. Surtout de ta part…

18

... dans un épisode de Docteur House

— Pourquoi as-tu agressé mes inspecteurs ? demanda Bekter en cherchant à rester calme.

— Parce que le premier a sorti son arme sans s'identifier, répondit Yeruldelgger.

— Mais tu savais que c'étaient des inspecteurs, n'est-ce pas ?

— J'ai eu un doute. En ce moment j'ai beaucoup de doutes sur beaucoup de choses. Et puis de vrais inspecteurs auraient dû être plus discrets dans leur filature, et plus respectueux des procédures dans leur interpellation.

— C'est toi qui parles de respect des procédures ?

— On apprend de ses erreurs ! soupira Yeruldelgger.

— Tu lui as ébouillanté le visage. Il pourrait bien rester aveugle.

— Il portait des Ray-Ban, il n'aura rien aux yeux. Des Ray-Ban en plein brouillard de fumées jaunes ! Et puis mes buzz avaient déjà bien refroidi.

— Que faisais-tu là-bas ?

— Je mangeais des buzz.

— Dehors par moins trente en plein smog de pollution ?

— Le vieil homme fait les meilleurs buzz de la ville. J'ai hâte de goûter ses kuushuurs !

— Ce vieil homme est aussi celui qui louait la yourte à la femme dans le meurtre de laquelle tu es le suspect numéro un.

— Ah bon, vous en avez trouvé d'autres ?

— Tu as raison, je rectifie : le seul suspect !

— J'étais là-bas pour prendre conseil auprès du Grand Bouddha. Je suis tombé sur le vieil homme par hasard en cherchant à me restaurer.

— Tu veux me faire gober ça ?

— C'est la version que tu devras faire figurer dans ton rapport à côté de tes suppositions, Bekter.

— Dans mon rapport il n'y aura aucune supposition, Yeruldelgger : on t'a retrouvé sur un lieu en rapport direct avec le crime dont tu es accusé, et tu as résisté avec violence à ton arrestation. Tout ça te ramène à la case prison, probablement pour toute la durée de l'enquête et de l'instruction. C'est-à-dire des mois, j'en ai bien peur pour toi !

La Mongolie était une démocratie balbutiante à la justice encore marquée de vieilles habitudes, mais Yeruldelgger gardait confiance dans le système, et surtout dans la force de conviction de ses mentors.

Quand le téléphone de Bekter sonna, il était prêt à parier sur une intervention de Ganzorig. Il vit le visage du flic des Affaires spéciales se raidir de colère, malgré ses efforts pour ne rien laisser paraître.

— Je suppose que je suis libre ?

Il n'aima pas la façon dont Bekter le regarda avant

de lui répondre. De l'incompréhension, mais aussi beaucoup de crainte et de dégoût dans son regard.

— Je ne sais pas qui tu as été, ni ce que tu as fait pour t'attirer de telles protections, mais c'est très exactement ce pour quoi je suis ici, et je les ferai toutes tomber une à une et toi avec la dernière. Tu peux partir.

Ils se fixèrent un long moment avant que Yeruldelgger ne se lève et sorte de la salle d'interrogatoire, conscients tous les deux que, derrière la vitre sans tain, de jeunes inspecteurs des Affaires spéciales n'avaient rien perdu de la scène, comme des internes au bloc opératoire dans un épisode de *Docteur House*.

19

Elle, je m'en occupe !

Cette fois Yeruldelgger était rentré chez Solongo.
La fatigue et les émotions avaient eu raison de lui et il
s'était affaissé sur le lit. Elle le trouva endormi quand
elle rentra et prépara le dîner sans le réveiller. Elle
cuisina en silence une belle ration de soupe de pâtes
que Yeruldelgger préférait à la soupe de nouilles. Le
bouillon enrichi de mouton était prêt de la veille. Elle
le porta à ébullition pendant qu'elle déchirait la pâte
à la main en larges carrés. Quand la chaleur roula
dans la marmite les morceaux de mouton les uns par-
dessus les autres, Solongo jeta les morceaux de pâte
dans le bouillon et alla réveiller Yeruldelgger d'un
baiser sur la joue. Quelquefois, dans de courts instants volés à son réveil, elle comprenait combien cet
homme était fatigué d'encaisser et de donner. Puis il
redressait sa lourde silhouette et la peur de Solongo
disparaissait avec son premier sourire.
— Bouillon de mouton ?
— Oui !
— Avec des pâtes ?
— Oui !

— Hum ! Le pyartan de notre enfance. Rien de tel pour redonner force et vigueur à un homme fatigué d'encaisser et de donner !

Solongo se demandait souvent si l'enseignement du Septième Monastère lui permettait de lire dans ses pensées, ou si c'était elle, au contraire, qui lui transmettait les siennes. Comme elle était légiste, donc scientifique, elle préférait mettre ça sur le compte du hasard calculé des choses.

Ils s'installèrent tous les deux à la table basse et dînèrent en silence, Yeruldelgger laissant Solongo le regarder amoureusement se délecter du plat qu'elle avait cuisiné pour lui. Il finit son assiette, finit celle de Solongo qui n'en pouvait plus, et vida la marmite dans son bol pour la finir elle aussi. Alors seulement il lui raconta son étrange journée qui s'était terminée chez Bekter.

— J'ai parlé à Ganzorig il y a une heure à peine, expliqua Solongo. Il n'a pas appelé Bekter. Il a dit qu'il n'avait pas eu besoin de le faire…

— Qui m'a fait libérer alors ?

— Il n'en sait rien, et moi non plus. Mais l'essentiel est que tu le sois, non ?

— Pas vraiment. Bekter avait toutes les raisons de me garder. On ne lui a pas laissé le choix. Je pense même qu'on l'a clairement menacé.

— Qui te protège à ce point ?

— Quelqu'un de puissant et de bien informé de tout ce qui se passe dans le service. Quelqu'un à qui je n'ai rien demandé.

— Je le sais, répondit Solongo sans le quitter des yeux, et ça m'inquiète un peu.

Yeruldelgger demeura silencieux. Elle comprit qu'il cherchait à évaluer la menace que représentait cette mystérieuse protection. Elle décida de changer de sujet.

— Le corps de ton ami a été transféré dans la journée. L'Arménien de l'Otgontenger.

— Agop ? Tu as eu le temps de procéder à l'autopsie ? demanda-t-il soudain intéressé.

— Oui. La légiste d'Uliastay avait raison : une trace d'injection à la base du cou, dans la jugulaire externe.

— Elle a parlé de thiopental sodique, qu'est-ce que c'est ?

— Une forme de penthotal. Un barbiturique à effet bref et rapide. On l'utilise en général comme préanesthésique avant d'injecter des produits plus puissants. Mais ça rentre aussi dans la composition du mélange létal pour les injections aux condamnés à mort dans certains États nord-américains.

— On lui a injecté autre chose ? C'est ce qui l'a tué ?

— Non, il a été un peu brûlé et intoxiqué par les fumées, mais en fait il est mort de froid.

— De froid ? Tu veux dire…

— Je veux dire qu'il était paralysé mais conscient quand il est mort de froid à moitié nu dans la neige par moins trente degrés.

— Tu es sûre de ça ?

— Oui. En se réchauffant, le corps a laissé réapparaître des marques explicites. Il a été maintenu par plusieurs personnes le temps qu'une autre lui plante la seringue dans le cou.

— Quoi, plusieurs personnes entrent chez lui, le maîtrisent, et lui plantent une seringue dans le cou pour l'anesthésier avant d'incendier son chalet. Ça ne rime à rien !

— Si, à laisser un cadavre bien propre, sans marques de coups ou de blessures, pour faire croire à un accident. L'histoire d'un type surpris dans son sommeil par un incendie et qui tombe asphyxié pour finir carbonisé. Sauf qu'on l'a retrouvé dehors dans la neige, alors qu'il était supposé être paralysé.

— Grandgousier ! coupa Yeruldelgger. Le yack a essayé de le sauver. J'ai vu les brûlures sur son pelage. Il a dû tirer Agop hors du brasier dès que ses agresseurs sont repartis.

— Alors tu peux lui dire merci. Sans lui, la marque de la piqûre et les traces de thiopental auraient disparu. Ceux qui ont fait ça se sont donné beaucoup de mal pour tout détruire. Tu sais pourquoi ?

— Peut-être pour ça, dit Yeruldelgger en sortant de sa poche le briquet dans son plastique. Je pense qu'Agop a eu le temps de voir ou d'entendre venir ses assassins et qu'il s'est arrangé pour accrocher ça dans la fourrure du yack. Je crois qu'il voulait que je récupère ce briquet d'une façon ou d'une autre.

Solongo s'empara du sachet que lui tendait Yeruldelgger et l'examina.

— Tu sais d'où il le tenait ?

— Le cadavre de la montagne, je suppose. Il m'a laissé un message me disant qu'il y était retourné.

— Il est où, ce cadavre ?

— Toujours là-haut. Je devais organiser quelque

chose pour le récupérer, mais je n'ai pas encore eu le temps de m'en occuper.

— Eh bien arrange-toi pour que quelqu'un y aille, que je puisse le faire parler. En attendant, je vais voir avec la scientifique ce qu'on peut tirer de cet indice. C'est bien pour ça que tu es là, n'est-ce pas ? Pour que je m'occupe de ça à ta place ?

— J'ai un peu la tête prise par l'assassinat de Colette ces temps-ci, bredouilla Yeruldelgger en guise d'excuse. Écoute, commence par faire relever les empreintes. Si Agop a pris soin de le protéger dans un sachet, c'est qu'il a dû prendre toutes les précautions pour ne pas…

— … polluer mes indices ?

— Je parle vraiment comme ça ?

— On dirait un expert à Miami.

— Tu te moques de moi, comme Gantulga.

— À propos de Gantulga. Tu as des nouvelles de lui ?

— Je te l'ai dit. Il semble qu'il ait fréquenté Ganshü, le fils de Colette, mais le vieil homme qui me l'a dit ne l'a pas revu depuis quelques semaines.

— Je pensais que tu l'avais confié au monastère. Je ne savais pas que les novices pouvaient en sortir pour aller en ville.

— Moi non plus. Le premier qui revoit Ganzorig lui demande des explications. Je n'ai pas le temps d'aller au monastère m'entretenir avec le Nerguii.

— Et Saraa ?

— Elle, je m'en occupe !

... je le fous en taule pour perpète !

Il trouva l'appartement au quatrième et dernier étage d'une des grandes barres d'habitation qui bordaient le parking du chapiteau de béton du Cirque national. Un balcon sur deux avait été bricolé en véranda plaquée d'aggloméré et de tôle, et la façade décrépite n'avait pas été ravalée depuis l'époque soviétique. L'immeuble faisait partie de ces constructions du Régime d'Avant que les habitants de la nouvelle Oulan-Bator laissaient juste se déliter avec mépris jusqu'à la ruine. Avec le temps, le gel et les orages faisaient éclater le ciment jusqu'à ce qu'apparaisse la ferraille rouillée qui servait d'armature au mauvais béton. Pas de nom sur les boîtes, pas de nom sur les portes. Yeruldelgger frappa trois coups plus violents qu'il ne l'aurait voulu sur celle qu'on lui avait indiquée.

— Tu es qui ? demanda-t-il au garçon torse nu qui lui ouvrit.

L'autre ne répondit pas. Il dévisagea Yeruldelgger, lui barrant ostensiblement l'accès à l'appartement.

— Chérie ? Un vieux type malpoli au visage chiffonné, visiblement au bord de l'apoplexie colérique et fagoté comme un as de pique, ça ne pourrait pas être ton père, par hasard ? hurla le garçon à l'adresse de quelqu'un dans l'appartement.

— Si, pourquoi ? demanda la voix de Saraa.

— Parce qu'il est là, devant moi, prêt à me balancer son poing dans la gueule !

— Papa ? fit Saraa en montant une tête étonnée du fond d'un couloir.

Yeruldelgger entra dans l'appartement en repoussant le bras du garçon et se dirigea droit vers la pièce où venait prudemment de disparaître Saraa.

— Chérie ? Qu'est-ce que ça veut dire, chérie ?

— En général, c'est un petit nom gentil qu'on donne aux gens qu'on aime ! risqua le garçon. Vous n'avez jamais essayé ?

— N'entre pas ! cria Saraa depuis la pièce. Je suis en culotte !

Yeruldelgger se retourna vers le garçon, puis de nouveau vers le couloir.

— Qu'est-ce que tu fais en culotte à cette heure avec un garçon chez toi ?

— Chérie ? appela le garçon d'un ton faussement outré. Je constate à regret que tu n'as pas parlé de moi à ton papa !

— Dégage ! ordonna Yeruldelgger.

— Alors là, objection Votre Honneur, mais ce petit nid douillet, cette humble demeure, pauvre mais honnête, que je partage avec votre adorable fille, est mon appartement à moi !

Yeruldelgger allait perdre patience face à l'insolence moqueuse du garçon quand Saraa sortit de la chambre, habillée d'une tunique noire et cloutée. Elle se dirigea droit vers le garçon, le prit par le bras et le repoussa sur le palier.

— Et maintenant, tu sonnes ! dit-elle avant de lui refermer la porte au nez.

Il sonna aussitôt et elle se précipita pour ouvrir en passant devant Yeruldelgger sidéré.

— Oh, Steeve, c'est toi ! s'écria-t-elle tout énamourée en se jetant dans ses bras. Je suis si contente que tu aies pu venir. Je suis si impatiente que vous vous rencontriez…

Elle le fit entrer en refermant la porte du pied, s'accrocha à son bras, et fit face à Yeruldelgger.

— Papa, je te présente Steeve, l'homme de ma vie. Steeve, je te présente mon papounet adoré, l'autre homme de ma vie !

— Enchanté, beau-papa, s'enthousiasma Steeve et surjouant le bonheur. Saraa m'a teeeeeellement parlé de vous ! Je suis siiiiiii heureux de vous rencontrer enfin !

Yeruldelgger chercha quelque chose à répondre ou à fracasser, mais Saraa coupa soudain court à son petit jeu, redevenant boudeuse et sérieuse.

— Tu vois, ce n'est pas si compliqué, dit-elle en tournant le dos à son père pour retourner dans la pièce d'où elle était sortie. La politesse, l'amour des siens, les convenances… tu devrais t'y mettre un de ces jours, c'est bon pour ce que tu as !

— Ce que j'ai, répondit Yeruldelgger, c'est une fille qui disparaît des mois entiers sans donner de nouvelles.

— Tu as bien su me retrouver !

— Tu ne m'y as pas vraiment aidé.

— Tu es flic, c'est ton métier !

— Tu as sûrement raison, la seule chose qu'une fille de flic attende de son père, ça doit être qu'il la retrouve quand elle le fuit.

— Je ne te fuis pas ! répliqua-t-elle vivement en se retournant. Je m'efforce de t'oublier et tu devrais faire la même chose.

Elle lui tourna le dos à nouveau et entra dans la pièce. Yeruldelgger la suivit et s'arrêta sur le pas de la porte. Il avait cru à une chambre, et c'était un bureau suréquipé d'ordinateurs et d'autres appareils qui lui étaient inconnus, reliés entre eux par des câbles de toutes sortes.

— Notre studio ! expliqua Steeve, trop content de désamorcer la situation. C'est là que nous publions Ovooïd, le blog de Saraa. Un blog c'est…

— Je sais ce que c'est qu'un blog, aboya Yeruldelgger. Est-ce que Gantulga travaille aussi pour Ovooïd ?

— Personne ne travaille pour Ovooïd. On y participe. C'est un média participatif.

— Alors est-ce que Gantulga y participe ? s'impatienta Yeruldelgger.

— Nous n'informons pas la police sur nos collaborateurs ! répondit Saraa sans se retourner.

Yeruldelgger marqua un temps d'arrêt. Saraa avait été très secouée par sa dernière enquête. On s'en était pris à elle pour le faire fléchir, lui, mais ces événements remontaient à plus d'un an maintenant. Un court instant il avait cru la retrouver. Elle et Gantulga étaient devenus comme frère et sœur. Puis elle s'était éloignée de lui à nouveau et elle semblait vouloir remettre une application hargneuse à le haïr, sans qu'il parvienne à comprendre pourquoi.

— Écoute, Saraa, ne recommençons pas, tu veux ? Tu m'as donné mille fois la preuve que ça ne servait à rien que je m'inquiète pour toi. Alors ainsi soit-il : vis ta vie et oublie-moi si ça te rend plus heureuse. Je cherche juste Gantulga. L'homme qui louait la yourte à Colette, la mère de Ganshü, ne l'a pas vu depuis un bout de temps, et Ganshü, lui aussi, a disparu. Il paraît que tu les filmais souvent, alors tu dois bien savoir quelque chose ?

Saraa garda le silence, mais le regard qu'elle échangea avec Steeve mit Yeruldelgger en alerte.

— Quoi ? que savez-vous ?

— …

— Saraa, Colette est morte.

— Colette est morte ?

La surprise de Saraa était sincère. Tout comme la peine qui la submergea aussitôt et étrangla sa voix.

— Que s'est-il passé ?

— On l'a égorgée dans une chambre d'hôtel et on essaye de me mettre ça sur le dos.

— À toi ? Qu'est-ce que tu as à voir avec ça, encore ?

— Rien. Colette voulait me voir pour me parler de choses qui semblaient la tourmenter. On l'a retrouvée assassinée dans la chambre où je devais la rejoindre. Et depuis que j'ai parlé avec le vieux vendeur de buzz, je me dis qu'elle voulait peut-être me parler de Ganshü et qu'il est possible qu'elle soit morte pour ça.

À nouveau Saraa garda le silence et se tourna vers

140

Steeve. Il fixait Yeruldelgger en jouant avec un briquet jetable entre ses doigts.

— Non, pas ça ! dit Saraa en lui arrachant le briquet des mains. Pas avec lui !

— Je fais juste mon boulot de blogueur, protesta mollement Steeve.

— Qu'est-ce qu'il faisait ? demanda Yeruldelgger de nouveau sur ses gardes. C'est quoi ce briquet ?

— Un appareil photo, avoua le garçon.

— Ça, un appareil photo ?

Sans répondre, Steeve se leva et se dirigea vers un des ordinateurs. Il se connecta à un moteur de recherche et tapa trois mots clés : briquet, caméra, spy. En moins d'une seconde l'écran afficha près de deux millions de résultats. Il cliqua sur un des liens au hasard et afficha la page d'une société chinoise. La Shenzhen Keenpower Electronic Limited, basée à Guangdong, proposait, entre autres, le Lighter HD Spy Camera avec carte mémoire. Stockage de vidéos en AVI au format 720×480 en trente images par seconde ou de photos en 4032×3024 en JPEG sur des cartes de 16 GB avec une autonomie de quatre-vingt-dix minutes. Pour 30,5 dollars US. Steeve prit le briquet des mains de Saraa et le tendit à Yeruldelgger.

— Le nôtre, c'est un HD 720p. Il allume aussi les cigarettes pour de bon. Il nous a coûté 10 dollars de plus, mais il est moins suspect qu'un briquet qui ne s'allume pas.

Il reprit aussitôt l'objet et montra comment faire apparaître une clé USB en déboîtant la tête.

— L'astuce, c'est que ce n'est pas un briquet à essence. C'est une flamme électronique. Du coup pas besoin de réservoir et le volume est utilisé par un petit condensé de technologie.

Il déboîta une semelle en plastique noir qui camouflait différents branchements.

— L'autre avantage de ce modèle, c'est qu'il dispose aussi d'une commande vocale. Et c'est aussi un 32 GB…

Yeruldelgger resta sans voix. Près de deux millions de pages proposaient sur Internet des briquets espions capables de stocker plusieurs milliers de photos pour une trentaine de dollars. Sans compter probablement les porte-clés espions, les poudriers espions, les montres espions, les bijoux espions… Décidément, Big Brother n'était rien comparé à l'agglomérat des milliards de Mini Brothers s'espionnant les uns les autres. Saraa crut comprendre le chaos moral qui avait abasourdi son père et voulut s'en expliquer. Mais Yeruldelgger claquait déjà la porte.

— C'est pas vrai !

Saraa courut sur le palier pour le rattraper, mais il dévalait les escaliers quatre à quatre.

— Je veux te voir demain matin à la première heure au Département de police à propos de Gantulga et de Ganshü.

— Est-ce que Steeve doit venir aussi ? cria Saraa.

Yeruldelgger hurla depuis le rez-de-chaussée :

— Je le revois, je le fous en taule pour perpète !

... où en est Oyun dans son enquête ?

— Des wagons ! lâcha Billy dubitatif.

— Je vois bien que ce sont des wagons ! bougonna Yeruldelgger.

Il avait demandé au jeune inspecteur d'insérer dans un ordinateur la clé USB du briquet espion récupéré par Agop. Ils n'y avaient trouvé que douze fichiers photo qui ne montraient pratiquement que des wagons.

— Des wagons en été, compléta Billy comme s'il ajoutait une information capitale.

— La belle affaire ! Quelqu'un peut dire dans quelle région ces photos ont été prises ?

— Il n'y a que deux voies de chemin de fer dans le pays, ça ne devrait pas être difficile.

— Deux voies plus tous les embranchements qui desservent, ou desservaient, les mines, les conglomérats, les concessions internationales…

— Peut-être bien, mais ces embranchements sont obligatoirement reliés à l'une des deux lignes principales.

— C'est quoi la deuxième ? demanda un des inspecteurs qui rappliquaient autour de l'ordinateur, intrigués par la mauvaise humeur de Yeruldelgger.

— Celle qui va de Choybalsan, dans la province de Dornod à Borzia, en Russie.

— Elle fonctionne encore ?

— Beaucoup moins depuis le départ des Russes et l'abandon des mines, mais il y a de nouveau un peu de trafic depuis que les Occidentaux réinvestissent dans le minerai.

— En tout cas, affirma Billy, ce n'est pas un paysage d'été des provinces de l'est. Ça ressemble plus aux steppes du centre, vers le Gobi. Je dirais la province de Dundgovi ou celle de Dornogovi…

— Le petit malin, ricana un autre policier, le Transmongolien ne traverse que ces deux provinces au sud d'Oulan-Bator !

— Et la province du Gevisümber, tu l'oublies ?

— Trop au nord et trop accidentée pour correspondre aux décors des photos.

— C'est bien pour ça que tes wagons sont dans une des deux provinces que j'ai citées, Yeruldelgger, reprit Billy.

Trois des photos étaient probablement prises depuis un avion. La première à quelques centaines de mètres d'altitude, la deuxième à une cinquantaine de mètres et la troisième à dix mètres à peine. Elles étaient toutes centrées sur trois wagons sur une voie de garage, au milieu de nulle part, avec à peine un aiguillage et deux bâtiments identifiables à proximité.

— Qui a le plus grand écran dans le service ? demanda soudain Yeruldelgger.

— Personne. Matériel standard du Département.

Marché d'État global de l'administration publique. Que des quinze pouces taïwanais, répondit un inspecteur.

— Bon, je repose la question autrement : qui a un iMac vingt-sept pouces à la maison ?

Deux inspecteurs levèrent la main avec hésitation, ne sachant pas très bien où Yeruldelgger voulait en venir. Une jeune stagiaire bondit au contraire fièrement et brandit sa main bien haut en sautillant sur place.

— Moi, commissaire ! J'ai le MacBook Air 256 mais avec le tout nouvel écran Thunderbolt.

— Très bien. Je ne sais pas ce que c'est, mais ça sonne bien. Alors tu prends une copie de ces photos et tu rentres chez toi. Tu te connectes sur Google Maps et tu suis le tracé de toutes nos voies ferrées jusqu'à retrouver cette configuration d'aiguillage et de baraquement. Tu ne reviens au Département que quand tu as trouvé. C'est-à-dire demain matin au plus tard.

L'enthousiasme de la stagiaire se vida comme un boodog de marmotte mal cousu et quelques inspecteurs se détournèrent pour masquer leur fou rire.

— Commissaire, protesta la jeune femme, l'agrandissement maximum de Google Maps affiche des tronçons de moins de deux cents mètres et il y a presque deux mille kilomètres de voies ferrées dans le pays ! Ça fait dix mille écrans à visionner !

— Il n'y a pas dix mille aiguillages : intéresse-toi aux aiguillages, trancha Yeruldelgger en passant à autre chose. Quelqu'un sait ce qu'ont donné les empreintes ?

— La scientifique a trouvé les empreintes de Boyadjian un peu partout à l'extérieur, et quelques-unes partielles sur la clé USB à l'intérieur qui ne correspondent pas à celles de l'Arménien. Rien de suffisant pour une recherche dans les fichiers, mais ils travaillent à identifier les partielles du briquet par rapport à celles de la clé. S'ils identifient des fragments compatibles, ils vont essayer de recomposer une empreinte plus complète et la passer au fichier.

— L'accélérateur pour l'incendie du chalet dans la montagne ?

— Tu as rapporté des prélèvements ?

— J'allais là-bas passer la nuit chez un ami, répliqua Yeruldelgger pris en défaut, pas examiner une scène de crime. Je n'étais pas équipé pour des prélèvements. Qui s'est chargé d'envoyer une équipe là-bas comme je l'ai demandé ?

Un silence fautif enfuma soudain la pièce et un inspecteur tenta de désamorcer la colère du commissaire.

— De toute façon, d'après ce qu'on devine sur les photos, je dirais au moins un jerrycan complet de carburant, genre fioul ou essence…

— Le fioul ne brûle pas ! intervint un autre.

— Ah ouais ? se moqua le premier. Doit pas faire bon chez toi en ce moment si ton fioul ne brûle pas. Chez moi la chaudière tourne à fond et mon fioul brûle parfaitement en cramant toutes mes économies.

— Le fioul brûle dans ta chaudière, mais pas dehors. Le fioul liquide ne brûle pas spontanément. Pour qu'il s'enflamme il faut l'atomiser en gouttelettes dans l'air qui joue alors le rôle de comburant. C'est pour ça que tu as un gicleur dans le brûleur de ta chaudière. De toute façon le point d'inflammation du fioul est d'environ cinquante degrés. Alors avec les moins trente qu'il faisait là-bas, même avec un chalumeau, tu n'aurais pas pu déclencher un incendie. Ce n'était pas du fioul.

— Bon, très bien ! se vexa l'autre inspecteur. Alors c'était de l'essence, qu'est-ce que ça change ? Yeruldelgger a décrit une traînée en zigzag au sol sur toute la longueur du chalet. Typique d'un réservoir qu'on vide en marchant.

— En fait vous n'en savez rien ! conclut Yeruldelgger en se tournant vers un autre inspecteur. Toi, tu me coordonnes une équipe sur la scène de crime et je veux un point complet dans quarante-huit heures. Et tu me ramènes aussi le Kazakh qui me servait de chauffeur. *Manu militari* s'il le faut.

— Je dois aller là-bas ? Par ce temps ?

— L'Otgontenger est la montagne sacrée de ton beau pays. Montre un peu plus d'enthousiasme, camarade. Bon, autre chose, quelqu'un sait où en est Oyun dans son enquête ?

22

Mais je préfère de loin le tien...

— Tu en es où de ton enquête ? demanda Gourian.

— Nulle part, avoua Oyun en sortant du lit, consciente qu'il la regardait sans gêne dans son dos.

— Mes photos ne t'ont servi à rien ?

Elle se retourna vers lui. Il était nu en travers du lit, les mains derrière la nuque, un pan de drap cachant à peine son sexe.

— Tu sais bien que tu m'as jetée dans ton lit avant même que je les regarde.

— C'est vrai, j'avoue, Madame Flic. D'un autre côté, je suis là pour une semaine, alors tu pourras les regarder dans une semaine !

Il bondit avec une agilité surprenante et, l'attrapant par les hanches, la bascula sur le lit en roulant aussitôt sur elle.

— Arrête, je dois vraiment y aller, soupira-t-elle. Yeruldelgger va m'allumer si je ne me pointe pas au Département.

— Hey, personne d'autre que moi n'a le droit de t'allumer ! protesta Gourian en glissant une main agile entre les cuisses d'Oyun.

— Arrête, je t'en prie. Tu vas me faire virer !

— C'est bon, Madame Fonctionnaire ! se résigna Gourian. Il est pire qu'un juteux ton commissaire, ma parole !

— C'est un bon flic. C'est moi qui ne suis pas à la hauteur depuis que je te connais !

— Je te trouble à ce point ? Tu n'as vraiment pas progressé dans ton enquête ?

— Pour l'instant nous partons du principe que la dzum est tombée d'un avion ou d'un hélico et nous traçons tous les plans de vol civils ou militaires. Et l'ADN et la toxicologie sur la jambe que j'ai rapportée n'ont rien donné de significatif, sinon qu'il s'agissait bien d'un homme.

— Mais que fait ton super-commissaire ? fit mine de s'offusquer le militaire.

— Yeruldelgger a d'autres soucis que mon histoire de femelle yack tombée du ciel. Il est sur le cadavre qu'on a trouvé dans le massif de l'Otgontenger, et pour arranger les choses, comme je te l'ai déjà dit, il est salement éprouvé par l'assassinat d'une de ses amies.

Oyun se baladait nue et sans gêne dans le petit appartement qu'elle ne connaissait pas. Elle trouva la salle de bain, prit une douche, et s'habilla sous le regard amusé de Gourian, adossé au chambranle de la porte. Il plaisanta sur le bordel des méthodes policières par rapport à la rigueur militaire.

— Merci à ton ami Slava pour la garçonnière ! lança-t-elle en dévalant les escaliers.

Elle se retrouva dans une rue étouffée par un épais brouillard et eut du mal à retrouver son vilain Cube

Nissan. L'appartement de l'ami de Gourian était situé tout à l'ouest de Peace Avenue, dans le dix-huitième district, après le Dragon Trade Center. Une méchante tour de douze étages au milieu d'un mauvais parking, juste là où les voies ferrées rejoignaient l'avenue. En démarrant, elle chercha à apercevoir la fenêtre de l'appartement, au premier étage, et ne devina qu'une silhouette blafarde. Mais elle ressentit un vif plaisir jusqu'au bout des seins à imaginer Gourian la regardant partir, nu à la fenêtre, le cul à l'air.

— Elle a vraiment un joli cul ! dit Slava en regardant la silhouette de Gourian se détacher à contre-jour, les jambes légèrement écartées. Mais je préfère de loin le tien...

23

*Les portes cisaillèrent
la réponse de la jeune femme.*

— Où étais-tu passée ?

— Hey, ne t'y mets pas toi aussi, d'accord ?

— Il t'a déjà remonté les bretelles ?

— Non, mais je vais le faire ! grommela Yeruldelgger en surgissant dans son dos.

Oyun sursauta et l'autre inspecteur en profita pour se défiler.

— Écoute, Oyun, je suis content que ta vie personnelle s'enrichisse, mais je ne veux pas que ce soit au détriment des enquêtes. Je suis clair ?

— Oui. Écoute, je…

— Je ne veux rien savoir ! coupa Yeruldelgger. Dis-moi juste où tu en es.

— Justement, Gourian… enfin, je veux dire le militaire qui…

— Je sais qui est Gourian, et qui il est pour toi. Si ça peut te rassurer, tout le monde ici le sait et c'est moi qui en ai été le dernier informé. Alors, où en es-tu ?

— Nous supposons que la bête est tombée d'un avion ou d'un hélico et nous contrôlons tous les plans de vol. Mais je n'ai rien pu récupérer de la scène de crime. Tout a brûlé !

— J'ai entendu ça. La mienne aussi. Ça devient une habitude par les temps qui courent ! Des explications ?

— J'ai demandé à Gourian de prendre des photos.

— Tu les as étudiées ?

— Non, pas encore, elles sont là…, répondit Oyun, penaude.

— Que fait-il ici ?

— Qui, Gourian ? Il est en permission. Une semaine.

— Eh bien s'il te met dans cet état après seulement une nuit, dans une semaine tu ne seras plus bonne qu'à grimper sur un plot pour régler la circulation sur Peace Avenue. Fais voir ces photos.

Oyun sortit une vingtaine de tirages qu'elle étala sur la table. On y voyait les restes de la yourte et les structures fondues des générateurs.

Le bois avait brûlé sur la neige et le froid n'avait laissé que des nervures noires. On devinait la trace parallèle des deux piliers qui avaient retenu le toono central. La glace s'était ourlée à nouveau autour de la cicatrice ronde laissée sur le sol par la coupole, au centre du désastre. Des trois poutres de la porte il ne restait que des moignons noirs et craquelés qui enjambaient la marque des piliers. La chaleur avait aussi disloqué le monticule et calciné les trois cadavres du yack, du cavalier et de son cheval. Un peu plus loin gisait le corps brûlé du nomade désigné par Gourian.

— Comment tout a-t-il pu brûler par moins trente ? murmura Yeruldelgger en observant les photos.

— Gourian lui avait laissé de la vodka pour lutter contre le froid et la peur. Il pense que l'homme s'est enivré et que d'une façon ou d'une autre sa vodka s'est enflammée et a mis le feu à la yourte. Les réserves de carburant ont fait le reste.

— Donc nous n'avons rien !

— Pas pour l'instant, s'excusa Oyun.

Yeruldelgger resta quelques instants pensif, se malaxant le visage dans ses mains puissantes, avant de redresser la tête.

— Sauf que, de mémoire, il n'y avait aucune trace de pas ou de roue autour du chalet d'Agop. Tout comme tu m'as dit qu'il n'y avait aucune trace de pas ou de roue à ton arrivée autour du monticule de tes trois cadavres, à part celles de l'engin de ton beau militaire. De même que la meilleure façon d'encastrer un corps au fond d'une faille dans une falaise du massif de l'Otgontenger c'est encore de le balancer du ciel. Tout comme les photos du briquet espion ne pouvaient être prises que... Bon sang, mais c'est bien sûr ! hurla Yeruldelgger en se précipitant vers l'ordinateur de Billy.

Il rechercha le fichier des photos téléchargées à partir du briquet et les afficha toutes en mode aperçu. Oyun le rejoignit et d'autres inspecteurs se regroupèrent autour d'eux. Yeruldelgger élimina immédiatement plusieurs des clichés et n'en retint que trois.

— Là ! Ces ombres ! s'exclama Yeruldelgger. Elles ne correspondent à rien dans le paysage.

— Yeruldelgger, osa Oyun, ce sont celles d'objets qui sont hors champ, dans le dos du photographe ! On ne peut pas savoir ce qui les projette.

— Bien sûr que si : faites un effort d'imagination. Regardez sur ces trois photos et essayez de reconstituer ce qu'elles représentent.

Les inspecteurs restèrent un long moment silencieux avant que Billy se redresse.

— Un hélico ! C'est un hélico. Là, ce qu'on prenait pour l'ombre d'un poteau, c'est celle d'une pale. Et là, celle de l'arrondi déformé par la perspective d'un habitacle. Et celles-ci ne sont pas parallèles. Prolongez-les derrière le point de prise de vue, et elles rejoignent la première. Ce sont les ombres des pales d'un hélico.

— Exact ! confirma Yeruldelgger.

— La belle affaire ! répondit un inspecteur. Depuis le début nous savons que ces photos ont été prises soit d'un avion, soit d'un hélico. Quelle importance ?

— L'importance, coupa Yeruldelgger, c'est que ça fait beaucoup d'hélicos pour deux enquêtes. Alors maintenant il s'agit de vérifier si ce n'est qu'une coïncidence ou au contraire une piste sérieuse. En d'autres termes, il faut savoir si c'est le même hélico sur les deux scènes de crime, ou qui maîtriserait suffisamment d'hélicos pour intervenir sur les deux scènes. Et donc chercher à savoir si ces deux affaires ont un lien.

Un long silence dubitatif accueillit les déductions de Yeruldelgger, jusqu'à ce que ce dernier explose.

— Bon alors, qu'est-ce que vous foutez encore là ? Répartissez-vous les tâches et essayez de rattraper le temps perdu !

Le groupe se dispersa aussitôt comme une bande de piafs après un coup de pétard, sauf Oyun qui regarda Yeruldelgger s'éloigner vers les ascenseurs.

— Yeruldelgger, attends !

Elle le rejoignit au moment où l'ascenseur arrivait et y entra avec lui, repoussant sans ménagement une auxiliaire qui courait les bras chargés de dossiers en leur demandant d'attendre.

— Que se passe-t-il ?

— Comment ça, que se passe-t-il ?

Oyun frappa du côté du poing sur le bouton d'arrêt et l'ascenseur s'immobilisa dans une sorte de hoquet mou.

— Écoute, tu passes en coup de vent demander où en sont les enquêtes sans vraiment t'y intéresser, tu laisses les gars se répartir les tâches comme ils le veulent, on a tous l'impression que tu ne gères plus vraiment aucun dossier…

— Dommage si c'est l'impression que ça donne, répondit Yeruldelgger en remettant l'ascenseur en marche, mais je fais mon boulot comme j'ai l'habitude de le faire.

— Ah oui ? rétorqua Oyun en écrasant à nouveau le bouton d'urgence. C'est ton habitude de demander à une stagiaire de scanner tout le pays sur Google Maps à la recherche d'un aiguillage ? C'est ton habitude de mobiliser tout un groupe pour identifier un hélico à partir de trois ombres sur des photos ? Tu ne t'es pas occupé de faire récupérer le corps de l'Otgontenger, tu n'as rapporté aucun indice matériel de la scène de crime de l'Arménien, tu te fais assommer en pleine rue par un quidam, c'est ton habitude, ça ?

— On identifiera l'aiguillage grâce à Google Maps. On remontera jusqu'aux wagons, et des wagons jusqu'à l'hélico, répondit calmement Yeruldelgger et remettant l'ascenseur en marche.

— Écoute, ne me prends pas pour une imbécile, répliqua Oyun en laissant l'ascenseur dérouler ses câbles invisibles. Tu nous submerges de boulot pour te dégager du temps. Tu n'as la tête ni à mon enquête, ni à la tienne. Tu viens encore de te faire pincer à te mêler d'une affaire dans laquelle tu es le suspect numéro un. Tu vas te faire taper sur les doigts. Ou sur la tête, même ! Laisse faire le groupe à qui on a refilé ce boulot. Arrête d'enquêter sur Colette et occupe-toi de nos dossiers.

— Je n'enquête pas sur Colette.

— Ah oui ? Et quand les Affaires spéciales te chopent à vingt mètres de la yourte de Colette à interroger le vieux qui la lui louait, tu faisais quoi ?

— Je me renseignais sur le fils de Colette.

— Colette avait un fils ? Première nouvelle ! Et tu lui veux quoi au fils de Colette ?

— Il a disparu.

— Avant ou après la mort de sa mère ?

— Avant.

— Et en quoi ça t'intéresse ?

— C'était un ami de Gantulga.

— Gantulga ! s'exclama Oyun. Qu'est-ce qu'il a à voir là-dedans, je le croyais au monastère ?

— Apparemment il n'y est plus. Il a disparu lui aussi.

— Qu'est-ce que c'est que cette histoire ? s'inquiéta aussitôt la jeune flic.

Yeruldelgger ne lui répondit pas. Ils venaient d'atteindre le rez-de-chaussée et il sortit aussitôt de l'ascenseur, laissant Oyun muette à l'intérieur. Elle appuya machinalement pour remonter à son étage, regardant

son partenaire s'éloigner. Au dernier moment, il se
retourna vers elle.
— Oyun ?
— Oui…
— J'aime pas ton mec !
Les portes cisaillèrent la réponse de la jeune femme.

... d'une cagoule noire sur la tête.

Slava avait décidé de les inviter et il était passé les prendre assez tard. Oyun aurait difficilement pu refuser. Il prêtait sa garçonnière à Gourian, et même si l'immeuble et le quartier étaient glauques pour un nid d'amour, c'en était un pour eux aussitôt la porte refermée. Il conduisait une BMW Série 5 étonnamment propre pour rouler dans Oulan-Bator en hiver. Il les attendait, accoudé à la carrosserie, et se précipita avec élégance pour ouvrir la portière arrière à Oyun dès qu'ils sortirent du hall de l'immeuble. Malgré le froid glacial il ne portait qu'un costume de coton blanc et Oyun vit dans un flash l'image d'un acteur déglingué dans un film fou. Klaus quelque chose. Kinski. Klaus Kinski, c'était ça, dans un délire épique en pleine forêt amazonienne. Ce type était là, au cœur de l'hiver mongol, dans un quartier noir et brutal d'Oulan-Bator, comme un Klaus Kinski déjanté en costume blanc.

— Non, toi tu passes devant ! ordonna-t-il à Gourian. Je ne veux pas faire figure de chauffeur pour deux ados en chaleur qui se bécotent sur la banquette arrière !

Gourian monta devant en riant. Oyun hésita entre en rire elle aussi et mettre tout de suite une limite à la familiarité un peu vulgaire de Slava. Mais elle ne dit rien. Après tout, il avait raison. Si elle montait à l'arrière avec Gourian, elle l'embrasserait à pleine bouche pendant tout le trajet. Elle avait conscience que leur entente, pour l'instant, était surtout sexuelle. C'était comme une renaissance des sens après son viol. Mais elle espérait en secret que leur relation irait plus loin et elle ne comprenait pas la remarque de Yeruldelgger. Comment pouvait-il ne pas aimer Gourian alors qu'il ne l'avait encore jamais rencontré ? Même si en compagnie de Slava il se montrait plus viril, comme s'il surjouait les machos, elle savait sa douceur et ses attentions dans l'intimité. Jamais il ne l'avait brusquée. Elle s'était laissé apprivoiser plus qu'il ne l'avait domptée. Maintenant que les premiers souvenirs lui revenaient, en vertiges plus qu'en images, elle se troublait encore de leur première nuit dans sa baraque au cœur de la steppe figée par la glace. Gourian était un amant délicat. Que pouvait comprendre Yeruldelgger à la délicatesse ?

Slava les emmena au Millie's Cafe, à côté du Choijin Lama Museum, dans les beaux quartiers au sud de la place Sükhbaatar. Le restaurant était chaleureux, les tables mixtes et animées, étrangers et Mongols échangeant toasts et compliments par le truchement de traducteurs improvisés. Il semblait y avoir ses habitudes, reconnu par des clients et salué par des serveurs. Oyun aima instantanément l'endroit. Le mobilier en bois, les plantes vertes, la clientèle joyeuse, et les bières qui passaient de main en main. Leur table était réservée, avec du vin français carafé à leur intention. Un serveur présenta la bouteille et Slava laissa Oyun lire l'étiquette : Saint-Julien, château Gloria 2006. Elle n'y connaissait rien mais prit cette attention comme une élégance qui là flatta. Leur hôte refusa qu'ils prennent autre chose que les lasagnes, qui se révélèrent délicieuses, mais lui fut servi d'un steak sandwich sans même avoir eu à le commander. Le vin faisant son effet, le dîner fut joyeux et animé, quelques invités de passage partageant leur gaîté le temps d'un verre offert par Slava. Oyun avait l'impression de n'avoir jamais autant parlé d'elle, pour le plus grand plaisir de son hôte et de ses invités. Seul Gourian lui parut rester sur sa réserve, évitant discrètement qu'elle ne se montre trop amoureuse envers lui. Par un sentiment de vanité qui l'excita autant qu'il l'étonna, elle mit la pudeur de son amant sur le compte d'une petite jalousie. Mais le vin et la compagnie la grisèrent et elle s'abandonna au plaisir de perdre le contrôle des choses. Elle laissa Gourian à ses bouderies et suivit Slava dans ses éclats de voix fracassants et ses fous rires généreux, jusqu'au *lemon pie* qu'il imposa comme dessert incontournable.

Ils quittèrent le Millie's trois heures plus tard et on aurait pu croire que Gourian était le chauffeur silencieux d'un jeune et beau couple éméché. Slava tenait fermement Oyun par les épaules pour éviter qu'elle ne glissât en riant sur la neige tassée du parking. Ils rejoignirent la voiture que Gourian n'arrivait pas à ouvrir. Le temps d'attendre, le froid transperça la nuque d'Oyun qui reprit soudain ses esprits.

— Je crois que j'ai trop bu !

— Dépêche-toi ! ordonna sèchement Slava à Gourian. Tu ne vois pas qu'elle prend froid ?

Gourian finit par appuyer par mégarde sur la télécommande et les portes de la berline se déverrouillèrent.

— Tu conduis ! commanda l'homme au costume blanc. C'est toi qui as le moins bu.

Il poussa Oyun sur la banquette arrière et se glissa à ses côtés.

— On rentre ?

— Pas encore ! Il y a un endroit que je veux te faire connaître. Gourian, tu sais où on va.

Ils traversèrent la ville sans qu'Oyun reconnaisse le chemin. Elle était plus habituée à la mauvaise vodka russe et à la bière mongole qu'au vin français. Slava le devina et baissa la vitre. Un air glacé gifla son visage. Elle reprit un peu ses esprits et remarqua qu'ils remontaient Peace Avenue. Slava lui maintint la tête à l'extérieur quelques instants jusqu'à ce que le froid lui cercle les tempes dans un collier d'acier.

— Elle va mieux ? s'inquiéta Gourian sans se retourner.

— Je vais bien ! confirma Oyun entre la honte et l'amusement.

— À la bonne heure, nous pouvons continuer à nous amuser, alors ! conclut Slava.

— Je suis partante ! confirma-t-elle avant de s'endormir sur son épaule.

Ils la réveillèrent au cœur d'une cité sombre hérissée de tours éteintes. Seules palpitaient à l'unisson dans la nuit les clartés bleutées des téléviseurs. Quelques chiens erraient sur les parkings, à la recherche de pitance dans les sacs-poubelle éventrés. Oyun accepta la main de Slava pour l'aider à descendre, et se demanda à nouveau comment ce type pouvait tenir en costume par moins vingt-cinq. Peut-être même moins trente.

— Parce que je suis chaud de l'intérieur ! rigola Slava en devinant son interrogation. Et voilà le lieu le plus chaud de Bator !

Il désigna d'un geste de meneur de revue un petit bunker en béton au fond d'un parking entre deux immeubles. Oyun devina de la lumière derrière les rideaux qui masquaient les fenêtres protégées à l'extérieur par des grilles faites de flèches forgées alignées pointes en haut. Rien de vraiment accueillant. Sur le mur, en lettres de plastique rouge d'une typo fantaisie à la soviétique, s'affichait un énorme « 100 % » au-dessus des mots « Restaurant & pub ». Le « 100 % » était riveté au mur de crépi rose pisseux par une plaque de métal brut qui éborgnait la seule ouverture de l'étage. Les mots « Restaurant & pub » étaient fixés sur un vilain coffrage en lambris gris. Des fils et des câbles électriques couraient sur la façade et le coffrage pour allumer de l'intérieur les deux enseignes, et la seule lumière un peu joyeuse venait d'une longue ligne d'ampoules multicolores accrochée tout le long de l'enseigne.

— C'est là ? s'étonna Oyun en captant d'un long regard circulaire toute la désolation sociale et architecturale du quartier.

Une vingtaine de voitures se serraient les unes contre les autres à l'abri de la nuit sous la lumière de la guirlande. Les reflets de couleur leur donnaient une allure un peu plus luxueuse que les presque épaves alignées dans les parkings environnants. Oyun douta un instant que cet endroit puisse être le plus chaud rendez-vous des noctambules de Bator.

L'intérieur lui donna tort. Sitôt passé la porte anonyme et blindée, ils se retrouvèrent dans un lounge presque cosy. Une clientèle joyeuse déambulait en trinquant au rythme d'une musique qu'elle n'avait pas perçue depuis l'extérieur.

— Cent pour cent gay ! murmura Slava à son oreille d'un air complice. Quartier général du LGBTC, le Lesbian, Gay, Bisexual and Transgender Center. Les derniers à savoir encore faire preuve d'un peu de joie de vivre dans ce pays de barbares castrés par le mythe du mâle conquérant et la néomorale post-soviétique !

Puis il disparut parmi les danseurs et les convives, laissant Oyun gênée et ravie à la fois dans le filet croisé des regards flatteurs. Encore une fois Slava se montra un hôte attentif à ce qu'Oyun passe un bon moment. Elle dansa longtemps parmi des filles qui la frôlaient, but avec des garçons apprêtés, rit avec tout le monde et s'amusa comme les autres des couples interdits qui cédaient sans honte à de brusques émois.

Mais vers deux heures du matin un garçon hystérique fit irruption, criant que les militaires encerclaient le club. La panique saisit aussitôt la joyeuse troupe. Les gays en général, et le 100 % en particulier, étaient la cible régulière du voisinage et celle épisodique de la police.

Si l'homosexualité n'était plus un crime comme au temps du Régime d'Avant, il avait fallu attendre 2009 pour que les autorités acceptent d'enregistrer le

LGBT Center au prétexte que les mots *gay*, *bisexuel* et *transgenre* n'existaient pas dans la langue mongole. Quelques clients du bar et le patron lui-même avaient déjà échappé de peu à des bastonnades en règle. Et maintenant, l'armée !

Dans un réflexe inattendu, Oyun se dressa au milieu de la petite foule inquiète et mit un terme au brouhaha en hurlant à la cantonade qu'elle était flic et qu'elle allait arranger ça. Elle demanda à tous de rester à l'intérieur du club, mais Gourian et Slava insistèrent pour l'accompagner. Ils sortirent sur le parking en refermant soigneusement la porte blindée derrière eux. Oyun repéra aussitôt deux militaires en tenue de chaque côté de la BMW de Slava. Tous les deux armés de Kalachnikov.

— Hey, qu'est-ce que vous foutez avec ma voiture ! leur cria Slava.

Oyun le retint d'un geste de la main et leur donna l'ordre, à Gourian et à lui, de se tenir à l'écart et de la laisser faire. Elle se dirigea vers les deux soldats qui se raidirent aussitôt et se crispèrent sur leur fusil. En avançant vers eux, bras écartés pour bien montrer qu'elle n'était ni armée, ni animée de mauvaises intentions, elle vérifia du regard si d'autres n'étaient pas en embuscade. Elle n'en aperçut aucun et se dit que le garçon paniqué avait exagéré l'encerclement du bar. Ces deux-là semblaient plus garder la berline de Slava que préparer l'assaut d'une boîte gay.

— Je suis policier, prévint Oyun à voix haute, pas besoin de braquer vos armes sur moi. Je veux juste que vous vous écartiez de la voiture de mon ami et savoir ce que vous faites ici.

Ils pointèrent leurs armes vers elle sans répondre. Oyun continua d'avancer sans ralentir son pas.

— Je me porte garant des gens qui sont à l'intérieur. Ils s'amusent sans enfreindre la loi. De toute façon l'armée n'a pas de pouvoir de police, que je sache !

Les deux soldats armèrent leur fusil d'assaut dans le même geste et le bruit mécanique de la ferraille résonna entre les grands bâtiments sombres. Oyun se figea sur place et au même instant un faisceau de phares jaillit dans son dos, projetant son ombre sur la glace sale et jaunie du parking, aveuglant les deux soldats. Elle fit volte-face, un bras au-dessus des yeux.

— Vous avez raison, inspecteur, l'armée n'a aucun pouvoir de police. Ceci n'est pas une opération de maintien de l'ordre, et encore moins une expédition punitive. Et j'apprécie le courage avec lequel vous défendez vos amis.

— Ce ne sont pas mes amis et je ne les défends pas. Ce sont des citoyens et je protège leurs droits. Montrez-vous. Qui êtes-vous et que voulez-vous ?

— Ce que je veux, c'est vous, inspecteur Oyun. Je veux vous parler. Je veux vous parler, au nom des forces armées que je représente, de choses qui nous intéressent et qui semblent vous intéresser vous aussi.

— Vous voulez me parler en tant qu'inspecteur ?

— Il y a un peu de cela.

— Alors passez demain au Département de police et demandez à être reçu par un inspecteur.

— J'ai peur que ça ne soit pas aussi simple que cela.

Aussitôt les deux soldats se précipitèrent vers elle

pendant qu'un autre bondissait de la jeep pour lui couper la route. Oyun fit face au troisième homme qu'elle envoya à terre en s'emparant de son arme. Elle s'agenouilla derrière lui, le maintenant contre elle d'une prise d'étranglement, et braqua la Kalachnikov sur les deux autres. Gourian se précipita pour l'aider sans que Slava puisse le retenir.

— Soldat Gourian, commanda la voix, ne vous mêlez pas de ça. C'est un ordre !

Gourian se figea sur place, presque au garde-à-vous.

— Inspecteur Oyun, tout ceci est inutile. Nous devons juste parler et, pour des raisons de sécurité nationale, j'aimerais le faire maintenant et de façon beaucoup plus discrète si vous le voulez bien.

— Bien joué pour la discrétion ! se moqua Oyun toujours en garde.

— J'avoue que ce n'est pas la principale qualité des forces armées. Bon, et maintenant, que faisons-nous ?

— Vous rappelez vos bidasses. Qu'ils posent leur arme à terre et qu'ils reculent derrière la jeep.

— Vous connaissez mal l'armée, inspecteur Oyun. Un soldat qui abandonne son arme, j'allais dire « à l'ennemi », mais disons juste qu'un soldat qui abandonne son arme, finit obligatoirement aux arrêts, sinon en cour martiale !

— Eh bien qu'ils finissent ainsi !

— Très bien. Soldats, faites ce qu'elle dit.

Les deux soldats posèrent leur arme sur le sol et reculèrent les mains levées jusque derrière la jeep.

— Je garde celui-là en protection jusqu'à votre voiture. Je veux vous voir.

— Cette fois vous poussez votre avantage un peu trop loin, inspecteur. Je suis un des trois plus hauts gradés de l'armée mongole. Aucun civil n'a le droit de m'approcher une arme à la main.

— Dans ce cas descendez de votre voiture.

— Qui pourrait résister à une telle invitation de la part d'une aussi jolie femme…, essaya de plaisanter la voix. Je descends. Évitez de pointer votre arme sur moi. Nos soldats ne sont pas formés aux finesses de la négociation.

— Ils n'ont plus d'armes.

— Il leur reste leurs armes de poing.

— Alors vous avez quinze secondes pour leur expliquer la finesse !

— Soldats, je vais descendre. Personne ne tire. L'inspecteur Oyun veut juste s'assurer de mon identité.

Quelques secondes plus tard, la portière s'ouvrit complètement et un homme sec et petit sortit de la voiture, l'uniforme placardé d'étoiles, de médailles et de décorations. Il écarta les bras, comme pour regretter de n'être que ce qu'il était, puis invita d'un geste galant Oyun à monter dans la berline.

— N'y va pas ! hurla Gourian.

Mais quelque chose disait à Oyun qu'il fallait qu'elle y aille. Elle attira à elle les deux Kalachnikov abandonnées sur le sol, désenclencha les chargeurs, et les jeta sous des voitures. Puis elle glissa sa main jusqu'au pistolet du soldat qu'elle maîtrisait, le sortit de son étui, et le brandit pour montrer au gradé qu'elle le glissait dans sa ceinture dans son dos.

Elle désarma le dernier fusil de la même façon que

les autres et força l'homme qu'elle tenait à se relever. Elle le laissa respirer quelques secondes puis le poussa devant elle jusqu'à la limousine.

Quand elle fut proche de lui, elle dévisagea l'homme en uniforme et ses médailles, puis se pencha vers la vitre avant. Un soldat attendait au volant, impassible.

— Mon chauffeur !

— Faites-le descendre.

— Ça va être dur pour aller quelque part, je n'ai conduit que des chars au cours des dix dernières années.

— Nous n'irons nulle part. Nous parlerons dans la voiture, ici, sur le parking. Faites-le descendre !

— Soldat ! ordonna le gradé.

L'homme sortit de la limousine et rejoignit les autres derrière la jeep.

Le gradé renouvela son geste pour inviter Oyun à monter à l'arrière. Elle vérifia toute la scène d'un regard panoramique avant de relâcher l'homme qui lui servait de bouclier.

— Désolée, petit frère. J'espère que je ne t'ai pas fait trop mal. Va rejoindre les autres.

Elle attendit qu'il soit avec les autres pour monter dans la voiture. Elle sut à l'instant où elle se penchait pour précéder le gradé que c'était une erreur fatale. Elle aperçut l'aide de camp dans l'ombre sur la banquette arrière au moment même où il posa le canon de son arme contre son front. Dans la position où elle était, un pied déjà dans la voiture, l'autre encore sur le parking, elle n'avait aucune option de fuite ou de résistance. Elle ne pouvait même pas saisir l'arme du soldat qu'elle avait dans son dos à sa ceinture. L'homme qui la poussait pour monter derrière elle venait de la lui reprendre.

Par le pare-brise elle vit les trois soldats courir récupérer leurs chargeurs et leurs armes avant de bondir à bord de la jeep. Le chauffeur reprit calmement sa place et se mit aux ordres, sans même regarder dans le rétroviseur.

— Vous êtes vraiment une jeune femme très compliquée à gérer, inspecteur Oyun. Nous aurions pu éviter tout cela, dit en s'excusant le gradé à qui elle avait parlé.

D'un geste ferme mais sans brutalité il lui passa les bras dans le dos pendant que son aide de camp lui nouait les poignets avec un garrot de plastique cranté. Puis, d'un geste, il ordonna à la jeep d'ouvrir la route et la limousine se mit aussitôt dans sa roue.

— Je suis vraiment désolé, reprit l'homme aux médailles, mais comme je vous l'ai dit, il s'agit d'une affaire de sécurité nationale.

Avant qu'elle ne comprenne à quoi il faisait allusion, l'autre homme l'aveugla d'une cagoule noire sur la tête.

... va le voir au Département de police.

— Tiens ton chien !

Solongo se retourna. Saraa était debout à l'entrée de la yourte.

— Mon père est là ? demanda-t-elle.

— Non, il est sorti.

— Tu sais quand il rentre ?

— C'est Yeruldelgger ! répondit Solongo en haussant les sourcils. Rien de grave ?

— J'ai quelque chose pour lui. Tu as une connexion Internet ?

— Bien sûr, approche.

Saraa enjamba le pas de la porte et referma derrière elle. Elle aimait cette yourte et la façon dont Solongo l'avait décorée. L'emplacement de chaque meuble respectait les traditions et chaque objet était disposé pour ne pas offenser l'âme de ceux qui y avaient vécu. Même si la yourte était bien trop grande pour avoir été celle d'une famille de nomades. Les murs étaient composés de douze treillis au lieu des cinq habituels. L'intérieur offrait ainsi cent vingt-deux mètres carrés habitables et servait généralement de salle de restaurant, surtout depuis l'afflux des touristes occidentaux. Il avait fallu cent soixante-deux lattes, le double d'une yourte ordinaire, pour soutenir la toile et le feutre du plafond. Le poêle était placé bien au centre, juste entre les deux baganas qui supportaient la couronne en bois peint sculpté qui faisait office de clé de voûte. Les lattes peintes en couleur orange rayonnaient depuis le toono jusqu'aux murs comme un soleil qui réchauffait et éclairait l'intérieur de la tente.

À l'entrée, Solongo avait accroché l'outre en peau pour le lait de jument, ainsi que les écumoires et les tamis pour le travail du lait et la fermentation de l'aïrak. Dans le fond, opposé à la porte orientée plein sud, trônait le lit conjugal. Un lit coffre de bois peint richement décoré, haut et massif, couvert d'étoffes aux couleurs franches, et qui faisait office de sofa dans la journée. Depuis la porte, toute la partie gauche était réservée aux invités, avec un autre lit en tout point égal au premier. La seule entorse à la tradition que Solongo avait acceptée, c'était d'avoir installé, dans la partie droite, une salle de bain derrière un paravent, et un bureau de travail à droite de la porte. Mais tous les meubles, y compris le bureau et le paravent, étaient de bois peint à dominante orange décoré des motifs géométriques traditionnels. La toile du plafond était nue et écrue, mais le grand mur circulaire avait été tendu de toile verte comme les steppes. Le sol aussi était de bois peint comme les lattes du toit, et l'autre entorse à la tradition avait été de poser trois petits tapis, à la mode kazakhe, sous la grande table basse devant le poêle.

— Je voudrais te montrer quelque chose, dit Saraa

171

en s'asseyant face au grand écran du Mac Pro de Solongo.

Elle pianota sur le clavier et afficha la page de son blog Ovooïd.

— Ton père m'a parlé de ton blog, dit Solongo en s'appuyant au dossier de la chaise. Je crois que tu l'as bluffé avec ça.

— Il s'est bien gardé de me le dire.

— C'est ton père, tu le connais !

— S'il ne laisse jamais rien paraître de ses émotions, ça doit faire de lui un piètre amant, non ?

Solongo lui donna une petite claque sur la tête en souriant.

— On ne parle pas comme ça de son père !

— Moi, dans ces moments-là, Steeve est plutôt très expressif ! provoqua Saraa.

— Écoute, nous pouvons reparler de ces choses de femmes entre nous un autre jour. Pour l'instant, si tu mettais de côté ta libido œdipienne pour me montrer ce pour quoi tu es venue.

— C'est au sujet de Ganshü. Nous avons reçu ces photos. Regarde...

Saraa entra quelques références sur le clavier et plusieurs aperçus de photos se superposèrent en décalage sur l'écran.

— Ganshü, c'est bien le fils de Colette ?

— Oui, le gamin qui a disparu. Regarde, c'est lui là...

Solongo observa la photo, prise apparemment dans un café à la pauvre décoration. On y voyait un jeune garçon, de face, attablé devant ce qui devait être un thé, les deux mains autour de la tasse encore fumante.

On ne devinait rien de l'adulte auquel il parlait et qui tournait le dos à l'objectif, mais le garçon l'écoutait avec attention. Aucune peur dans son regard. Une sorte d'admiration impatiente, au contraire. Saraa cliqua sur les onglets en haut de chaque photo et les afficha une à une à l'écran. Deux autres photos dans ce qui était en fait un salon de thé. Sur la deuxième, le gamin s'émerveillait d'un grand samovar bien astiqué qui trônait sur le bar. Sur la troisième il riait de son portrait déformé dans le reflet du métal cuivré. Les autres photos avaient été prises dans la rue, avant et après que Ganshü et l'homme entrent et sortent du salon de thé. Sur aucun cliché il ne semblait contraint ou menacé par l'homme qui l'accompagnait et dont on n'apercevait jamais le visage.

— De quand datent ces photos ? demanda Solongo. Il a l'air libre et heureux là-dessus !

Saraa appuya simultanément sur deux touches du clavier et afficha les informations concernant une des photos.

— Cette photo date de quinze jours, expliqua Saraa en désignant la date inscrite à l'écran.

— Et on sait où elle a été prise ?

— Oui. Dans les infos concernant la photo j'ai récupéré les coordonnées géographiques du GPS de l'appareil. Quand tu les rentres dans Google Maps, tu tombes sur ça…

Saraa entra une série de chiffres dans le moteur de recherche et l'écran afficha une carte du nord du pays. Un indicateur pointait une ville au nord de la frontière, en Russie.

— Krasnokamensk ?

— Oui, tu connais cette ville ?

— Pas particulièrement. C'est la ville où Poutine a fait enfermer Khodorkovski, l'oligarque qui avait fait main basse sur le gaz russe avant lui. C'est tout ce que j'en sais. En tout cas cette photo prouve que Ganshü est vivant, non ?

— Ça prouve seulement qu'il l'était une semaine après sa disparition, mais qui sait ce qui lui est arrivé depuis.

— Peut-être rien.

— Alors pourquoi ne donne-t-il pas de nouvelles ? Et Gantulga non plus ?

Solongo s'accroupit à côté de Saraa, prit les mains de la jeune fille dans les siennes, et la força à la regarder.

— Écoute, Saraa, si tu me disais tout ce que tu sais à propos de Ganshü, de Gantulga, d'Ovooïd, peut-être que ça pourrait nous aider.

Saraa la regarda droit dans les yeux et hésita longtemps avant de se confier.

— Ganshü voulait partir. Il voulait vivre ailleurs qu'en Mongolie. Steeve et moi avons décidé d'en faire un sujet pour Ovooïd. Pourquoi un gosse pense qu'il n'a pas d'avenir ici ? Pourquoi il rêve à un Eldorado ailleurs ? Pourquoi l'amour de Colette ne lui suffisait pas ? Comment pensait-il réussir à partir ? C'est ça Ovooïd : un blog sur ce qui défait la Mongolie.

— Et alors ?

— Alors nous nous sommes aperçus que Ganshü faisait plus que d'en rêver. Il était prêt à partir. Un soir il nous a laissé entendre qu'il allait le faire mais qu'il ne voulait plus que nous le filmions. Je pense qu'il avait réussi à contacter une filière d'immigration clandestine. De ce jour, il a changé et nous a évités.

— Tu en sais plus sur cette filière ?

— Non. Je sais qu'il voulait partir en France. Je suppose que Colette lui en avait dressé un portrait idyllique. Nous avons identifié un ou deux types qu'il fréquentait de plus en plus souvent. Des types qui trafiquaient dans son quartier. Un Touva et un Russe, entre autres…

— Un Russe ?

— Oui, enfin je crois…

— Et Gantulga, que vient-il faire dans cette histoire ?

— Au départ, c'est lui qui a présenté Ganshü à Colette. Ganshü, c'était le plus jeune de sa bande quand il zonait dans les districts nord avant de rencontrer Oyun. Je suppose que Yeruldelgger avait dû lui parler de Colette et de son désir d'enfant. Il a voulu combler le manque de l'une, et donner une chance à l'autre. Ganshü vivait dans les halls d'immeubles et les égouts de la ville. Gantulga a dû penser qu'il serait plus heureux chez Colette.

— Et ça n'a pas été le cas ?

— Je n'en sais rien. Peut-être qu'elle lui a trop parlé de la France ?

— Et Gantulga, que faisait-il en ville ? Je pensais que Yeruldelgger l'avait envoyé suivre l'enseignement du Septième Monastère ?

— Oui, mais il revenait en ville deux jours tous les quinze jours. Je crois qu'il s'était mis en tête de sauver quelques gosses de son ancienne bande.

— Depuis combien de temps a-t-il disparu, lui ?

— Presque en même temps que Ganshü, à quelques jours près. C'est moi qui l'ai prévenu. Il a voulu regarder tout ce que nous avions filmé sur Ganshü, puis il est parti sans poser de question. C'est la dernière fois que nous l'avons vu.

— Tu aurais dû alerter ton père aussitôt

— C'est vrai, je sais qu'il tient à Gantulga plus qu'à moi et qu'il va m'en vouloir.

— Ne dis pas ça. Un jour tu comprendras à quel point il t'aime et tout ce qu'il a enduré pour toi. Quand l'esprit de ta maman, Uyunga, s'est envolé après la mort de ta petite sœur Kushi, il est resté seul, debout contre tous…

— Ne me reparle pas de ses derniers exploits, je t'en prie ! se braqua Saraa.

— Il n'y a pas que ça. Il y a un million d'autres preuves de son amour pour toi que tu comprendras un jour. En attendant, il faut que tu lui montres ces photos au plus vite. Mais ne rends pas les choses trop personnelles, va le voir au Département de police.

... dans le trafic chaotique de la ville.

Yeruldelgger repéra la Lexus aux vitres teintées et comprit aussitôt qu'elle était là pour lui. La scène avait un goût amer de déjà-vu, mais ce jour-là il n'était pas d'humeur à se laisser manipuler à nouveau. La vitre arrière glissa et une main apparut pour lui enjoindre de s'approcher, alors il sortit son arme et se dirigea droit vers le véhicule. Mais quand il fut sur le point de deviner le visage de celui qui le convoquait, la vitre remonta en silence. Surpris, il se retrouva face au reflet de son visage où deux points rouges et lumineux dansaient sur son front. Le message était clair, mais il garda son arme à la main, même quand la vitre redescendit et que l'homme, à l'intérieur, se pencha pour lui parler. Dans la cinquantaine, plutôt bien mis, avec dans les yeux la certitude d'être le plus fort.

— Je suis désolé, mais vous avez la réputation d'être violent.

— J'ai pas mal de raisons de l'être ces derniers temps, répondit Yeruldelgger.

— J'en ai d'autres pour vous, si vous voulez.

La portière s'entrouvrit. Il hésita puis se décida à monter. La dernière fois qu'il avait accepté une invitation de ce genre, son beau-père l'avait fait tabasser par l'ancien champion de lutte qui lui servait de chauffeur, en pleine nuit sur le bord d'une route au cœur de la steppe.

— Rassurez-vous, vous ne craignez rien. Je ne suis pas Erdenbat.

Yeruldelgger ne fut pas dupe. C'était pour l'homme de la Lexus une façon de dire qu'il en savait beaucoup sur lui.

— Que savez-vous de mon beau-père ?

— Plus que vous ne le supposez. Et probablement plus que vous n'en savez vous-même, malgré vos liens de famille.

— C'est lui qui vous envoie ?

— Vous pensez qu'il est vivant ?

— J'espère qu'il est mort. Et vous, qui êtes-vous pour inviter un flic à vous obéir sous la menace de deux snipers ? demanda Yeruldelgger sans répondre.

— D'après vous ?

— Quelqu'un qui manque d'arguments…

— Vous vous trompez. Je ne suis pas là pour vous convaincre de quoi que ce soit. C'est vous qui avez des choses à m'apprendre.

— Pourquoi le ferais-je ?

— Parce que je suis le chef des services de sécurité de ce pays et que je vous le demande à titre amical, répondit l'homme.

— Laissez-moi choisir mes amis, répliqua Yeruldelgger. Que voulez-vous savoir ?

— Vos services ont fait une demande d'identification d'un échantillon d'ADN.

— C'est possible. Ça fait partie de notre métier.

— Le dossier fait référence à un inconnu de l'Otgontenger.

— Et alors ?

— Que savez-vous de cet inconnu ?

— Et vous, qu'en savez-vous ?

— Pourquoi pensez-vous que nous le connaissons ?

— Parce que vous cherchez à savoir ce que nous savons de lui.

L'homme ne répondit pas tout de suite. Il se tourna vers Yeruldelgger et le regarda un long moment. Quelque chose changea dans son regard.

— Je m'appelle Bathbaatar. Je suis le directeur de l'Agence nationale de sécurité. L'ADN que vous avez demandé d'analyser correspond à celui d'un de mes hommes.

— Comment pouvez-vous en être sûr, nous n'avons pas encore les résultats ?

— Nous, nous les avons déjà et il n'y a aucun doute. Cet homme travaillait en immersion après avoir infiltré un réseau criminel mais n'a plus fait de rapports depuis plusieurs semaines. D'où mon intérêt à connaître ce que vous savez de lui.

— Quel réseau avait-il infiltré ?

— Sans vous offenser, ce n'est pas de votre ressort. C'est du domaine de la sécurité nationale. Je ne peux pas vous en dire plus.

— C'est assez peu coopératif pour quelqu'un qui veut accéder à nos dossiers.

— Je ne veux pas mettre en péril l'opération en cours, je pense que vous pouvez comprendre ça. Mais au moins aurons-nous eu l'occasion de nous connaître, cela pourrait vous être utile dans le futur.

— Peu m'importe qui vous êtes, et je ne veux rien vous devoir. Je vais vous dire ce que nous savons, mais par respect pour un homme mort en service uniquement.

Bathbaatar adressa un signe au chauffeur qui démarra aussitôt. Il rejoignit Peace Avenue et roula longtemps vers l'est. Yeruldelgger se demanda si l'homme savait que c'était sur cette route qu'Erdenbat l'avait fait tabasser.

— Erdenbat est souvent plus violent que nécessaire…, dit Bathbaatar comme s'il lisait dans ses pensées.

— Vous parlez de lui au présent ?

— Oui…

— Il est vivant ?

— Bien sûr. Quelque part…

Yeruldelgger décida alors de lui parler, certain qu'il aurait un jour quelque chose à lui demander. Il lui raconta tout ce qu'il savait sur l'homme de l'Otgontenger et la façon dont Agop l'avait découvert.

Bathbaatar écouta en posant peu de questions, sauf quand Yeruldelgger expliqua la façon dont l'Arménien avait probablement été assassiné. Il se montra très attentif et approuva d'un hochement de tête les déductions de Yeruldelgger sur l'interprétation de tel ou tel détail.

Quand le policier pensa avoir exposé l'ensemble des informations qu'il était prêt à partager, la Lexus était revenue à son point de départ. Le chauffeur descendit et ouvrit la porte du côté de Yeruldelgger.

— Merci de votre aide, dit Bathbaatar en lui tendant la main, vos informations vont nous permettre de reprendre l'enquête.

— Est-ce que ça veut dire que nous devons lâcher l'affaire ?

— Oui.

— J'avais cru comprendre que nous collaborions…

— Il ne faut jamais croire les services secrets.

— Je m'en souviendrai.

— Ne soyez pas amer, nous sommes déjà quittes. Je vous ai déjà été utile…

Yeruldelgger ne demanda ni pourquoi, ni comment. Il descendit de la voiture sans serrer la main que lui tendait Bathbaatar et s'éloigna sans se retourner. Il imagina la Lexus démarrant aussitôt pour se glisser souplement dans le trafic chaotique de la ville.

27

Va falloir t'y faire...

Quand Saraa entra sans frapper dans son bureau, une grande enveloppe à la main, Yeruldelgger hurlait déjà après Oyun.

— Ils t'ont quoi ?

— Oui, enfin, pas vraiment, Yeruldelgger. Ils m'ont juste…

— Oyun, ils ont pointé des armes sur toi et ils t'ont embarquée dans leur bagnole, oui ou non ?

— Oui…

— Alors ça s'appelle un enlèvement ! Et où t'ont-ils emmenée ?

— Je n'en sais rien, j'étais…

— Tu étais ?

— J'étais cagoulée, murmura la jeune femme. Écoute, Yeruldelgger…

Mais il était hors d'état d'écouter. Le coup qu'il porta sur la table fit trembler la pièce et résonna dans le silence soudain du service. Tous les autres inspecteurs se figèrent dans leur mouvement.

— Cagoulée ? Des militaires t'enlèvent sous la menace de leurs armes, ils t'entravent et ils te cagoulent, et tu dis que ce n'est pas si grave ? Mais qu'est-ce qu'il te prend, Oyun ? Qu'est-ce que tu deviens depuis que tu laisses ce type te baiser ? Tu n'y es plus, Oyun !

— Parce que tu y es, toi, peut-être ? explosa Oyun à son tour. Tu te fous des enquêtes en cours, tu te fous de nos rapports, tu délègues à tout-va pour te débiner on ne sait où. Tout le service est dans le brouillard, pire que les fumées jaunes sur la ville. Plus personne ne sait où on va. Demande-leur !

D'un large geste du bras elle désigna tous les inspecteurs de l'autre côté des vitres. Pas un n'avait bougé, mais imperceptiblement chacun rentra la tête dans les épaules de peur d'être pris à témoin.

— On a deux morts tordues sur le dos, quelqu'un cherche à te faire endosser un assassinat, et toi tu ne t'intéresses qu'au soi-disant fils de Colette !

— Le fils de Colette fait partie de l'enquête sur son assassinat ! répliqua Yeruldelgger en balayant du regard la salle du service, comme pour se justifier.

— Sornettes ! On ne sait même pas s'il existe et les Affaires spéciales t'ont interdit d'enquêter sur ce dossier. Alors qu'est-ce que tu fous, hein ? Qu'est-ce que tu fous au lieu de nous aider dans les vrais dossiers ?

— Et toi, qu'est-ce que tu fous à écumer le gay Oulan-Bator *by night* ? Il est à voile et à vapeur ton mec, là, à toujours se trimballer avec son acolyte ?

Yeruldelgger réalisa aussitôt qu'il était allé trop loin. Dans le silence qui suivit, il attendit la gifle d'Oyun. Il la méritait, et devant les autres, il fallait qu'elle ait l'audace de la lui donner. Il reçut son poing en pleine mâchoire. Un uppercut qui cherchait à faire mal et qu'il encaissa en essayant de ne pas vaciller.

— Je t'interdis de parler des gens que j'aime. Je t'interdis de me parler. Et je ne veux plus travailler sous tes ordres. Va te faire foutre, Yeruldelgger !

Elle fit volte-face et croisa Saraa sur le pas de la porte.

— Attention Saraa, il est particulièrement con aujourd'hui.

Saraa hésita à entrer dans le bureau. Dehors les inspecteurs étaient partagés entre ceux qui suivaient Oyun du regard et ceux qui restaient fixés sur Yeruldelgger.

— Entre, Saraa, dit-il d'une voix étrangement calme.

— Je peux repasser plus tard...

— Entre, ne t'en fais pas.

— Tu as été odieux avec elle. Si c'est pour me parler comme ça, je repars tout de suite.

— Non, non, reste. Elle a raison, je me suis comporté comme un sale con de macho que je suis, même si elle le méritait un peu avec son histoire de militaire. Attends, donne-moi une seconde.

Yeruldelgger fit signe à Billy de le rejoindre dans le bureau et aussitôt les autres inspecteurs reprirent leurs différentes activités, trop heureux d'avoir échappé à la convocation.

— Il est en forme aujourd'hui, hein ? dit le jeune inspecteur en prenant Saraa à témoin.

— Billy, tu vas faire l'intermédiaire entre Oyun et moi le temps que ça se tasse. Un rapport sur mon bureau tous les soirs, même si je n'y suis pas. Tu com-

mences par cette histoire d'enlèvement. Fais-lui raconter cent fois s'il le faut, mais je veux tout savoir.

— D'accord.

— Je veux aussi savoir qui y a participé, s'il y a
des témoins éventuels, d'où elle venait, comment elle
a été suivie, ce qu'elle faisait dans cette boîte gay. Et
Billy, je veux aussi en savoir plus sur son beau militaire. D'accord ?

— Là ça commence à ressembler à une enquête sur
une collègue, non ?

— Tu le fais ou je demande à quelqu'un d'autre de
le faire ! trancha le commissaire.

Billy haussa les épaules pour dire qu'il acceptait
sans avoir à le dire vraiment et sortit du bureau.

— Tu vas vraiment enquêter sur Oyun ? s'étonna
Saraa.

— Oui, répondit son père. Son affaire n'est pas
claire, son mec n'est pas clair, son enlèvement n'est
pas clair, alors j'enquête sur elle. C'est mon boulot. Et
toi alors, ça va ? Qu'est-ce que tu veux ?

Saraa s'approcha et posa une enveloppe sur le
bureau.

— Steeve a reçu ça dans la boîte mail d'Ovooïd.

— Qu'est-ce que c'est ?

— Des photos de Ganshü.

Yeruldelgger se concentra aussitôt sur les photos
qu'il étala en éventail sur son bureau.

— C'est lui ? demanda-t-il en pointant le visage
d'un gamin dans un vieux salon de thé.

— Oui.

— Tu sais de quand elles datent ?

— Deux semaines, d'après Steeve. C'est-à-dire une semaine après la disparition de Ganshü.

— Et tu sais où elles ont été prises ?

— Steeve a récupéré les données GPS de l'appareil dans les informations concernant les photos. Il dit qu'elles ont été prises à Krasnokamensk.

— Krasnokamensk ? Est-ce que tu en as parlé à quelqu'un d'autre ?

— À Steeve, évidemment, et à Solongo. C'est elle qui m'a recommandé de venir te voir.

— Elle a bien fait. Écoute, Saraa, n'en parle plus à personne, d'accord ?

— Je partage tout avec Steeve.

— Okay, okay ! Pas la peine de me resservir son nom à chacune de tes réponses. Voilà, je te regarde bien droit dans les yeux et je te le redis : j'accepte, même si c'est malgré moi, l'idée que tu vives avec ce type.

— Avec Steeve.

— Avec Steeve. Mais en échange, ne publie rien sur cette affaire tant que je n'ai pas récupéré ce gamin. Je ne veux pas mettre sa vie en danger.

— Et pour Gantulga ?

Il hurla après Billy, figeant une nouvelle fois tout le service dans un spasme de terreur.

— Billy : tout ce que tu peux savoir sur Gantulga. Il a disparu. Commence par le monastère. Il aurait dû y être.

— Chef, le monastère, la force obscure, les ninjas, tout ça, ce n'est pas trop mon truc. Et puis je suis déjà sur Oyun, enfin, si je puis dire.

— Merde ! hurla Yeruldelgger en abattant ses deux

186

paumes larges comme des battoirs, bien à plat sur son bureau. Est-ce que quelqu'un dans ce foutu Département va une fois m'obéir sans me forcer à hurler ? Une fois ? Une seule fois ?

— C'est bon, c'est bon, je prends aussi les ninjas ! concéda aussitôt Billy.

— À la bonne heure ! Et fais-moi plaisir : ne plaisante plus jamais sur le Septième Monastère en ma présence. Tu m'entends ?

Billy allait sortir quand la jeune stagiaire entra dans le bureau à son tour.

— Chef, j'ai les photos des rails…

Yeruldelgger se laissa tomber dans son fauteuil. Il se froissa longuement le visage de ses deux mains, inspira tout l'air du bureau et du service entier, l'expira avec force comme on se purge d'un mauvais parfum, et fit signe à la jeune stagiaire qu'elle pouvait rester.

— Qu'est-ce que tu as ?

— La photo de l'aiguillage et des deux wagons, je sais d'où elle a été prise.

— Tu le sais déjà ? Tu as déjà visionné tes dix mille écrans ?

— Non, chef. J'ai demandé l'aide de mon ex. Un vrai geek. Une bête en informatique, chef. Les photos ont été prises avec un appareil numérique, mais sommaire. Dans les infos, il n'a trouvé que la date et l'heure de la prise de vue. Pas les coordonnées GPS. Mais avec la date et l'heure et une base de données météo, il a déterminé la position du soleil. Il ne lui restait plus qu'à modéliser la photo pour l'orienter par rapport au nord et concevoir un algorithme qui ne retenait que les images de Google Maps conformes à cette orientation.

— Je n'ai rien compris, mais je suis impressionné quand même, admit Yeruldelgger, trop content de pouvoir reprendre en main la situation dans le calme. Si ton ex cherche un emploi, on a largement besoin d'un gars comme lui au Département.

— Désolée, chef, mais il vient de monter sa boîte d'ingénierie informatique. Même s'il vit pour l'instant en concevant des blogs et des sites, il gagne déjà plus que vous. Enfin, je suppose, parce que je ne sais pas ce que vous... je veux dire, d'après ce qu'on dit...

Yeruldelgger encaissa le coup. C'est vrai qu'il n'était pas vraiment payé à la hauteur des emmerdes que lui rapportait son poste. Il prit le dossier que lui tendait la stagiaire et la remercia d'un geste fatigué. Maintenant il tenait quelque chose. Une localisation des wagons qui avaient peut-être coûté la vie à l'homme de l'Otgontenger. Ça suffisait à sa journée. Demain serait un autre jour. Il était temps de fuir. Il se leva et quitta le Département.

— On mange un bout ? demanda-t-il sans conviction à Saraa.

— Non, ce soir je...

— Oui, avec Steeve, avec Steeve, je suppose.

— Va falloir t'y faire...

28

... ni du carambolage qu'il provoqua.

Un vent d'est s'était levé dans la nuit. En s'engouffrant dans la vallée de la Tuul, il avait dispersé la pollution de la ville jusque vers les contreforts du Khustain Nuruu et les steppes de Mandalgovi, laissant Oulan-Bator frigorifiée sous un ciel bleu immobile et un petit soleil blanc. Yeruldelgger avait déambulé dans la ville, en colère contre lui-même. Il n'aimait pas ce qu'il devenait. Ce chef colérique. Plus rien de l'enseignement du Septième Monastère ne semblait avoir prise sur lui. La charge des émotions, la force du silence, la puissance de la patience, il ne maîtrisait plus rien. Il avait cru s'en faire une forteresse invisible et imprenable, mais son métier avait eu raison de sa force comme le vent, avec le temps, des plus hautes falaises. Des milliers d'assauts quotidiens de petites turpitudes, de bassesses, de méchancetés, de jalousies qui se formaient en tourbillons pour devenir des vols, des crimes, des assassinats. Son métier ne lui donnait à voir que le côté obscur de l'humanité. Les seuls sourires qu'il arrachait encore, c'était ceux de victimes amochées qui s'en sortaient de justesse, ou ceux de parents brisés qui se contentaient du nom d'un coupable même pas repenti. Chaque jour, depuis quelque temps, il ressentait le besoin impérieux de quelque chose d'autre. Arrêter de courir, même dans ses nuits. Déambuler dans sa vie comme il le faisait aujourd'hui dans la ville...

Il avait acheté un paquet de biscuits de lait séché aigres et durs à une vieille Bouriate confite par le froid dans sa guitoune. Il les croquait en regardant la ville vivre quand même autour de lui. Des gosses engoncés dans des parkas de contrefaçon mais le col grand ouvert. Des bonzes pieds nus dans leurs sandales, aussi peu vêtus par moins trente qu'ils ne l'étaient au cœur suffocant de l'été. Des nomades en deels matelassés, immobiles, comme perdus, dans la foule à l'occidentale. Les néons à l'européenne, éteints, par-dessus les enseignes en cyrillique. Des vendeurs à la sauvette, devant des boutiques de n'importe quoi. Des stands de kuushuurs et de buzz, enfumés de vapeurs grasses et odorantes, et placardés de réclames pour le dernier soda light à la mode. Les visages râpés par le vent et les hivers des anciens nomades, et ceux fardés de poudre et de rimmel des nouvelles femmes. Tout ce monde complémentaire et discordant à la fois qu'un trafic hors contrôle roulait dans son flot comme des pierres qui s'usaient. Combien faudrait-il de temps pour que tous, ils ne deviennent que les mêmes grains du même sable d'une même plage sur la berge d'une rivière asséchée par le dzüüd dans la steppe éternelle ?

Le destin roule chaque pierre de la rivière là où il veut, dit le proverbe. Yeruldelgger s'aperçut que son pas sombre et rêveur l'avait mené jusqu'au grand square, en face de l'hôtel Mongolia. Fatigué de ses enquêtes et obsédé par la disparition de Ganshü, il gratta la glace d'un banc en bordure de la route et s'assit. Les automobilistes étonnés le regardaient de côté, en bras de chemise dans leurs Toyota neuves et conditionnées, ou boursouflés d'anoraks dans leurs vieilles Ford sans chauffage. Il repensa à Colette. À sa vie d'entraîneuse à l'Altaï. À l'argent qu'il lui avait donné pour se mettre au vert le temps qu'il coffre son maquereau. À ses confidences sur son avortement et son manque d'enfant. Et Colette. Son nom de tapin qu'elle avait choisi au hasard, pour faire « parisienne ». Comme il parlait un peu français, elle lui avait demandé ce qu'il signifiait et il lui avait inventé un sens. *Blé en herbe.* Elle avait trouvé ça beaucoup plus beau que toutes les Fleur d'Abondance et autres Cœur de Lune de ses grandes steppes stériles.

Elle était morte dans ce grand hôtel soviétique pas encore rénové à la façade austère. Un grand bloc en « L » avec la réception et les salons dans le petit côté et toutes les chambres dans le grand, strictement identiques, dans des couloirs strictement identiques, sur dix étages strictement identiques. Le bâtiment des chambres se terminait, perpendiculairement à l'avenue, par un mur presque aveugle. Une colonne d'une seule petite fenêtre par étage, bien au centre, marquait le cul-de-sac de chaque couloir.

Avec, quelque part au-delà de la moitié des étages, un rang de mâts blancs où flottaient mollement une dizaine de drapeaux étrangers. Machinalement Yeruldelgger chercha le drapeau français mais ne le trouva pas. Il resta quelques instants à regarder les drapeaux.

À regarder les drapeaux. Les drapeaux… Et soudain il bondit sur ses pieds. Un taxi surpris crut qu'il allait traverser et fit aboyer son klaxon. Mais Yeruldelgger s'était figé sur place, comptant et recomptant les étages, examinant les drapeaux et vérifiant sa montre. Tout était ici sous leurs yeux. Il suffisait de prendre le temps d'observer. Les scènes de crime comprennent aussi l'extérieur des lieux. Ils le savaient tous et pourtant personne n'était sorti pour vérifier. Il recompta encore une fois, nota l'heure et la position du soleil, puis sortit son iPhone et prit une photo du Mongolia. Maintenant, il savait où aller. Il traversa le flot rageur des véhicules sans s'inquiéter ni des insultes, ni des coups de klaxon, ni du carambolage qu'il provoqua.

29

*D'après ce que je sais,
il te l'a déjà fait comprendre.*

Il monta directement à l'étage des Affaires spéciales et entra dans le bureau de Bekter sans frapper, interrompant le rapport d'un subalterne.

— On ne t'a jamais appris à frapper ?

— Pas quand c'est urgent, répondit Yeruldelgger en jetant son iPhone sur le bureau de Bekter. Regarde cette photo. Je l'ai prise il y a vingt minutes. Si tu sais faire apparaître les infos, tu verras qu'elle date de 15 h 12.

Bekter se saisit du téléphone et observa la photo sans chercher à vérifier l'heure.

— D'accord, c'est une photo du Mongolia à 15 h 12 aujourd'hui, et alors ?

— Alors à quel étage sont les drapeaux ?

— Quoi, les drapeaux ? Qu'est-ce que c'est encore que ce jeu à la con ? s'énerva Bekter.

— Ce n'est pas un jeu ! hurla-t-il en frappant sur la table. Dis-moi à quel étage sont ces putains de drapeaux et prépare-toi à avoir la honte de ta vie d'inspecteur au rabais.

Le subalterne de Bekter sursauta et s'écarta d'un

pas en portant une main sur son arme. Deux des inspecteurs qui étaient venus l'arrêter chez Agop se précipitèrent dans le bureau, prêts à dégainer eux aussi. Bekter leur ordonna d'un geste de ne rien faire. Quelque chose dans la détermination de Yeruldelgger le poussait maintenant à le prendre au sérieux. Les deux inspecteurs acquiescèrent d'un mouvement de tête et s'apprêtaient à ressortir quand Yeruldelgger les rappela.

— Restez là pendant que j'apprends son boulot à votre chef, peut-être que vos cerveaux atrophiés en tireront une petite leçon.

— Bon, ça va, dit Bekter pour calmer le jeu. Je suppose que tu as trouvé quelque chose, alors dis-le sans nous chercher des poux, ça nous fera gagner du temps à tous.

— Les drapeaux sont plantés entre le cinquième et le sixième étage. Les hampes partent légèrement en oblique vers le haut et à 15 h 12, on voit parfaitement que l'ombre des drapeaux ne flotte que sur la fenêtre du cinquième étage.

— Et alors ? demanda un des inspecteurs.

Bekter comprit aussitôt, et sans rien en laisser paraître Yeruldelgger porta ce réflexe à son crédit.

— Oh merde ! lâcha Bekter. Comment avons-nous pu passer à travers ça !

— À travers quoi ? s'enfonça l'autre inspecteur.

— Ferme-la et apporte-moi l'enregistrement des caméras de surveillance dans le dossier Altantsetseg. Tout de suite.

— Comment en as-tu eu l'idée ? demanda Bekter

sur le ton d'un technicien intéressé par la découverte d'un autre.

— Aucun mérite, expliqua Yeruldelgger. Je soignais un coup de déprime en me baladant au parc et ça m'a sauté aux yeux.

— Eh bien on devrait tous se balader plus souvent au parc !

Yeruldelgger prit cette dernière remarque pour ce qu'elle était : une demande d'armistice entre les deux hommes. Quand l'inspecteur rapporta la clé, Bekter savait déjà ce qu'il allait y découvrir. La vue de la caméra de surveillance du sixième, l'étage de la scène de crime, le couloir en enfilade, avec tout au bout la petite fenêtre où dansait l'ombre des drapeaux.

— On s'est fait balader ! murmura-t-il. Les enregistrements ont été inversés. Tu n'es jamais entré dans la chambre du sixième. Tu es entré dans une chambre du cinquième.

— Qu'est-ce que ça veut dire ? demanda l'inspecteur, incrédule.

— Ça signifie que quelqu'un s'est donné beaucoup de mal et a utilisé beaucoup de monde et de moyens pour lui mettre ce crime sur le dos. Qui peut t'en vouloir autant et vouloir la mort d'Altantsetseg en même temps ?

— Aucune idée, mais ça confirme que c'est moi qui suis visé dans cette mise en scène et que la mort d'Altantsetseg n'a servi qu'à m'impliquer.

— Tu veux dire qu'on ne l'aurait tuée que pour ses liens avec toi ?

— Pourquoi pas ?

— Tu te rends compte de ce que ça sous-entend ?

Il faut une terrible motivation pour aller aussi loin. Sans compter les moyens qu'une telle opération suppose. Tes ennemis sont dangereux et puissants, Yeruldelgger.

— Ils l'ont toujours été. C'est l'histoire de ma vie !

— Bon, alors que fait-on ? Même si tu n'es plus suspect, je ne peux pas te redonner l'enquête.

— Rends-la à mon service. Mes hommes seront plus motivés.

— Et pour toi, que puis-je faire, à part te présenter mes excuses ?

— Tu peux me rendre mon passeport ?

Bekter décrocha son téléphone, donna quelques ordres, et demanda à un des inspecteurs d'aller immédiatement chercher le document.

— Quelque chose d'autre ?

— Oui, répondit Yeruldelgger. Je peux savoir qui est intervenu pour me faire libérer, la seconde fois où tu as voulu me mettre en taule.

— Quoi, tu n'as pas compris ? D'après ce que je sais, il te l'a déjà fait comprendre.

30

J'avais peur que vous ne me rappeliez pas.

— Yeruldelgger m'a demandé d'enquêter sur toi, dit Billy.

— Quoi ? Mais qu'est-ce qu'il lui prend ?

— Avoue que tu ne lui facilites pas beaucoup les choses…

— Oui, je sais ce que vous pensez tous, mais je fais ce que je veux avec mon cul et jusqu'à preuve du contraire je fais bien mon boulot.

— Et les militaires ?

— Quoi, les militaires ? Ils ont fait leur numéro de secret défense et m'ont embarquée cagoulée, et alors ? Je suis quand même revenue avec les informations que nous cherchions, non ?

— Ah oui ? Et on peut savoir lesquelles ?

Oyun réalisa alors que son engueulade avec Yeruldelgger l'avait empêchée de lui faire son rapport. Toute la tension retomba d'un seul coup et la fatigue pesa sur ses épaules. Une enclume de chaque côté.

Billy tira une chaise pour qu'elle s'asseye.

— Allez, raconte-moi…

— Ils m'ont emmenée jusqu'à une salle de contrôle.

Le général a parlé d'un poste opérationnel secret défense du temps de la grandeur de l'armée soviétique. Il m'a fait un coup de nostalgie du genre nous étions l'avant-garde du socialisme soviétique face aux prétentions chinoises et cætera, et cætera, puis il m'a montré tous les plans de vol que j'ai demandé à voir.

— Et tu as trouvé quelque chose ?

— Rien pour Yeruldelgger au-dessus de sa scène de crime dans l'Otgontenger. Pour la mienne par contre, il existe bien une rotation régulière qui la survole. Un vol circulaire au départ d'Oulan-Bator.

— Une ligne militaire régulière, ça existe, ça ?

— Ça sert à ravitailler les postes isolés et certaines garnisons, mais surtout à maintenir le matériel et les équipages opérationnels. Ils volent tous les jeudis, à tour de rôle, même les gradés. Routine militaire, selon le général.

— Ton sentiment ?

— Je n'en sais trop rien. À part le folklore de l'enlèvement et le coup de blues du général, ils ont eu l'air de jouer le jeu.

— Tu as pris des notes ?

— Pas le droit. Ils m'avaient même confisqué mon portable.

— Comment es-tu revenue ?

— Pareil : la tête dans un sac, raccompagnée en jeep par deux des soldats qui étaient sur le parking du 100 %. Ils m'ont enlevé la cagoule dès que nous sommes arrivés dans les faubourgs et ils m'ont rendu mon téléphone en me déposant vers quatre heures du matin.

— Où ça ? demanda Billy en la regardant droit dans les yeux.

— Ça ne regarde pas Yeruldelgger, répondit-elle en soutenant son regard.

Elle savait que Billy n'insisterait pas. Il connaissait la réponse, comme tout le Département d'ailleurs. La sonnerie de la messagerie de son portable les sauva de cet instant de gêne. Elle afficha le message et le lut en cherchant à masquer son étonnement.

— À propos de militaires, tu permets que je rappelle le mien ?

— Je t'en prie, s'excusa Billy en quittant la pièce.

Elle attendit qu'il s'éloigne pour composer le numéro qu'affichait sa messagerie.

— Oyun ?

— Qui êtes-vous ?

— J'avais peur que vous ne me rappeliez pas.

31

Bon alors, raconte-moi, petite sœur...

Le Grand Khaan Irish Pub, à l'angle de Chinggis et de Soul, était à l'image de ce qu'Oyun aimerait qu'Oulan-Bator devienne, et de ce que Yeruldelgger devait honnir. Steaks, burgers, pizzas et ale ou Guinness à la pression. Des écrans géants sur tous les murs diffusant en même temps du sport américain et des concerts européens, et de la musique live par des groupes locaux ou de passage, quand le patron lui-même ne s'emparait pas du micro façon karaoké. Oyun s'avança dans la salle bondée, mélange interlope d'expats et de nouveaux riches, de touristes et de jeunesse dorée. Elle aimait l'idée que son pays sorte enfin de son passé séculaire, immobile et monochrome, pour s'accrocher au monde coloré et vivant qui passait par là. Elle ne voulait pas envisager ce que son pays avait à y perdre. Elle voulait juste profiter de ce qu'il avait à y gagner.

Bien qu'il fût en civil, elle reconnut celui des jeunes soldats qui lui avait rendu son portable en la déposant devant chez Slava la veille. Il avait réussi à garder le box libre pour eux malgré la foule. Elle se glissa sur la banquette capitonnée de cuir noir face à lui.

— Qu'est-ce que tu veux ?

Le jeune garçon regarda tout autour de lui à la dérobée, comme dans un film d'espionnage de série B.

— C'est à propos de cette nuit. Il y a des choses que vous devriez savoir.

— À propos des plans de vol ?

— Non, les plans de vol ne vous apprendront rien. C'est aux équipages qu'il faut vous intéresser.

— Explique-toi.

— Ils changent à chaque rotation, comme c'est la règle en matière d'entraînement. Sauf pour le troisième jeudi. Ce jour-là l'équipage est toujours composé des mêmes hommes avec un gradé de haut rang au commandement. Comme le général, par exemple.

Oyun fixa le soldat. Le pauvre garçon rentrait la tête dans les épaules, terrorisé comme s'il venait de dévoiler à un agent américain le plan de mobilisation de l'armée chinoise. Outre qu'elle était persuadée que tous les services américains connaissaient déjà par cœur toutes les options militaires des Chinois, Oyun ne voyait pas très bien où était la révélation qui justifiait une telle panique.

— Et alors ?

— Alors cet équipage-là, c'est comme un clan. Ils ne partagent rien avec nous et ils jouissent de toutes sortes de privilèges. À la limite, ils se comportent comme des mercenaires.

— Quoi, tu m'as fait venir ici juste pour pleurnicher sur les avantages d'une bande de planqués dont tu es jaloux ?

Il resta un moment silencieux à la fixer droit dans

les yeux, comme sonné par ce qu'il venait d'entendre, puis s'énerva soudain avec une violence qui la sidéra.

— Je le savais, je n'aurais pas dû te prévenir, je me suis trompé sur toi ! s'énerva le garçon, vexé de n'être pas pris au sérieux. Tu ne cherches pas à comprendre malgré les risques que je prends pour te prévenir.

— Quels risques, se moqua Oyun, boire de la stout et manger un burger ?

— Pauvre conne ! jura-t-il entre ses dents. Je ne veux pas mourir comme ceux de Tchör à cause de toi !

— Attends, attends, qu'est-ce que c'est que cette histoire ? Qui est mort à Tchör ? Quel rapport avec ton équipage de planqués ?

— Tchör, un accident pendant un transport militaire. Trois morts. La veille du jour où tu as découvert ta pile de cadavres. Trouve le lien entre l'accident et si par hasard cela avait quelque chose à voir avec un hélico du jeudi, rappelle-moi pour t'excuser.

Il se leva et se mêla à la foule avant qu'elle ait eu le temps de le retenir. Elle chercha après lui jusqu'à l'extérieur du bar mais il avait disparu. Elle eut soudain la sensation d'avoir foiré un contact important et sentit le besoin de retourner à l'intérieur et de boire quelque chose pour encaisser le coup. Quand elle revint vers le box, il était occupé par Billy qui l'attendait avec deux pintes de blonde.

— Bon alors, raconte-moi, petite sœur…

32

Jeudi prochain, tu verras bien !

Billy n'eut pas trop de mal à se documenter sur l'accident de Tchör. Un camion qui dévisse d'une mauvaise route à flanc de colline, par temps de dzüüd et de blizzard, ce n'était pas rare. Que le camion dévale le ravin pour aller fracasser la glace de la retenue d'eau d'une ancienne carrière et s'y engloutir, sans laisser aucune chance aux survivants, c'était déjà plus particulier. Que l'engin et ses occupants aient tous été militaires, cela privait la police civile de beaucoup de moyens d'investigation et ça devenait plus intéressant.

Billy s'isola dans un bureau et passa la matinée à téléphoner. Deux heures plus tard, il pouvait procéder aux recoupements qu'il espérait. Les trois militaires morts dans l'accident avaient été affectés à ce poste la veille même du drame. Auparavant ils servaient dans l'unité de transport de l'armée de terre en charge de la fameuse rotation du jeudi. Il prévint aussitôt Oyun qui lui demanda de localiser le portable du soldat qui l'avait informée. Billy la rappela moins d'une heure plus tard : le portable du soldat avait été repéré dans le dix-septième district à l'est de la ville. Ils s'y rendirent aussitôt et l'aperçurent devant un bar où il regardait sur le trottoir des types jouer au billard malgré le froid glacial. Il était en civil, comme la veille au soir, et buvait une Chinggis au goulot. Il les regarda s'avancer sans bouger.

— J'ai enquêté sur l'accident de Tchör et je m'excuse de ne pas t'avoir pris au sérieux hier soir, dit Oyun en se campant devant lui. Mais je n'ai pas tout compris encore. Quel est le lien entre cet accident et ma pile de cadavres ?

— Tu es sûr qu'elle est flic ? demanda le soldat moqueur à Billy. Je veux dire du genre avec un cerveau qui réfléchit ?

Oyun le prit par le coude pour le pousser à l'intérieur du bar et fit signe à Billy de dégager les gros bras du billard avant de les rejoindre.

— Tu connaissais ces soldats ?

— Les deux plus vieux, c'étaient des potes. Le plus jeune c'était mon frère.

— Merde, je suis désolée, dit Oyun. Que s'est-il passé ?

— Ils ont fait la connerie de trop. C'est un jeu entre les équipages. Ils se posent à la sauvage et ils piquent du bétail. Ça vient d'une histoire qu'on raconte sur des militaires russes qui...

— Je connais cette histoire. C'est une légende urbaine.

— Eh bien ça fait belle lurette que ce n'est plus une légende dans la steppe. Sauf que cette fois, on dit que le yack a paniqué et qu'il est tombé de l'hélico, comme dans l'histoire.

— Sur qui ?

— Sur le voleur de bétail, on suppose. Le type qui parcourt la steppe pour récupérer les bêtes et qui les amène le jeudi là où l'hélico les récupère.

— C'est pour ça qu'ils ont été affectés ailleurs ?

— C'est pour ça qu'ils ont été tués ailleurs. Tu parles d'un accident !

— On ne tue pas trois bidasses parce qu'ils ont volé un yack.

— On les a éliminés pour que leurs petites conneries n'attirent pas l'attention sur des conneries bien plus grosses.

— Quoi, ils ont fait pire ?

— Pas eux, ceux du troisième jeudi.

— Et ils ont fait quoi, ceux du troisième jeudi ? s'impatienta Oyun.

— Hey, moi j'arrête là. J'en ai déjà trop dit. Si ce n'était pas pour mon petit frère… Donne ta main !

Il sortit un stylo de sa poche, prit la main d'Oyun dans la sienne, et nota quelque chose dans sa paume.

— Jeudi prochain, tu verras bien !

33

*... et déjà prête à succomber
à nouveau.*

— Non, pas comme ça ! chuchota Oyun en lui
échappant des bras.

Elle bondit hors du lit et tira le drap sur elle, laissant Gourian allongé nu devant elle.

— Allons, ce n'est plus un crime depuis la fin de
la morale soviétique, tu sais ? C'est un plaisir comme
un autre. Meilleur que les autres, même !

— Non, je ne peux pas. Ne me demande pas ça !

Deux fois déjà, lovés l'un contre l'autre, lui dans
son dos après l'amour, il avait essayé de glisser son
sexe encore bandé entre ses fesses. Deux fois elle avait
détourné son geste en se retournant contre lui. Cette
fois elle avait senti son autre main, sur son ventre,
essayer de la retenir et elle avait fui.

— Tu ne sais pas ce que tu manques, se moqua le
beau militaire.

— Toi non plus. Vous ne faites que nous pénétrer. Comment peux-tu savoir ce que ça fait de l'être
ainsi ?

— Tu ne sais pas ce que tu manques ! se contenta-
t-il de répéter en lui souriant.

— Écoute, un jour peut-être, quand je serai prête. Mais pas en ce moment.

— Quoi encore ? Ton boulot ? Tu ne peux pas arrêter d'être flic de temps en temps et juste t'occuper de ton joli petit cul ? Ou me laisser m'en occuper ? Que se passe-t-il encore ?

— Je me suis pris la tête avec Yeruldelgger.

— Ce sale con de macho ? Ça ne m'étonne pas !

— Ne ne parle pas de lui comme ça ! Il n'avait pas tort : depuis que je suis avec toi, je suis moins dans mes enquêtes.

— Tu n'avances pas sur ta pile de cadavres ?

— Non. Je n'ai même pas encore vraiment étudié tes photos !

— Tu parles : une scène de crime carbonisée au fioul au milieu de la steppe gelée. Que veux-tu qu'elles t'apprennent, ces photos ? Et lui, il en est où, le ninja maléfique, dans son enquête ?

— Pas beaucoup plus loin que moi. Le mort de l'Otgontenger serait un agent secret, c'est tout ce que nous avons de nouveau. Ne me demande pas comment il sait ça, il ne nous a rien expliqué. De toute façon plus personne ne comprend plus rien à la façon dont il fonctionne. Il est juste très en colère contre les militaires. Surtout depuis l'épisode du 100 %.

— À propos, tu t'es sauvée comme une voleuse avant mon réveil ce matin, et tu ne m'as pas dit comment ça s'était passé avec le général.

— Bien. Il m'a montré tout ce que je voulais voir.

— Tu as dû lui sortir le grand jeu, parce que d'habitude, il est du genre secret défense, ce sale con !

— Toi non plus tu n'es pas mal dans le genre.

Tu es sûr de m'avoir tout dit sur notre petite pile de cadavres ?

— Qu'est-ce que tu veux dire ?

— Tu n'aurais pas vu la dzum tomber malencontreusement d'un hélico sur un pauvre voleur de bétail, un jeudi, par exemple ?

Gourian ne répondit pas tout de suite, son regard étonné dans le sien.

— Merde alors, ils te l'ont raconté ? J'y crois pas !

— Pourquoi tu ne m'as rien dit ?

— Parce que je n'ai rien vu. Je n'y étais pas.

— Je croyais que tu étais en poste là-bas ?

— Tu parles, j'y suis arrivé trois jours avant toi. On m'y a affecté pour reprendre le poste en main après cette affaire, justement.

— Tu mens, tu m'as dit avoir passé des étés à démonter et remonter pièce par pièce ton autochenille.

— Je ne te mens pas et c'est ce que j'ai fait, mais pas à ce poste. À celui où j'étais affecté avant, pendant plus de trois ans. Je viens de te le dire : je suis arrivé trois jours avant toi, c'est-à-dire en plein hiver, d'un poste situé à deux cents kilomètres au nord, et donc je suis venu avec mon autochenille.

— Tu aurais quand même pu me dire pour le voleur de bétail.

— Oyun, personne ne sait qui était entre ce cheval et cette dzum. On suppose que c'était le voleur de bétail mais on n'en sait rien.

— Mais tu savais pour les petits trafics des hélicos du jeudi ?

— Je connais la rumeur qui court dans les casernes, sans plus. On m'affecte là-bas, je tombe sur une pile de cadavres, et dans la foulée une jolie fliquette d'Oulan-Bator me tombe dans les pattes. Je suis allé aux ordres et on m'a dit de ne rien dire. C'est l'armée, tu sais !

Elle avait du mal à se convaincre qu'il disait toute la vérité, mais ils étaient encore nus tous les deux et déjà Gourian frôlait son corps. Elle eut à la fois la sensation que son cerveau de flic voulait le pousser dans ses retranchements, mais que tout le reste de son corps et de ses sens la poussait à l'attirer dans les siens. Déjà il était contre elle quand Slava frappa à la porte.

— Ouvrez, les amoureux, j'apporte des nouvelles du monde extérieur à l'univers de votre lupanar. Et du champagne. De Géorgie, mais champagne quand même !

Oyun courut jusqu'à la salle de bain en se couvrant au passage du drap qu'elle ramassa en se penchant sans pudeur. Slava entra et l'aperçut avant qu'elle ne claque la porte.

— Joli cul, décidément !

— Slava ! s'offusqua Oyun aussi vexée que flattée.

Elle passa sous la douche en essayant d'écouter si les garçons parlaient d'elle, puis réalisa qu'elle avait laissé ses vêtements dans la chambre.

Elle sortit sans prévenir, drapée dans une serviette, et s'étonna de trouver Gourian encore nu et bandé. Slava était assis sur le lit, en costume blanc comme d'habitude.

— Vieilles impudeurs de soldats ! expliqua-t-il en désignant du menton la nudité de Gourian. En tout cas je n'ai jamais vu sur lui d'effet féminin aussi durable. Félicitations !

— Tais-toi, idiot ! rougit Oyun en récupérant un à un ses vêtements et ses sous-vêtements.

Elle les avait jetés n'importe où à travers la pièce en retrouvant Gourian dans l'impatience d'un désir avide. Elle ressortit habillée et coiffée, et remarqua que Slava avait servi trois coupes.

— Que fête-t-on ?

— Rien de spécial, répondit Slava en haussant les épaules. Nous, tout simplement.

— À nous, alors ! reprit-elle en éclatant de rire.

— À propos, il paraît que ton commissaire veut venir boxer tout l'état-major ?

— Reconnais qu'il aurait des raisons. La façon dont j'ai été embarquée était plutôt insultante pour la police, non ?

— Pauvres petits policiers bousculés dans leur amour-propre. Voilà ce qui arrive quand des civils se mêlent des affaires de militaires.

— Qu'est-ce que ça veut dire ? Une enquête de police est une enquête de police, militaires ou pas !

— Bien sûr que non, mais il faut avoir été militaire pour le comprendre. L'armée c'est le secret, plus la hiérarchie, plus l'obéissance. Et voilà que ton commissaire exige les plans de vol de l'armée. Tu te rends compte ? Les plans de vol, à un civil !

— Chacun ses routines, répliqua Oyun qui n'aimait pas le ton moqueur de Slava. Nous avons les nôtres.

— Mais à quoi pourraient bien lui servir ces plans de vol ? C'est vrai que l'équipement et le budget de notre armée de l'air ont été réduits à la portion congrue, mais il nous reste quand même d'autres types de manœuvres que de bombarder des cavaliers nomades avec des femelles yacks !

— Slava, coupa Gourian, ils lui ont raconté pour le yack tombé de l'hélico.

— Qui ça ?

— Le général.

— Bon, et alors ?

— Alors je trouve que l'armée déploie beaucoup d'efforts pour couvrir les conneries débiles de trois bidasses, reprit Oyun.

— Que veux-tu, c'est ça l'esprit de corps !

— En tout cas, j'espère que vous ne balancez que des yacks.

— Qu'est-ce que ça veut dire ?

— Yeruldelgger pense que le mort de l'Otgonten-ger aurait très bien pu tomber d'un hélico lui aussi.

— Quoi, ça serait encore de la faute de l'armée ? Ça vire à l'obsession chez lui. Qu'est-ce qui le pousse à penser ça ? Vous avez retrouvé des rations alimentaires réglementaires dans son estomac à l'autopsie ?

— Il n'y a pas eu d'autopsie. Le corps a disparu…

— Enlevé par un hélico, je suis sûr ! se moqua Slava.

— Possible. L'attaque du petit musée et l'élimination du seul témoin, sans aucune trace au sol, ça ne semble possible à Yeruldelgger que par hélico. Et sur ce coup-là, j'ai plutôt tendance à penser comme lui.

— Mais comment pouvez-vous soupçonner l'armée d'actes aussi criminels ? s'indigna Slava en se levant d'un air outré.

— Peut-être parce que les trois bidasses en question sont morts ensemble dans un même accident providentiel du côté de Tchör ?

— Cette fois tu vas trop loin, s'énerva Slava pour la première fois. Ne le prends pas mal, rien de personnel, mais décidément je n'aime vraiment pas les flics !

Elle pensa une seconde que leur échange allait dégénérer. Slava avait dans le regard un trait de violence et de brutalité qu'elle ne lui connaissait pas. Mais elle devina qu'il faisait un effort pour contenir sa colère. Il les quitta sur une pirouette en embrassant Oyun sur le front avant de sortir.

— Sauf les flics qui ont un joli cul. Allez, gardez le champagne et reprenez là où vous en étiez !

— Qu'est-ce qui lui prend ? demanda Oyun quand elle eut refermé la porte.

— C'est Slava ! répondit Gourian en le regardant par la fenêtre monter dans sa voiture. Il ne faut pas toucher à l'armée. Surtout depuis qu'il l'a quittée.

— Il fait quoi, à propos ?

— Slava ? Il travaille pour l'armée, mais en dehors de l'armée. Les approvisionnements, un truc comme ça. Pourquoi, ça t'intéresse ? demanda-t-il en se retournant.

Il se cogna presque contre Oyun. Elle était tout contre lui et déjà prête à succomber à nouveau.

34

... déjà pris le parti de la petite frappe.

Yeruldelgger était parti tôt le matin, après avoir confié à Solongo, une grande partie de la nuit, ses doutes et ses angoisses. Dans la chaleur de la yourte, son corps fatigué lové contre celui de sa compagne, il avait partagé de longs silences balisés de confidences. Ses colères qui le taraudaient, son métier qui le minait, le système qui l'entravait. Ses souvenirs aussi. Et nulle part, comme il l'avait tant espéré, un signe du Nerguii, son maître à penser du Septième Monastère.

— Il m'abandonne, Solongo. Il me laisse à mes colères et ne viendra pas à mon aide. Cette fois il veut que je m'affronte. Je vais devoir descendre plus bas que moi-même et je ne suis pas certain d'en avoir la force. Mon âme n'est plus en harmonie avec l'âme de ce pays. En s'effritant il m'érode. Il m'use. Ce que je perds en force d'âme, je vais devoir le gagner en colère. C'est ce qu'il veut me pousser à apprendre. C'est le message de son silence. Je vais devoir devenir ce que je suis vraiment. Un homme brutal, coléreux, vengeur, et je ne suis pas sûr que cet homme te plaise, Solongo. Je vais partir quelque temps. Ne t'inquiète pas pour moi. Inquiète-toi pour mon âme. Qu'elle ne soit pas trop sombre quand je reviendrai.

Solongo ne l'avait pas retenu. Il s'était glissé hors du lit pour s'habiller sans la regarder et avait quitté la yourte. Quand il avait refermé la porte, elle avait bondi à son tour et était sortie, nue dans le matin glacial, pour bénir les quatre vents et le chemin qu'il avait emprunté de plusieurs gouttes de lait. Et de larmes aussi.

Le Touva était une crapule consciencieuse. Avec les touristes curieux et les premiers nostalgiques, il grimpait les trois cents marches qui menaient au mémorial de Zaïsan en hommage aux soldats russes. Yeruldelgger jugea inutile de le suivre à l'assaut de la butte en friche plaquée de mauvaises neiges. Il regagna sa voiture et rejoignit le monument par la route en équilibre sur la crête d'un haut talus qui contournait la colline et menait jusqu'au parking, derrière le monument. Il ne lui resta plus à gravir que la volée de marches qui enchâssaient le mémorial circulaire. Quelques touristes se forçaient à s'étonner de la vue panoramique que leurs guides, souriants et intéressés, leur vendaient comme spectaculaire. D'autres prenaient longuement la pause pendant qu'un amoureux ou un oncle essayait de cadrer un peu de la fresque monumentale qui coiffait l'endroit, comme une couronne posée sur trois faux rochers de béton. Yeruldelgger n'aimait pas les monuments et les célébrations en général, et celui-ci en particulier. Ou plutôt il n'aimait pas ce qu'on avait fait de son architecture audacieuse. Vers l'extérieur, comme un défi au pays et au monde entier, la couronne de béton était sculptée de reproductions monumentales des décorations de l'armée russe. À l'intérieur, une fresque retraçait quelques morceaux soigneusement choisis de l'amitié russo-mongole. La défaite de l'occupant chinois par les soldats du peuple russe en 1921. La défaite de l'occupant japonais par les soldats du peuple russe en 1929. Les figures légendaires de l'héroïsme soviétique : l'infirmière, le cosmonaute, le métallurgiste. Et des enfants blonds comme aucun Mongol ne l'était, fiers et sévères, dans les jambes des soldats face au danger. Yeruldelgger haïssait ce monument plus soviétique que russe, toute sa symbolique guerrière et sa virile espérance, promesse de jours heureux, et plus que tout le géant de béton casqué et botté brandissant, face à la ville qui n'était pas la sienne, un étendard dont la démesure et la prétention en faisaient une voile rigide de béton gris. La représentation d'une amitié russo-mongole qui n'était que russe, sans steppes, sans montagnes, sans troupeaux, sans yourtes. Un hommage arrogant que ses concepteurs avaient voulu tournant le dos à la montagne sacrée de Bogdkhan Uul et écrasant symboliquement le grand bouddha doré qui, une centaine de mètres plus bas, veillait avec bienveillance sur les âmes de la même ville.

Il aperçut l'homme au blouson cintré qui marchandait discrètement avec deux jeunes touristes allemands et se dirigea droit sur lui.

— Salchak ?

L'homme se retourna et le poing de Yeruldelgger lui fracassa la pommette.

— Désolé, je suis pressé. Emmène-moi au Bouriate, dit Yeruldelgger en le retenant par son blouson pour l'empêcher de tomber.

— Quel Bouriate ? Je ne connais pas de Bouriate !

Yeruldelgger frappa la même pommette en laissant cette fois le Touva partir à la renverse et se cogner la tête contre la corniche qui bordait l'esplanade. De sa main libre il afficha à la cantonade sa carte de commissaire pour décourager les improbables bons Samaritains. Deux gamins et un homme déguerpirent en courant et le petit cercle des curieux s'élargit un peu. Yeruldelgger empoigna l'homme à terre par son revers, le releva à la force du poignet, et le tira derrière lui pour descendre les escaliers jusqu'à sa voiture. Il ne lui laissa aucune chance de retrouver son équilibre pour se défendre. Arrivé sur le parking, il ouvrit la portière avant côté passager, y jeta l'homme encore sonné, et le menotta à une poignée qui saillait du montant à droite du pare-brise.

— Alors, le Bouriate ? demanda Yeruldelgger comme quelqu'un que les circonstances ennuient.

— Connais pas de Bouriate.

Sans lui laisser le temps de réagir, il plongea dans la voiture, s'empara du pied gauche du Touva, et le glissa entre ses bras menottés. Quand il tira dessus avec force, l'autre glissa au fond du siège, sa jambe coincée entre ses bras. Alors Yeruldelgger claqua la portière et contourna la voiture pour s'installer au volant. Il fit marche arrière pour se dégager du parking, mais s'arrêta juste au début dans la longue descente qui retournait vers le parc du Grand Bouddha. La route était bien goudronnée pour plaire aux touristes et pas encore trop fréquentée à cette heure-ci.

Elle plongeait sur deux cents mètres vers un virage en épingle à cheveux sur la droite qui la ramenait au pied du mémorial, où se côtoyaient un manège pour gosses, un stand de tir et un des chars soviétiques ayant participé à la chute de Berlin, collé canon vers le ciel sur un énorme faux rocher en béton.

— Le Bouriate ? demanda Yeruldelgger à nouveau.

— Va au diable !

— Allons, tu sais bien que le diable n'existe pas chez nous. C'est juste une hypocrisie occidentale.

— Vas-y quand même ! siffla l'homme haineux qui reprenait un peu d'assurance.

Yeruldelgger soupira puis le regarda un long moment avant de brusquement descendre de la voiture pour passer sur le siège arrière.

— Écoute-moi bien : je suis un vieux flic fatigué. Traquer des minables comme toi a fracassé ma vie. J'y ai perdu mes amours, beaucoup d'amis, pas mal de ma santé, et beaucoup de temps. Si bien qu'aujourd'hui je suis un flic désabusé qui n'a plus grand-chose à perdre. Alors si tu ne veux pas mourir, donne-moi le Bouriate.

— Pauvre type. Tu ne sais pas à qui tu t'attaques. Si je te donne le Bouriate, je meurs et toi aussi.

— Alors ainsi soit-il, murmura Yeruldelgger à l'oreille de Salchak, allons mourir ensemble !

Il se pencha brusquement par-dessus le dossier du siège avant et desserra le frein à main. Puis il poussa le levier de vitesse au point mort et la voiture se mit à glisser doucement dans la pente.

— Qu'est-ce que tu fais ? T'es dingue ! Arrête ça ! Arrête, putain, tu vas nous tuer !

— C'est ce que je t'ai promis, confirma Yeruldelg-ger.

Le Touva, paniqué, tenta sans y parvenir de dégager sa jambe pour freiner. Il essaya d'enclencher une vitesse à coups d'épaule. Il se déchira les poignets pour glisser ses mains hors des menottes. Basculé en avant comme il était, il ne voyait pas la route à travers le pare-brise, mais il savait comment elle avait été construite, sur la crête d'une arrête artificielle avec un ravin de pierre de chaque côté.

— Arrête ! Arrête ! Je ne peux pas te donner le Bouriate, sinon je meurs ! hurla l'homme qui devinait la vitesse que prenait la voiture par le chuintement des pneus sur l'asphalte.

— Mais tu *vas* mourir, expliqua Yeruldelgger, parce que tu ne peux pas m'échapper ! Tu aurais sûrement plus de chance d'échapper à la mort que te réserve le Bouriate qu'à celle qui nous attend !

La voiture empiéta soudain sur le bas-côté et des gravillons criblèrent la carrosserie par en dessous. Le Touva devint hystérique. Yeruldelgger attrapa le volant par-dessus le siège du conducteur et redressa la course folle.

— Plus que cent mètres avant l'épingle à cheveux, commenta-t-il. À cette vitesse et sans frein moteur nous ne passerons jamais ce virage. Est-ce que le Bouriate t'aurait tué en te déchiquetant à vif dans les tôles déchirées d'une voiture basculant en une dizaine de tonneaux jusqu'en bas du mémorial pour s'écrabouiller de rochers en rochers contre les murs de la grande cité le long de Zaïsan Street ?

L'homme hurlait de peur maintenant. Il sentait la

voiture se déporter et vibrer sous l'effet de la vitesse, et suppliait Yeruldelgger de freiner. Il le voyait du fond de son siège, penché, sans expression, les bras tendus sur le volant par-dessus le dossier du chauffeur.

— Dans le premier district ! Dans le premier district ! Il habite dans le premier district, la cité sur Chinggis derrière le National Stadium !

Yeruldelgger se pencha pour tirer sur le frein à main et la voiture partit en dérapage pendant qu'il mettait le contact en passant la première. Les pneus mordirent l'asphalte, la voiture sursauta et vira en tête-à-queue pour s'immobiliser sous le nez d'un gros car Mercedes rouge qui montait au mémorial sa cargaison de touristes éberlués. Ils avaient dû voir par les grandes vitres panoramiques la voiture glisser sans contrôle vers le virage où le bus les emmenait. Quand Yeruldelgger se pencha à la portière, il réalisa qu'à un mètre près, ils basculaient dans le vide.

— Je vais te dire une chose, mon garçon, et j'espère que tu t'en souviendras : méfie-toi d'un homme désespéré, mais tremble devant un homme désabusé. Surtout un flic désabusé.

Le Touva était blême. Yeruldelgger força sa jambe dans l'autre sens pour le dégager et le redressa sur son siège en le tirant par le col de son blouson. Il détacha les menottes de la poignée, sortit le Touva encore choqué de la voiture, puis lui cassa les bras dans le dos pour le remenotter.

— Tu l'aurais fait ? Tu nous aurais vraiment jetés en bas ?

— Tu as encore une chance de le savoir, si tu ne me donnes pas l'adresse exacte du Bouriate.

— Hurd Horoolol Zam. Le premier immeuble face au stade en venant d'ici. Au neuvième, deuxième porte à gauche.

Yeruldelgger remonta dans la voiture et manœuvra pour se dégager des badauds qui s'agglutinaient.

— Hey ! hurla le Touva. Et les menottes ?

— Tu les rapportes au Département de police avant dix-sept heures ce soir, sinon tu sais ce qui t'attend !

Et il démarra sans se formaliser des insultes et des jurons de la foule qui avait déjà pris le parti de la petite frappe.

... le premier nom que je lâche,
c'est le tien. Compris ?

Yeruldelgger attendit de reprendre sa respiration avant de frapper. Il avait monté les neuf étages à pied. L'ascenseur était en panne. Depuis deux ans ! avait ahané une vieille au visage chiffonné par le grand âge. Yeruldelgger l'avait aidée à porter son cabas jusqu'au septième en lui demandant si le Bouriate habitait toujours l'immeuble. Elle lui avait confirmé l'étage et le numéro de porte. Et que les deux petites, belles comme des anges, méritaient un meilleur père que ce vaurien. Et que ce n'était pas le fer à cheval au-dessus de sa porte qui le protégerait longtemps comme le croient ces sorciers de Bouriates.

— Qui est-ce ? demanda à travers la porte une voix méfiante, éraillée par le mauvais tabac et la vodka de contrebande.

— Yeruldelgger.

— Connais pas.

— Tu devrais, parce que je suis celui qui peut faire ton malheur.

— Passe ton chemin, personne ne fait rien pour moi et je ne fais jamais rien pour personne. Et je suis armé.

— Moi aussi, répondit Yeruldelgger.

— Passe ton chemin, je ne te connais pas.

— Moi je te connais. Et je connais tes deux filles.

La porte s'ouvrit brusquement et le Bouriate surgit, l'arme à la main.

Yeruldelgger s'y était préparé et profita de la seconde de colère incontrôlée de l'homme pour le désarmer et le repousser à l'intérieur de l'appartement. Il aperçut une très jeune femme qui serra aussitôt contre elle deux toutes petites filles blondes. Des jumelles, de deux ans environ, accrochées à leur mère qui devait être russe.

— Ne me force pas à t'abattre devant ta famille, dit Yeruldelgger en le tenant en respect.

Mais l'homme n'affichait aucune peur, sûr de sa force et de sa colère. Il imaginait déjà plusieurs façons de retourner la situation, quitte à se blesser dans la lutte. Comme tous les voyous prêts à tuer des enfants pour deux dollars, l'homme était prêt à mourir pour défendre les siens.

Cette faille dans sa cruauté avait donné l'avantage à Yeruldelgger, mais il devait se méfier.

L'intérieur ressemblait à ce à quoi il s'attendait. Un appartement de Bouriate, tapissé de lambris pour rappeler les yourtes en bois. L'homme, aujourd'hui voyou des villes, avait été un enfant nomade. Il avait reproduit dans son appartement, plus ou moins consciemment, l'équilibre traditionnel des espaces. Yeruldelgger se repéra par rapport à la porte et repoussa l'homme sur la droite, du côté de la petite cuisine et des réserves de nourriture. C'était traditionnellement à l'est dans les yourtes, le domaine des femmes. C'était surtout celui opposé, à l'ouest, au domaine des hommes, avec les outils, les armes, les harnachements, l'alcool et les images des esprits. Il repéra un fusil de chasse, à peine dissimulé derrière un établi, et vérifia qu'il n'était pas chargé. Sans quitter le Bouriate des yeux, il ouvrit un à un les tiroirs des meubles situés de ce côté de l'appartement et trouva l'arme qu'il cherchait. Un Strij. Une arme toute nouvelle. Autre chose que les vieux Makarov récupérés dans la débandade des troupes soviétiques vingt ans plus tôt. Celui-là pouvait vider son chargeur de dix-sept balles en rafales. Pas l'arme d'un voyou. Celle d'un truand. Elle allait bientôt équiper toutes les forces de police russes, mais elle était déjà la préférée des réseaux mafieux.

— Combien d'hommes as-tu déjà tués avec ça ?

— Aucun ! répondit Knyaztsy

Il ne regardait pas Yeruldelgger dans les yeux. Il fixait un point à la base de son cou. Un réflexe de bagarreur qui donne de l'adversaire une vision plus intuitive et induit chez lui la peur de voir le premier coup porté à la gorge.

— Sur la tête de tes filles ?

— Laisse mes filles en dehors de ça !

— Justement, ça dépend de toi.

Chaque allusion à ses filles suffisait à faire perdre à Knyaztsy un peu de sa maîtrise. Yeruldelgger en profita pour envoyer un signal et lui faire comprendre qu'il avait, lui aussi, l'instinct du combat. La plupart des hommes esquivent par la gauche parce qu'ils portent leur poids sur le pied droit, leur pied d'appui, qu'ils gardent toujours un peu avancé. Leur recul imminent est alors souvent trahi par un regard dérobé vers leur côté de repli. Le Bouriate voyait bien qu'il tenait l'arme dans sa main droite. Quand Yeruldelgger avança imperceptiblement le pied gauche, l'autre comprit aussitôt qu'il était prêt à l'affrontement.

Quelque chose en lui trahit une légère perte de confiance. Yeruldelgger avait pris l'ascendant et glissa le Strij dans sa poche, pariant sur le fait que même truand et mafieux, le Bouriate ne possédait sûrement pas d'autre arme que son vieux fusil et son fusil de chasse.

— Assieds-toi ! ordonna-t-il en lui désignant la table.

Comme le voulait la tradition, la table était à l'opposé de la porte, avant le lit des enfants appuyés au mur du fond. La jeune femme serra les deux gamines contre elle. Elle n'était pas très jolie, et malgré les circonstances, Yeruldelgger se surprit à penser que, malgré leurs gueules d'ange, les petites allaient un jour lui ressembler.

— Elles peuvent sortir.

Aussitôt la femme poussa ses filles devant elle vers la porte mais Knyaztsy les arrêta d'un geste.

— Elles restent !

— Comme tu veux. Si tu penses que ça m'arrêtera.

— Tu es un flic.

— C'est vrai, mais un flic désabusé. J'ai déjà eu l'occasion d'expliquer la différence à ton ami Salchak ce matin.

— Ce n'est pas mon ami.

— Je m'en doute, puisqu'il t'a donné.

— Je le tuerai pour ça.

— À condition que je t'en laisse l'occasion.

— Que veux-tu ?

— Ah, enfin une question sensée. Assieds-toi et dis-moi où il est.

Yeruldelgger jeta sur la table une des photos de Ganshü prise à Krasnokamensk.

L'homme jeta un rapide coup d'œil sur la photo et le regarda droit dans les yeux pour lui dire qu'il ne le savait pas. Yeruldelgger sut tout de suite qu'il mentait.

— Écoute, je m'appelle Yeruldelgger et je suis flic. Un flic fatigué. Épuisé d'avoir encore et encore à courir jour après jour à la poursuite d'âmes nauséabondes comme la tienne. Si lessivé que j'ai décidé maintenant de ne plus courir. Alors dis-moi où est ce gamin, sinon je trouverai le moyen de te le faire dire sans avoir à marcher, ne serait-ce que d'un pas.

— Je ne connais pas ce môme, s'entêta le Bouriate.

— Quand je disais désabusé, soupira Yeruldelgger, je voulais dire pourri. Je suis un flic pourri. Ou plutôt je suis en train de le devenir et tu risques d'être ma première pourriture. Ce gamin, tu vois, c'est une affaire personnelle. Rien d'officiel. Pas de règlement, pas de procédure, pas de loi. C'est juste personnel. Pour tout te dire, c'est le gamin d'une amie prostituée qu'on m'accuse d'avoir égorgée. Et comme son souteneur était mon supérieur dans la police et que je l'ai fait coffrer, c'est dire si je suis dans la merde, tu ne crois pas ? Alors d'après toi, jusqu'où serais-je capable d'aller pour le retrouver ?

— ...

— Cette photo a été prise à Krasnokamensk et je pense que c'est à toi qu'il doit d'être là-bas. Je veux savoir où il est maintenant.

— …

— Bon. J'aurais vraiment plaisir à démolir ta face de brute, et malgré mon embonpoint, j'en suis largement capable, crois-moi. Mais ça ne serait pas assez pourri pour toi, alors voilà ce que je te promets. Si je ne retrouve pas ce gamin, ce sont tes filles que je prends en échange. Je fais ce métier depuis plus de vingt ans. J'ai des connaissances parmi les flics pourris du monde entier. J'en connais beaucoup en Russie qui connaissent à leur tour de riches familles d'oligarques en mal d'enfants. Elles sont adorables. Elles ne seront pas difficiles à vendre. Et puis elles sont si jeunes qu'elles ne se souviendront même plus de toi. Ni de leur mère. Elles seront même sûrement plus heureuses qu'avec un père qui gagne sa vie un Strij à la main.

— Tu touches un seul de leurs cheveux, je te tue.

— Tu seras mort avant. Où est le gosse ?

— … Je ne sais pas où il est. Mon boulot c'est de les emmener jusqu'à Krasnokamensk. Là-bas quelqu'un d'autre prend le relais et je ne sais pas où ils vont. Mais ce n'est pas ce que tu crois. Les gamins, c'est eux qui veulent partir. Ils sont tous d'accord. Le tien, là, le Ganshü, il n'avait qu'un seul rêve, c'était aller en Europe. En France même. Je n'ai jamais embarqué un môme de force.

— Oui, je suppose que tu te contentes de les convaincre, n'est-ce pas ? En Russie, c'est une filière organisée ?

— Tu n'imagines même pas la puissance et le pouvoir de ces gens-là. Je leur parle de toi et tu es mort.

— Tu leur parles de moi, et c'est toi qu'ils éliminent en premier.

— Qu'est-ce que tu proposes ?

— Rien, répondit Yeruldelgger. Tu me dis tout ce que tu sais, les lieux de rendez-vous, les noms, les contacts, et tu implores n'importe lequel de tes esprits de Bouriate superstitieux pour que je sorte d'ici sans t'en mettre une dans le front. Et si je te laisse la vie sauve et qu'il m'arrive quelque chose, le premier nom que je lâche, c'est le tien. Compris ?

36

... dans cette ville à l'agonie.

Krasnokamensk devait ses jours de gloire à la colonie pénitentiaire YaG 14/10 où Poutine s'était efforcé, depuis octobre 2005, de briser la résistance de l'oligarque Mikhaïl Khodorkovski. Mais dans le même temps où elle était devenue connue de la terre entière, la ville s'était isolée du reste du monde, histoire de décourager militants, avocats et journalistes. Officiellement pas un hôtel à réserver sur la Toile dans cette ville de soixante mille habitants. À cent trente kilomètres de la frontière mongole, à moins de mille kilomètres d'Oulan-Bator à vol d'oiseau, Yeruldelgger n'avait trouvé aucun vol direct. Entre dix-huit et quarante-trois heures avec deux escales en passant par la Chine. Pas moins de vingt-sept heures en passant par Moscou. Et l'embranchement du Transsibérien qui dessert la ville imposait une halte d'une heure à Urunlunguy. Officiellement pour séparer les wagons qui continuent jusqu'à Priargnik. Officieusement pour contrôler chaque voyageur qui s'aventure jusqu'à Krasnokamensk.

Mais qui souhaiterait s'attarder dans cette ville jusqu'alors connue pour sa mine d'uranium, la plus grande de Russie, qui irradie sur les environs une pollution radioactive vingt fois supérieure aux normes admises, maintenant que Khodorkovski avait été déporté ailleurs ?

Yeruldelgger y était, prêt pour retrouver Ganshü. Il avait voyagé quatre jours pour y arriver. D'Oulan-Bator à Oulan-Oude d'abord, capitale de la république de Bouriatie, mais surtout du bouddhisme tibétain en Russie. Dans la vieille ville aux anciennes maisons marchandes de pierre et de bois richement sculptés, là où l'Ouda conflue vers la Selenga, il avait été reçu par un émissaire du datsan d'Ivolguinsk, siège de plusieurs temples, de musées et de l'université bouddhiste. Puis il avait repris le train pour Tchita, à quatre cents kilomètres et un jour et demi de voyage de là. Yeruldelgger patientait maintenant dans la file, confiant dans la recommandation des moines d'Oulan-Oude. Il passa différents contrôles, sans vraiment comprendre qui contrôlait quoi. Police, douane, armée, chaque uniforme rajoutait de l'indifférence ou de l'arrogance à la procédure. Il lui fallut une heure pour embarquer à nouveau. Officiellement, il inspectait les intendances des temples de la région, même s'il n'existait aucun temple digne de ce nom là où il allait. Dans cette Russie orientale post-soviétique qui se délitait, pendant qu'à l'ouest l'autre Russie se reconstruisait, le mystère religieux remplaçait la crainte du Parti. Maintenant qu'elles n'étaient plus l'opium des peuples et qu'elles avaient survécu aux tentatives d'éradication bolcheviques, les croyances étaient redevenues de l'ordre du sacré, et le commun des mortels, surtout en uniforme, prenait bien soin de ne plus s'y frotter. Par superstition.

La ligne n'était plus électrifiée et le train se traîna jusqu'à Krasnokamensk à travers un paysage de lendemain de guerre. Très vite Yeruldelgger ne put détacher son regard de cette désolation. Des plaines et des forêts ravagées, asphyxiées de scories. Des usines n'importe où, comme des insectes monstrueux qui s'acharnaient sur une terre meurtrie. La construction de la ville avait été décidée à la fin des années soixante, pendant que la jeunesse occidentale redécouvrait la plage sous les pavés, et mise en œuvre par des légions de volontaires communistes envoyées construire la Ville Rouge de l'Uranium. Suivirent des convois disciplinaires de conscrits récalcitrants, puis des déportés résignés. Et la ville, interdite aux étrangers, même aux étrangers de l'intérieur, au nom du secret stratégique, s'était éteinte sous le couvercle de la censure. Yeruldelgger regardait avec horreur ce que sa Mongolie pouvait devenir. Dans les forêts dépecées, il voyait ses steppes lardées de mines à ciel ouvert. Dans les quartiers d'isbas de mauvais bois où se résignait un sous-prolétariat désœuvré, il reconnaissait ceux de yourtes à Oulan-Bator où se desséchaient les vieilles grands-mères pendant que les vieux nomades s'imbibaient de vodka chinoise de contrebande. Et les mêmes immeubles à la soviétique qui se délitaient entre des routes précaires et des rues défoncées. Il sentit son âme enfler d'un terrible découragement.

Soudain le train le bringuebala contre la vitre. Le convoi chaloupa au ralenti en crissant sur des aiguillages. Des rails s'éparpillèrent en éventail parmi les herbes folles pour aller buter contre les murs aveugles de fabriques abandonnées. Il chercha à comprendre pourquoi ils entraient dans la ville par le nord quand le train s'arrêta brusquement. Il n'allait pas plus loin que ce qu'il prit pour un hangar désaffecté et qui était bel et bien le terminus. Quelle houle d'abandon avait dû noyer le cœur de ce Khodorkovski quand il avait découvert où on le déportait, après cinq jours de voyage au secret dans un wagon sans vitre !

— Rentre chez toi, Chinois ! aboya un homme pressé en le bousculant.

— Va te faire foutre ! répondit Yeruldelgger en russe.

Il se ressaisit et traversa les voies sans quai jusqu'à ce qui ressemblait enfin à une gare soviétique. Il la traversa et chercha un taxi. L'homme qui lui proposa de l'emmener prétendit qu'il l'était et Yeruldelgger accepta de le croire parce qu'il roulait en Toyota.

— Je l'ai acheté neuf ! lança fièrement le chauffeur du 4 × 4 sans compteur. J'ai laissé tomber la mine il y a longtemps. Je ne suis pas comme tous ces abrutis ! Moi je vends du bois. Je vends du bois aux Chinois. Ils en ont besoin pour faire des meubles là-bas, vu qu'ils ont déjà tout rasé chez eux. Le bois ça rapporte bien. Et puis tu ne meurs pas irradié à quarante ans, comme ceux de la mine !

— Je croyais que le bois, c'était la chasse gardée de la mafia par ici ? s'étonna Yeruldelgger en fixant l'homme dans le rétroviseur.

L'autre soutint son regard d'un œil soudain méfiant et dur.

— T'es qui toi ?

— T'as pas besoin de le savoir. Emmène-moi où je t'ai dit et arrête de fanfaronner.

Ils traversèrent une ville soviétique défaite, avec des immeubles placardés d'immenses fresques murales faussement fières, à la gloire des mineurs qui mouraient dans les sous-sols.

— Tu es sûr de l'adresse ? demanda le chauffeur.

Ils quittaient la ville par des terrains vagues vers un quartier d'isbas.

— Tu n'es pas là pour la Huitième Division, j'espère ?

— C'est quoi la Huitième Division ?

— Si tu ne sais pas, c'est mieux.

— C'est là où était enfermé Khodorkovski ?

— Putain alors, c'est pour lui que tu es là ?

— Je me fous de ce type et de votre politique. Je viens pour les moines, je t'ai dit.

— Il n'y a pas de monastère bouddhiste à Krasnokamensk. Il y a une supérette, trois cybercafés, un distributeur automatique de billets, mais pas de monastère.

— Justement, je suis là pour ça. Oulan-Oude prévoit d'en construire un.

— Et pourquoi Oulan-Oude ferait appel à un Mongol pour installer un temple à Krasnokamensk ?

— Parce qu'en Mongolie j'appartiens à la communauté du Septième Monastère et que nous prévoyons de participer au financement et à l'enseignement.

— Connais pas ce Septième Monastère.

— Tant mieux pour toi.

Ils arrivèrent bientôt dans un quartier qui aurait pu ressembler au cœur d'une vieille ville de trappeurs. L'homme lui indiqua un passage étroit de l'autre côté d'une place boueuse, et lui expliqua qu'il ne voulait pas y risquer son Toyota. Yeruldelgger traversa la place et s'enfonça dans la ruelle. En se retournant, il aperçut le chauffeur, de l'autre côté de la place. Il ne le quittait pas des yeux tout en échangeant de l'argent avec un homme qu'il avait hélé depuis sa voiture, son portable à l'oreille coincé contre son épaule.

L'homme qui accueillit Yeruldelgger en avait reçu l'ordre d'un moine important du datsan de Oulan-Oude. Il se mit à sa disposition avec crainte et déférence. Yeruldelgger comprit que ce n'était ni un militant, ni un activiste. Tout juste un hébergeur. Il prit possession de sa chambre, à peine plus confortable qu'une cellule, se lava à l'eau froide, et s'accorda deux heures de repos avant de partir à la recherche de Ganshü dans cette ville à l'agonie.

37

Oh merde ! murmura le flic. Pas ça !

Zarzavadjian avait appris à aimer l'univers enche-vêtré des arrière-gares et des voies de triage. Tous les poteaux, les potences et les portiques et leurs signa-lisations suspendues. Les mirlitons d'approche, les œilletons de franchissement. Les sémaphores et les feux de heurtoirs. Et bien entendu l'infinie arbores-cence des rails. Mais il n'aimait pas les wagons immo-biles, et encore moins les containers empilés. C'était pourtant là qu'il planquait depuis des heures. Au milieu d'une centaine d'entre eux, dispersés par piles de deux ou trois sur une parcelle discrète au bout du port du Havre, du côté de l'estuaire. En fait il ne sur-veillait que les wagons. Trois, au bout d'une voie de desserte aux rails éraillés de rouille. C'est là qu'il était tombé sur les deux hommes armés.

— Alors, client, on fait des emplettes ?

Ils s'étaient retournés en cherchant à dégainer, mais Zarzavadjian les tenait déjà en respect.

— Fais pas le con, on est flics.

— Ça tombe bien, moi aussi.

— Quelle unité ?

— De la ferroviaire.

— Eh bien nous, on est la BAC, mon pote, dit une voix dans son dos, alors lâche ton arme, rigolo.

Zarzavadjian sentit le canon d'un automatique contre sa nuque. C'était déjà la deuxième erreur du troisième homme.

— Tu en as mis du temps, client !

La première erreur, c'était de s'être avancé jusqu'à lui dans le même axe que les deux qu'il tenait encore en respect. Quand il enseignait ce genre de technique, c'était toujours une de ses premières recommandations. Un, pas dans le même axe, et deux, pas à cette distance.

— Parce que tu m'attendais, peut-être ?

— Les flics ça va toujours par trois de nos jours, non ? Alors je me disais…

— Eh bien tu ne dis plus rien et tu lâches ton flingue.

— J'ai toujours tes collègues en ligne de mire !

— Tu crois pouvoir tirer plus vite que moi ?

C'était la troisième erreur. Être persuadé d'avoir les choses en main. Croire en sa supériorité matérielle ou numérique. Pire encore, croire en sa supériorité stratégique.

— Allez bonhomme, lâche ton arme, c'est fini !

— D'accord, client !

Il tendit le bras vers ceux qu'il tenait en joue et ouvrit le poing pour laisser pivoter l'arme, crosse en l'air, autour de son index. Les deux flics baissèrent leur garde et s'approchèrent pour s'en emparer, en colère d'avoir été humiliés. Sur sa nuque, la pression du canon se relâcha imperceptiblement. L'homme derrière pensait que les deux autres devant avaient la situation en main. Nouvelle erreur. Ils ne l'avaient pas encore, et lui ne l'avait déjà plus. Il s'occupa d'abord de l'homme derrière lui pour le ramener face aux autres d'une prise de bras et le désarmer au passage. Dans le même mouvement il le jeta contre eux et les neutralisa en les envoyant s'assommer contre un container. Le premier qui retrouva un peu d'équilibre chercha à dégainer son arme pour se défendre, mais Zarzavadjian ne montra aucune inquiétude. Il sortit de sa poche l'automatique que l'homme cherchait.

— Celle-là c'est la tienne, client. Celles de tes copains sont dans l'autre poche ! Qu'est-ce qu'on vous apprend à la BAC, hein ? Un type de la police ferroviaire, ça ne vous titille pas les neurones ? Vous croyez que c'est une carrière qu'on recherche, ça, police ferroviaire ? Vous ne pensez pas que ça sonne plutôt comme une punition ? Vous ne vous posez pas la question de savoir ce qu'un type a bien pu faire de très moche pour mériter ça ? Toi, d'après toi, qu'est-ce que j'ai bien pu faire pour mériter ça ?

— Le con, sûrement, répondit le flic désigné en essayant de reprendre un peu d'assurance.

— Exact, tu l'as dit, client. Le con, et dans les grandes largeurs encore. Parce que ferroviaire, tu vois, ce n'était pas ma formation première, vous devez bien vous en douter maintenant !

— Tu viens d'où ? demanda celui qui avait essayé de le surprendre en redoutant aussitôt la réponse.

— Forces spéciales à l'armée d'abord, sécurité intérieure dans la police ensuite, direction des Opérations extérieures avant les conneries, énuméra Zarzavadjian. La plupart du temps instructeur auprès des forces d'intervention des pays émergents. Barbouze, quoi !

— Et merde ! lâcha le troisième flic, découragé. Et qu'est-ce que tu viens nous pourrir notre enquête, alors ?

— Vous cherchez quoi ?

— Un gang qui écume les caves et les parfumeries de la région. On pense que leur trafic est organisé à partir d'un entrepôt dans une zone industrielle de la ville. On les soupçonne d'expédier leur butin à l'étranger par le train, alors on fait les dépôts de containers un par un.

— Qu'est-ce que vous savez sur eux ?

— Des mineurs. On en a déjà chopé deux qui n'ont rien dit. On a été obligés de les relâcher mais on les a filés jusqu'au port. Après ils nous ont semés. Des gosses. Des chinetoques.

— Des Chinois, tu veux dire ?

— Oui, c'est ça, des chinetoques.

— C'est bien ce que je veux dire. Des Chinois.

Les flics mirent du temps à saisir le rappel à l'ordre de Zarzavadjian.

— D'accord, des Chinois, si tu préfères.

— Je préfère. Bon alors voilà ce qu'on va faire. Vous, vous arrêtez de faire les cons et vous rentrez boire une bière au commissariat, et moi je cherche mes wagons tranquille.

— Tes wagons ? Un mec des forces spéciales pour chercher des wagons ? Ils transportent quoi, des armes ? De la dope ?

237

— Rien, client, ils ne transportent rien, c'est ça qui est fort. Ils sont vides et la SNCF les a paumés.

— Ouais, eh bien nos wagons à nous ils sont blindés de came française revendue au noir je ne sais où à l'autre bout du monde, alors laisse-nous faire notre job et retourne à tes aiguillages !

— Ah, perdu, client, mes wagons à moi valent plus cher ! Cent cinquante wagons disparus des listings depuis trois ans à vingt euros par jour de location, ça fait quoi en manque à gagner : dans les trois patates ça, non ?

— Des patates ?

— Oui, des patates, des briques, des blindes, des barres. Des millions quoi ! Alors on arrête de jouer et c'est moi qui fais le job.

Il éjecta tour à tour les chargeurs de leurs armes et les lança le plus loin possible dans les herbes folles. Puis il balança les pistolets vides hors d'atteinte sur le toit des containers empilés. Le choc des flingues résonna contre le métal.

— Hey, espèce de…

— Ta gueule ! hurla Zarzavadjian.

— Putain, je te jure que…

— Ferme-la ! Écoute !

Il avait braqué le flic pour le forcer au silence et les deux autres s'étaient figés sur place.

— Écoutez ! leur dit Zarzavadjian à voix basse.

Des coups sourds. À peine perceptibles. Faibles mais proches à la fois.

Il était le seul à les avoir entendus. Il remit le cran de sécurité de son arme, s'approcha d'un container, et cogna dessus à trois reprises avec la crosse. Après

quelques secondes, trois coups étouffés lui répondirent.

— Quelqu'un appelle, murmura-t-il. Je frappe à
intervalles réguliers et vous essayez de repérer d'où
ça vient. Personne ne parle et personne ne bouge
tant qu'on entend quelque chose, et on progresse en
conséquence. Déployez-vous, qu'on ait de meilleures
chances de le trianguler.

Le ton de Zarzavadjian était impératif et les trois flics
se mirent aussitôt à ses ordres. Après trois séries de
coups seulement, ils identifièrent le container d'où pro-
venaient les appels. D'un bloc de neuf en trois piles de
trois. Les coups étaient frappés de l'intérieur du premier
container de la pile du milieu. Zarzavadjian ordonna par
geste qu'un policier se prépare à déverrouiller la porte
et qu'un autre se tienne prêt à ouvrir en grand le battant.
Il indiqua au dernier de se tenir derrière lui, et se positionna à trois mètres, en position de tir. Puis il déclencha l'action d'un signe de la tête.

— Police !

Il fallut deux secondes pour que leurs yeux
s'adaptent à l'obscurité de l'intérieur et à la vision
d'horreur qu'elle cachait.

— Oh merde ! murmura le flic. Pas ça !

... quitta la scène de crime en hurlant.

Le silence. C'était ça cette gêne palpable qui engluait toute la scène. Ce silence qui ralentissait chaque mouvement, qui alourdissait chaque regard. Un silence jusque dans les gestes qui remplaçaient les ordres par des signes à peine ébauchés. Parce qu'il n'y avait pas de mots pour dire cette horreur. Plus rien à faire non plus pour tous ces mômes. Alors chacun s'affairait en silence, les sauveteurs à se résigner à ne rien pouvoir sauver, les enquêteurs à ne pas savoir par où enquêter, chacun mettant dans ses mouvements un peu plus de lenteur pour prouver son application, tant la cruauté du crime lui retournait le cœur. Zarza regardait autour de lui le chaos silencieux qui pulsait au rythme des urgences et des secours. C'était curieux comme les lieux de crime ou d'accident ressemblaient désormais à la façon dont on les mettait en scène dans les films. D'ailleurs ça s'appelait maintenant des scènes de crime. Toutes ces voitures et toutes ces ambulances garées n'importe où sans priorité d'urgence, les phares qui restaient allumés, les véhicules qui continuaient d'arriver. Pompiers, voitures de patrouille, berlines banalisées avec gyrophare intérieur… Avait-on vraiment besoin de tout ce déploiement de force et de moyens ? En d'autres temps une autorité aurait pris la main pour organiser ce bordel. Les huit ambulances alignées quelque part à l'écart pour le repos des sept morts et les chances de survie du mourant. La police scientifique au centre d'une scène bien isolée par un service d'ordre en uniforme. Les pompiers en retrait, en réserve au cas où. La sécurité civile en concurrence quelque part. Mais au lieu de cela, d'autres continuaient d'arriver encore et encore dans la plus grande confusion : officiels, politiques, supérieurs. Il apparut soudain à Zarzavadjian que tout ce cirque n'était en fait qu'un exutoire à leur honte de n'avoir pas su empêcher ça.

— Sacré bordel, n'est-ce pas ?

Zarza se retourna sans lâcher la main de l'enfant.

— Il va s'en sortir ?

L'homme avait la cinquantaine, bien mis dans un imper beige ouvert sur un costume sombre sans cravate. Son visage tout raviné de fatigue et de bourlinguages ne trahissait pas d'émotion particulière. Il posait juste une question pour savoir. Pour avoir une réponse. Zarza le dévisagea puis suivit son regard qui avait glissé jusqu'à sa main. Elle tenait toujours celle du gamin. Ou plutôt c'est le gamin qui se cramponnait de toute sa faiblesse à son index. Il s'en était saisi quand Zarza s'était rendu compte qu'il était encore vivant. Il ne l'avait pas lâché depuis. Même quand on l'avait porté hors du container pour l'étendre sur une civière. Même quand on lui avait donné les premiers soins. Même quand on l'avait roulé jusqu'à l'ambulance du SAMU. Et maintenant il était percé de perfusions, clippé de capteurs, branché à des moniteurs, et il ne lâchait toujours pas le doigt de Zarza malgré le coma dans lequel il semblait avoir sombré. Personne n'avait osé défaire ce lien qui semblait être la seule chose retenant à la vie ce môme au bord de la mort. Zarza n'aurait laissé personne le rompre.

— Il va s'en sortir, répondit-il avec hargne comme s'il provoquait le destin.

— Souhaitons-le. Tous les autres sont morts ?

— Vous êtes qui ? s'énerva Zarza.

— Daniel Soulniz, du *Havre Libre*.

— Foutez le camp d'ici.

— Ouais, c'est ce que vos collègues m'ont déjà dit. C'est vous le flic de la ferroviaire ?

— Foutez le camp, je vous ai dit !

— Putain, la ferroviaire ! Pourquoi pas une police des barges et des péniches tant qu'ils y sont.

— Rassurez-vous, ça doit sûrement exister. Qu'est-ce que vous cherchez, que je vous sorte du périmètre à coups de crosse ?

— Allons, vous n'êtes pas ce genre de flic.

— Ah oui ? Et quel genre de flic je suis ?

— Du genre à se laisser tenir le doigt par un gosse qui meurt à vingt mille bornes de chez lui.

— Écoutez, j'ai eu ma dose aujourd'hui. Lâchez-moi avant que je pète un câble, j'ai des choses plus importantes à faire.

— Oui, je sais. Suivre ce gosse à l'hosto, ne pas l'abandonner, passer des nuits sur une chaise à épier les bips du moniteur, chialer quand personne ne vous voit, prier quand personne ne vous entend, vous foutre votre hiérarchie à dos, vous foutre vos collègues à dos, faire pitié au personnel hospitalier.

— Ouais. C'est exactement ce que je vais faire.

— Je sais, et c'est pour ça que je vous aime déjà bien mieux que tous ces cons qui pensent encore que ces mômes sont de pauvres chinetoques...

— Des Chinois !

— Non, justement : ni Chinois, ni chinetoques. Ces gamins sont des Mongols. J'en mettrais ma belle-mère à couper.

— Comment pouvez-vous êtes sûr de ça ?

— Vous ne savez pas où vous êtes ?

— Écoutez, je vous l'ai dit, j'ai eu ma dose. Alors accouchez sans faire le malin.

— Cette aire de stockage appartient à la Mongolian Shipping Company.

— La Mongolie n'a pas de mer si j'ai bonne mémoire.

— La Suisse a bien une flotte marchande dont le port d'attache est Bâle, à 244 mètres d'altitude dans une vallée du Jura.

— Bon, d'accord. C'est quoi cette Shipping Company ?

— Une boîte, genre import-export. Ou plus exactement une boîte dans une boîte dans une boîte. Un montage astucieux et opaque de petites sociétés. Ces mômes ne pouvaient pas être là par hasard. Quelqu'un devait le savoir.

— C'est qui, quelqu'un ? Qui dirige cette boîte ?

— Qui dirige, je n'en sais rien. Trop embrouillé. Mais qui fait tourner la taule, je sais : cherchez la femme !

— Je vous ai prévenu. Si je craque, ça risque d'être violent, client, prévint Zarza. Alors quelle femme ?

— Bon, si tu insistes, j'explique...

— On se tutoie maintenant ?

— Vu que tu m'appelles « client », j'ai pensé que je pouvais.

— Écoute, client, je te fracasse maintenant si tu n'arrêtes pas tes conneries et que tu ne me dis pas qui est cette femme, quel que soit son nom.

— Dzanouni.

— Dzanouni ?

— C'est pas une locale, mais elle a épousé un Dzanouni. Un gars dans la banque. Enfin, épousé on n'en est pas très sûrs, mais depuis que le type s'est tiré, elle a gardé Dzanouni.

— Et on la trouve où ?

— On peut la chercher ensemble, si tu veux.

— Pas besoin de toi.

— Tu connais Le Havre ?

— J'apprendrai.

— Écoute, Le Havre, c'est deux cent cinquante mille habitants dans l'agglomération. Rien que le port, c'est dix mille hectares où transitent quarante et un millions de tonnes de pétrole, vingt-trois millions de containers, huit cent mille croisiéristes, mille trois cents plaisanciers. Soixante-quinze lignes maritimes partent ou accostent ici. C'est le deuxième port français. Le sixième en Europe. Et je ne te raconte pas les bars à putes, les réseaux de came et les braqueurs au bélier qui vont avec.

— Et alors ?

— Et alors moi je suis né ici, et j'y suis journaliste depuis trente ans à part une petite escapade de quelques années. Tu veux apprendre Le Havre ? Tu ne trouveras pas meilleur prof que moi.

— Bon alors, cette Dzanouni…

— Monsieur ?

Un urgentiste posa sa main sur l'épaule de Zarza qui revint brusquement au gamin tenant son doigt.

— Il reprend connaissance ?

— Non, monsieur, mais nous l'avons stabilisé. On peut le transporter maintenant. On l'emmène aux urgences pédiatriques à Flaubert.

— C'est bien, Flaubert ? demanda Zarza en se retournant vers le journaliste

— C'est nickel ! répondit Soulniz en hochant la tête.

— Je monte avec lui.

— Monsieur, c'est…

— Je monte avec lui !

— D'accord, d'accord, on y va.

Il se cassa le dos pour grimper à l'arrière de l'ambulance sans lâcher le doigt du gamin pendant que les brancardiers y glissaient la civière.

Avant qu'ils ne referment les portes, il fit signe à Soulniz de s'approcher, comme s'il ne voulait pas réveiller l'enfant en l'appelant.

— C'est d'accord pour apprendre. Comment je te retrouve ?

— Mauvaise question pour un flic.

— Fais pas chier !

— D'accord, dans deux heures à l'hôpital. À propos, les autres flics m'ont dit qu'il était conscient quand tu l'as sorti du container. Il a dit quelque chose ?

— Il a murmuré *ganchou* ou *ganssou*, un truc comme ça. C'est peut-être son nom…

Soudain les gyrophares peinturlurèrent le dépôt de reflets bleus affolés et l'ambulance quitta la scène de crime en hurlant.

... parce que celui-là a des couilles ?
suggéra Zarza.

— Elle est introuvable !

— Tu veux dire qu'ils ne l'ont pas retrouvée ?

— Oui, c'est ce que je viens de dire.

— Non, ce n'est pas parce qu'ils ne l'ont pas trouvée qu'elle est introuvable. Ne leur fais jamais confiance. Ils t'ont parlé de la voiture incendiée ?

— Quelle voiture incendiée ?

— Je t'emmène…

Ils quittèrent la ville par le sud pour attraper la route de l'estuaire. Ils contournèrent la darse de l'Océan et ses camps de containers alignés comme des prisonniers immobiles sous la surveillance de grues hautes comme des miradors. Dès qu'ils eurent tourné vers l'est, derrière les immenses hangars, la route fila entre les sablières sèches et blanches et les gravières vertes inondées. Comme Soulniz ne disait rien, Zarza garda le silence. Il avait descendu la vitre malgré le froid et crachait les cosses des graines de tournesol qu'il fendait entre ses dents. Devant eux apparurent les deux géants aériens du pont de Normandie. Le premier, sur la rive nord, les pieds dans l'eau à trois cents mètres de la rive.

L'autre au sud, bien planté sur la berge, comme on attend un copain qui traverse. Le tablier, suspendu à ses haubans, ne franchissait pas la Seine. Il la survolait. C'étaient les deux géants qui enjambaient le pont.

— C'est beau quand même, lâcha Zarza sans trop savoir pourquoi il avait ajouté « quand même ».

Soulniz enroula son Duster en souplesse dans les courbes de l'échangeur et ils glissèrent sous la rampe d'accès au pont. De l'autre côté, la route filait droit rejoindre un méandre du chenal de Rouen, entre de vastes terrains à l'abandon troués de larges gravières. Zarza pensa à un champ de bataille d'une autre guerre. Quatre kilomètres plus loin, Soulniz ralentit brusquement sans prévenir et jeta son Duster dans un chemin qui plongeait sur la droite en direction du fleuve. Cette fois c'est dans une scène de guerre que Zarza eut l'impression de pénétrer. La voiture virait et glissait dans des ornières creusées par des camions disparus qui devaient avoir été gros comme des tanks. Le sol défoncé de cratères larges comme des étangs était recousu de remblais boursouflés comme des cicatrices. Certains trous, vidés, s'étaient tapissés à l'intérieur d'une jachère aquatique verdoyante. D'autres, pleins à ras bord, luisaient sous les nuages d'une eau crème et sale que plissait le vent. Soulniz conduisait vite, évitant les ornières comme on évite des bombes. Les gravières étaient reliées entre elles par des chenaux et des rigoles et le Duster les traversait dans des gerbes de boue. Après quatre cents mètres, ils atteignirent la dernière rangée de trous d'eau le long de la rive et Zarza aperçut la carcasse. Les restes calcinés d'une grosse berline. Soulniz se gara au petit bonheur sans descendre.

— Alors ? demanda Zarza en lui offrant d'une main des graines de tournesol que l'autre refusa.

— Alors c'est ce qui reste de la voiture de madame.

— C'était la caisse de Betty Dzanouni ?

Zarza descendit pour inspecter les tôles tordues.

— Attention à tes pompes. Moi je reste là. J'ai déjà donné. Une paire de Paul Smith !

C'était trop tard. La boue aspirait déjà ses chaussures, alors Zarza continua jusqu'à l'épave.

— C'est arrivé quand ? demanda-t-il en criant.

— Huit jours ! hurla Soulniz depuis le Duster.

— Qu'est-ce qu'elle fait encore là ?

— Quelle dépanneuse viendrait la chercher ici ?

— Celle de la police, par exemple. Histoire de chercher des indices.

— Des indices de quoi ?

— Dzanouni disparaît, des gosses meurent dans ses entrepôts, sa voiture crame, tu ne chercherais pas des preuves matérielles, toi ?

Soulniz se leva par la portière ouverte sans descendre du Duster, s'accrochant à l'antenne.

— Tu vois l'espèce de rivière qui se jette dans le fleuve, juste derrière nous ? C'est le premier côté du triangle. L'autre, c'est la berge du fleuve. Le troisième, il commence à deux cents mètres sur la gauche et rejoint la rive un kilomètre plus haut. Toute cette rive du chenal, c'est la Seine-Maritime, sauf ce petit triangle qui appartient au département de l'Eure dont tout le reste est sur l'autre rive. Et pour compliquer les choses, ce sont les pompiers de Honfleur, trois kilo-

mètres en aval, qui ont été alertés et qui sont interve-
nus. Honfleur, dans le Calvados.

Zarza jeta un coup d'œil sur l'autre rive, comme
pour y trouver une explication. Soulniz comprit qu'il
ne saisissait pas.

— J'explique : des pompiers du Calvados vont
éteindre un feu de voiture dans une minuscule enclave
de l'Eure à l'intérieur de la Seine-Maritime. Les flics
du Havre, alertés, débarquent le lendemain. Ils vont se
faire aspirer les rangers quand soudain ils réalisent que
la bagnole a brûlé dans un petit bout d'Eure et que ce
n'est pas leur département. Alors ils remballent aussitôt
histoire de laisser la galère aux collègues compétents
de l'autre rive. Qu'ils ne préviennent d'ailleurs peut-
être pas. Ou en tout cas pas dans l'urgence. Tu piges ?

— Je comprends, réfléchit Zarza en se rapprochant
du Duster. Personne ne s'intéresse à la bagnole incendiée, donc personne ne se rend compte de la disparition de Dzanouni, donc personne ne va enquêter du
côté de l'entrepôt de la Mongolian Shipping Company, et donc personne ne s'aperçoit que des gosses
enfermés dans un container sont en train de mourir.

— C'est à peu près ça…

— Tu t'es un peu renseigné du côté des flics ?
Qu'est-ce qu'ils disent ?

— Pour eux, c'est soit un rodéo d'ados, soit une
bagnole volée utilisée comme bélier qu'on brûle
ensuite pour s'en débarrasser. Apparemment pas de
casse récent impliquant une telle berline, alors ils
penchent pour le rodéo d'ados.

— Et ?

— Et ils attendent que quelqu'un dépose plainte

pour vol. Pas de plainte pas de vol, pas de vol pas d'enquête, pas d'enquête pas d'emmerdes.

— Et l'hypothèse d'un crime suivi d'un incendie pour détruire des indices ?

— Même credo : pas de corps pas de crime, pas d'enquête pas d'emmerdes !

— J'y crois pas ! soupira Zarza. Écoute, je vais rester là pour fouiner un peu. Tu peux repasser me prendre dans deux heures ?

Soulniz lui promit de revenir avec une thermos de café chaud. Zarza le regarda s'éloigner puis se concentra sur les alentours pour prendre ses repères. La carcasse s'était affaissée le capot vers Le Havre, donc la voiture était venue par un autre chemin que celui qu'avait emprunté Soulniz. Il décida de quadriller le terrain en élargissant ses recherches d'un mètre à chaque fois. Quand son parcours croisait une gravière, il en longeait chaque fois le même bord pour reprendre plus loin son inspection. Il trouva la première chaussure à dix mètres de la voiture sur la gauche et la deuxième cinq mètres plus loin. Il lui fallut moins de dix minutes pour trouver le sac. Un sac à main de luxe. Un Lanvin de cuir rouge avec tous les papiers de Batguerel Dzanouni à l'intérieur. Cette fois l'affaire prenait une autre tournure. Zarza appela Soulniz sur son portable.

— Client, il va falloir que tu reviennes plus vite que prévu et avec des renforts pour faire l'inventaire. J'ai trouvé le sac de Dzanouni à vingt mètres à peine de la voiture au bord d'une gravière avec tous ses papiers dedans. Ramène les flics ici, et dis-leur que sans me mêler de leur enquête, je leur conseille de mettre la main sur des plongeurs pour draguer le trou d'eau. Une poignée de pépites que la fille est au fond. Si tu ne me vois pas quand tu arrives, c'est que je suis plus en amont à remonter la piste de la voiture. Elle est arrivée par un autre chemin que celui qu'on a pris.

— Il y a un passage perpendiculaire à la route de l'estuaire qui descend jusqu'au fleuve, cinq cents mètres plus loin que le raccourci que j'ai emprunté. La voiture a dû arriver par là.

— Okay. Alors dis aux flics de suivre ton chemin. Ils seraient bien foutus de détruire les derniers indices.

— J'ai peur que ce soit déjà fait. Les pompiers ont des cartes d'état-major, ils ont dû repérer le même raccourci que moi. Les flics, eux, roulent au GPS. Je te rends ta poignée de pépites qu'ils sont passés par l'autre route.

— Je t'achète ça, client, mais je prends le risque. Je vais jeter un œil, mais ça ne te dispense pas du café chaud.

— Café calva. Tu l'auras !

Zarza raccrocha, releva le col de sa veste, enfouit ses poings dans ses poches et remonta la piste par laquelle avait dû arriver la Dzanouni. Il n'y releva que deux traces à peu près de même nature et de même aspect. L'une avait été laissée par la voiture de la victime, l'autre par un véhicule qui avait fait demi-tour pour rebrousser chemin. Un complice qui récupère l'assassin ? L'assassin lui-même qui aurait suivi la femme pour la tuer ? Dans le premier cas elle avait dû être contrainte et forcée. Dans le second elle devait bien connaître son assassin. Mais dans les deux cas, pourquoi brûler la caisse à cet endroit ? Si son intuition était bonne et que le corps pourrissait au fond de la gravière, pourquoi prendre le risque d'attirer la police et les pompiers là où on avait des chances de retrouver le corps ?

À moins que la seconde trace ne soit que celle des flics venus bâcler leur enquête avant de faire demi-tour. Dans ce cas, l'assassin, si assassin il y avait, était reparti à pied.

Je suis le tueur. J'ai emporté le corps de la victime jusqu'ici dans sa propre voiture. Ou bien j'ai accompagné Dzanouni jusque-là pour la surprendre. Je la tue. Je traîne son cadavre jusqu'à un trou d'eau, je le jette... Déjà je suis quelqu'un de fort et de résolu. Ensuite je mets le feu à sa voiture. Et après, qu'est-ce que je fais ? Le feu va attirer l'attention. Je m'enfuis. Le chemin par lequel je suis venu ? Probablement celui que vont emprunter les secours. Ma seule issue est de remonter vers la route de l'estuaire, à quatre cents mètres plus au nord. Est-ce que je sais comment y aller ? Est-ce que j'ai repéré les lieux ? Et une fois sur la route, je vais où ? Et comment ? Un complice qui m'attend peut-être. Ou juste une voiture. Je donne rendez-vous à Betty là-bas, j'arrive avant elle, je laisse ma voiture sur le bas-côté et j'y vais à pied. Quand je l'ai tuée, je rejoins ma voiture...

Il avait beau retourner toutes les hypothèses dans sa tête, quelque chose clochait dans cette histoire. Pourquoi là, et pourquoi brûler la voiture ? Et puis ce sac, à peine caché...

Il regarda tout autour de lui. Au-delà des dernières gravières, le terrain se perdait en berges boueuses dans l'eau mouvante et large du chenal. De l'autre côté, on apercevait de jolies maisons à l'ancienne et des fermes aux toits bleus lustrés d'ardoises dans les bocages.

Il se retourna vers la route au moment où les secours palpitant de gyrophares plongeaient sur le bas-côté pour emprunter le raccourci. Soulniz avait rameuté la cavalerie. Cette fois c'étaient les gendarmes de la section de recherches du Havre, avec une équipe cynophile et des plongeurs. Une ambulance suivait, au cas où. Les militaires accueillirent d'un mauvais œil que Zarza soit flic. Quand il leur parla de la ferroviaire, ils se firent encore plus soupçonneux. Il coupa court aux présentations et leur indiqua l'endroit où il avait découvert et laissé sur place les deux chaussures et le sac.

Le chien, truffe à terre, suivit et perdit une trace plusieurs fois avant d'entraîner son maître-chien droit vers le bord surélevé d'une gravière inondée. Tout le monde courut vers le trou d'eau et Zarza les rejoignit en marchant.

— C'est logique, expliqua un gradé. C'est sur ces monticules qu'ils calent les excavatrices. Il y a plus de profondeur à cet endroit que n'importe où sur le pourtour. C'est ici qu'il faut chercher d'abord.

Deux hommes s'étaient déjà équipés et se glissèrent dans l'eau, surplombés par le regard des autres, trop contents de ne pas appartenir à cette équipe aquatique. Les plongeurs appliquèrent à la lettre les repérages de sécurité et la check-list inutile dans si peu de fond, puis ils disparurent dans l'eau rendue boueuse par leurs mouvements. Huit minutes et treize secondes plus tard, comme le nota le gendarme chargé du rapport de mission, ils remontèrent le corps à la surface.

Deux hommes coururent jusqu'aux voitures pour rapporter des sangles et la civière. Mais à peine le corps nu hissé hors de l'eau, Zarza les arrêta.

— Ah, là, client, dit-il à l'adresse du gradé, il va falloir y retourner !

— Et pourquoi ça ?

— Ce cadavre-là n'est pas le bon.

— Ah oui ? Et comment vous savez ça ?

— Peut-être parce que celui-là a des couilles ? suggéra Zarza.

40

Donc un Chinois, alors...

Quand Soulniz, frigorifié et refroidi après la découverte du second corps, avait suggéré qu'ils avaient bien mérité de se payer deux petites demoiselles pour se réchauffer, Zarza avait marqué un temps d'arrêt avant d'éclater une énième pépite entre ses dents. De la chair tendre, avait promis le journaliste, dans un cabanon discret qu'il connaissait. Il avait tenu promesse et Zarza ne savait plus où mettre les doigts et la bouche. Soulniz se moquait du regard à le voir décortiquer le reste de son petit homard pour piocher et sucer les derniers morceaux de chair. Jamais il n'aurait pensé que ces deux petits crustacés à peine bouillis vingt minutes dans une eau parfumée d'un simple bouquet garni et d'une pichenette de sel auraient pu le ravir à ce point. Avec juste une mayonnaise et une branche de persil !

— Va-t'en savoir pourquoi ils appellent ça des demoiselles de Cherbourg... C'est comme ça depuis les années soixante-dix. Avant, on disait des criquets. Des criquets du Cotentin.

— Je croyais que la saison des homards, c'était

mai ou juin, s'étonna Zarza en suçant ses doigts gourmands.

— C'est pour ça que Petit Louis les congèle. Pour servir les meilleurs toute l'année.

— Oui, mais dans un récipient hermétique, mon gars, et roulé dans la saumure. Et puis décongelés au frigo, tranquillement, à la demande, pendant au moins cinq heures pour garder la chair, expliqua le Petit Louis en question.

C'était un géant à la carrure de docker, avec des mains de marin pêcheur à remonter un chalut à la pogne. Il préparait une pâtisserie, debout à la table d'à côté, en les écoutant parler. Il avait plusieurs fois étalé et plié une pâte tartinée de beurre à chaque pli et il évidait maintenant le cœur de deux belles pommes.

— Aguêne, que je te retire les abaisses ? demandat-il à Soulniz en voyant son assiette vide.

— Argouêne ! souffla le journaliste en basculant sur sa chaise, les mains sur le ventre.

— Qu'est-ce que c'est que ce baragouin ? se moqua Zarza.

— Ah, là tu te trompes, camarade. Le baragouin, c'est du breton, du temps où ils quémandaient dans leur langue, en terres françaises, du pain et du vin. Barra et Gwin. C'est du moins ce qu'on dit. Mais mon Petit Louis, lui, c'est du vrai normand qu'il parle. Mâtiné de cauchois peut-être, mais du normand pur jus. De temps en temps, ça le prend, il cause cauchois, surtout quand il est chafouin !

— Y mange comme un becquémiette, ton clichard ! reprit Petit Louis en regardant l'assiette de

Zarza. Pas intérêt à m'en laisser une breule s'il veut pas se prendre une rabannée !

— Magène, répondit Soulniz, bon comme ça, lâchera rien !

Petit Louis posa son regard au long cours sur Zarza qui leva aussitôt les mains, les doigts bien écartés tout mouillés de bouillon, comme preuve de son régal et de son appétit. Sans le quitter des yeux, le colosse se remit à fourrer les pommes de cassonade, de cannelle et de poudre d'amande. Puis il posa chaque fruit sur un carré de pâte feuilletée dont il releva les quatre coins en les pinçant pour bien sceller le chausson.

— Et la brûlerie de l'autre nuit ? demanda soudain Soulniz.

— L'auto dans les gravières ?

— Celle-là !

— Eula ! s'exclama Petit Louis en levant les yeux au ciel.

L'endroit était minuscule. Zarza en arriva même à se demander s'il s'agissait vraiment d'un restaurant. Une cantine d'ouvriers, ou une gargote à pêcheurs, aurait été plus grande. Quatre tables dans une cuisine et un géant pour cuire et servir. Petit Louis avait semble-t-il connu son heure de gloire à la belle époque de la construction du pont.

Son bouge, un peu en retrait de la route de l'estuaire, étalait alors à même les cailloux ses terrasses de guingois hérissées de parasols à bière. Un bout de sablière poussiéreuse en guise de parking, et il avait servi jusqu'à cent clients par jour. Depuis, sa femme s'était fait culbuter dans une baraque à chantier par un contremaître qu'elle avait suivi sur la construction du viaduc de Millau, loin des gravières et du chenal de Rouen. Ça faisait bien longtemps qu'il n'avait plus de nouvelles de leur fille non plus. Aujourd'hui, Soulniz passait de temps en temps.

— Quand j'ai vu les pompiers, c'était déjà tout brûlé. Ceux de l'autre côté sont arrivés par le pont et sont passés devant moi à toute berloque, mais c'était trop tard. Plus rien à éteindre. Sont pas restés longtemps !

— Tu as vu d'autres voitures ? Sur la route, ou arrêtées sur le bord ?

— Ce jour-là non, mais la veille j'ai vu un Chinois par là-bas. Au début j'ai cru qu'il baladait son clebs, mais de clebs, il en avait pas.

— Un Chinois ? Tu as vu ça d'aussi loin ?

— Plus tard je l'ai vu qui remontait à pied. J'ai cru qu'il allait s'arrêter pour un calva, vu le temps de chien qu'il faisait, mais non, il est juste passé. Un grand type, du genre furieux, fameusement balèze, avec un manteau de cuir.

— Il avait une voiture ?

— J'en sais rien, il allait à pied vers le pont. Après je ne l'ai plus vu. De toute façon je n'aurais pas demandé. Il avait une gueule à ne pas chercher à savoir.

— Tu as dit ça aux flics ? J'ai pas le souvenir qu'ils en aient parlé, remarqua Soulniz.

— J'ai rien dit, j'suis pas fabin. Chez moi, c'est les flics qui se mettent à table, pas le contraire.

— Donc un Chinois, alors…

... et appela un numéro en Sibérie...

Il regardait la mer et n'y comprenait rien. Le vent qui se rue sur le rivage en échevelant les vagues. L'écume qui roule et mousse et remue le sable. Le ciel qui s'enfuit jusqu'à l'horizon où naissent les nuages. Et cette masse en perpétuel mouvement comme un monstre vivant qui sans répit renouvelle ses assauts. Combien de milliards de rouleaux avait-il fallu pour réduire en sable ce qui avait été des falaises ? Il était fasciné. Lui avait survécu aux camps et à leurs gardes-chiourmes. Il avait traversé des déserts de dunes, des steppes vitrifiées par les dzüüd et des forêts sans fond. Il avait supporté en solitaire des étés à quarante et des hivers à moins quarante. Il avait tué des hommes et des loups, des ours, des lynx. Il en avait mangé aussi, hommes et animaux, pour survivre.

Il avait eu la force d'oser tout ça, la force de décider que rien ne lui résisterait, et voilà qu'il était fasciné par cette force-là, liquide et mouvante.

Les rares promeneurs le voyaient de loin, debout sur la plage face à la mer, immobile contre le vent puissant. Ils le prenaient pour un original d'abord, puis pour un fou et s'en moquaient entre eux, mais quand ils s'en approchaient, ils pressaient soudain le pas en silence, terrorisés par la force et la violence qui émanaient de cet homme au visage de barbare. Lui ne les regardait pas. Il devinait leur approche, sentait leur peur et les laissait passer derrière lui sans leur prêter attention. Il ne regardait que la mer impérieuse et immense et laissait monter en lui cette idée qu'il aimerait lui ressembler. Ne jamais renoncer, tout briser jusqu'à tout réduire en poudre de pierre, être trop grand pour être pris, pouvoir tout engloutir.

Il fit soudain demi-tour pour rentrer au manoir, fracassant de terreur le cœur d'une joggeuse qui passait par là en le surveillant d'un œil. La mer s'était retirée sur plus de cent mètres. Il remonta le sable encore sombre et compact, enjamba la rigole d'une mare oubliée qui courait rejoindre la mer, méprisa les petits poissons frétillants que des enfants accroupis admiraient, et regagna le sable sec et blanc pour escalader le petit talus qui menait à la route. Il la traversa sans s'inquiéter des voitures qui venaient, contourna un parking sans un regard pour les promeneurs qui s'engouffrèrent dans leur voiture, et prit le chemin qui menait au manoir.

La plaquette vantait l'endroit comme un des dix plus beaux à connaître dans une vie. Il l'avait choisi parce que, dix ans plus tôt, Bathbaatar y avait séjourné et pas lui. Aujourd'hui, c'était son tour. Plus question de cet hôtel de bord de ville avec vue sur les docks du port et les raffineries au loin. Il avait retenu la meilleure chambre, celle dont la terrasse, au-delà du jardin, offrait une vue imprenable sur cette mer qui le fascinait tant. Avec aussi, sur la droite, le port du Havre, de l'autre côté de l'estuaire de la Seine. Une grosse maison du dix-huitième siècle lui avait-on dit, sur une petite colline boisée tapissée de pelouses rases et verdoyantes. Une architecture compliquée de piles et de contours en carrés de briques décalées, de balcons à balustres, de poutres entrecroisées, et de charpentes cintrées encapuchonnées de chapeaux de tuiles. C'était ce qui manquait à son pays, d'avoir ainsi traversé les siècles en s'alourdissant de savoir-faire et de tours de main, de techniques et de secrets de fabrication, d'audaces, d'inventions. Ce que les touristes allaient rechercher aujourd'hui chez lui, ces coutumes éternelles, ces traditions inchangées, c'était ce qu'il ressentait, lui, comme la perte d'une nation qui n'avait rien construit. Des siècles dans la même yourte, à croire à la même éternité, alors que l'Europe et le monde changeaient de maison et d'idéal à chaque génération.

Il pénétra dans le manoir par la porte-fenêtre qui ouvrait sur le petit salon du bar, et monta dans sa chambre sans un regard pour le personnel qui s'effaçait en silence sur son passage. Le bois ciré des escaliers et le parquet de l'étage grincèrent sous ses pas pesants. Il ouvrit la porte de sa suite et se dirigea droit vers la terrasse. Il allait partir, il fallait qu'il profite une dernière fois de la vue sur la mer. Il sortit son portable, vérifia l'heure à sa montre, et appela un numéro en Sibérie…

42

... *après la mort de notre fils*

— Ganchou ?

Le gamin glissa lentement son regard vers lui. Malgré sa maigreur, Zarza devinait le poids de son corps épuisé. Il n'avait pas encore la force de tourner la tête. Il se pencha au-dessus du lit.

— Ganchou, c'est ton nom ?

Sa vie ne semblait tenir qu'aux quelques fils qui le nourrissaient et le monitoraient. Ce gamin avait vécu une semaine enfermé dans le container sans boire ni manger. Il devrait être mort. De soif ou de froid, mais il devrait être mort.

— Moi c'est Zarza. Toi c'est Ganchou ? demanda-t-il en mimant ses paroles.

Il lui parlait à voix basse de peur que le moindre bruit n'épuise en lui le courage qui le maintenait en vie. Il ne supportait pas la souffrance des enfants. Il avait longtemps supposé que personne ne la supportait. Puis il avait essayé de s'en convaincre, mais son métier lui avait démontré le contraire. Il en avait vu souffrir beaucoup trop. Et mourir aussi. Quelquefois par sa faute.

Il avait forcé son passage à l'hôpital. Les soignants

voulaient préserver le gosse de toute fatigue et les flics voulaient le garder sous la main. Alors il avait sorti sa carte pour qu'ils le laissent entrer. Celle qui impressionnait toujours les blouses et les uniformes. Celle qu'il n'avait plus le droit de brandir.

Il n'aimait plus les hôpitaux. Plus depuis qu'il y avait vu mourir son grand-père. Mourir de honte, juste avant de mourir vraiment. Il était encore gamin. Il rentrait tard d'un entraînement de krav maga et un copain l'avait déposé à l'hôpital. Il avait traversé le hall et parcouru les couloirs, à cette heure bizarre où certains traînent toujours sans être vraiment partis, et que d'autres ne sont pas encore vraiment là. Personne ne s'était opposé à sa visite. Peut-être parce qu'il était jeune, parce qu'il marchait d'un pas décidé, ou qu'il était fort en gueule et d'épaules. Des chambres étaient éteintes, certaines portes fermées et d'autres pas. Un long couloir aux murs rayés par les brancards, dans cette lumière blafarde d'hôpital qui donne aux visiteurs un air malade, aux malades un teint de mourant, et un regard épuisé aux infirmières. Seuls quelques médecins à la démarche arrogante savent toujours y promener leur arrogant bronzage. Zarza en vit justement sortir un de la chambre du Baron, trois portes plus loin.

— Comment va monsieur Zarzavadjian ?

— Il va bien. Il va bien. Une infirmière va venir…

Zarza avait pressé le pas et il eut aussitôt honte de ce qu'il vit. Par la porte grande ouverte, sur son lit défait, le drap tombé à terre, le Baron était nu et osseux sous la lumière crue du plafonnier. Tous ses muscles avaient fondu. Ses chairs étaient flasques et blanches sur ses cuisses maigres, ses genoux calleux comme des cailloux, ses hanches saillantes sous sa peau, le sternum creusé et les côtes comme des rangées de fourches. Et de son sexe rabougri et blessé, entre ses cuisses écartées par l'épuisement, jaillissait un tuyau de plastique qui glissait sous ses fesses molles jusqu'à une poche remplie d'urine. Et dans ses yeux, dans les yeux du Baron, la supplique de ne pas le regarder, de ne pas le voir ainsi, obscène, humilié, rabaissé…

Zarza s'était précipité pour fermer la porte et ramasser le drap. Mais c'était trop tard. Le Baron avait été meurtri dans sa dignité, et lui garderait à jamais cette image qu'il n'aurait jamais voulu voir. Peut-être ce médecin avait-il sauvé des vies, soigné des plaies ou accouché des femmes hurlantes toute la journée. Peut-être l'infirmière, épuisée des douleurs des uns et des malheurs des autres s'était-elle accordé deux minutes le temps d'une cigarette dans l'escalier de secours. Mais ils avaient laissé le Baron, au seuil de sa mort, nu sur un lit, en pleine lumière, porte ouverte, un drain dans son sexe, à la vue de tous. Lui qui avait survécu aux Turcs, aux nazis, à Staline, à l'amour, à la famille, aux enfants, aux usines, aux banques avec tant de force et d'élégance toute sa vie durant…

La main du gamin effleura la sienne et Zarza jaillit de son mauvais rêve dans un frisson d'émoi. Le gosse avait fait l'effort de tourner la tête vers lui et le regardait.

— Ganshü ? demanda-t-il dans un murmure.

— Ça va, gamin, je suis là, je suis là, le rassura Zarza en caressant son front. Alors tu t'appelles Ganchou ? C'est plutôt sympa comme nom, j'aime bien.

— Ganshü ? répéta le gosse en tournant lentement la tête de l'autre côté.

Zarza comprit aussitôt et son cœur manqua un battement. Il n'était pas Ganchou. Il l'appelait. Ce pauvre gamin appelait son copain, celui qu'il avait vu mourir en croyant qu'il s'était endormi. Probablement celui qu'il tenait dans ses bras quand Zarza avait ouvert la porte du container. Et maintenant il allait falloir lui dire la vérité. Que lui seul avait survécu et que tous les autres étaient morts.

Il posa sa main sur l'épaule du garçon pour attirer à nouveau son attention.

— Ganchou…

Il n'en eut pas le courage et, ne sachant dans quelle langue parler, il lui fit comprendre par gestes que Ganshü était ailleurs, dans une autre chambre. Puis il posa la main sur son cœur en prononçant son nom « Zarza », et pointa son index sur la poitrine du gamin en écarquillant les yeux pour mimer l'interrogation. Le regard du môme s'accrocha au sien, avec une force nouvelle qu'il n'aurait pas soupçonnée. Comme une connexion directe qui s'établit.

— Gantulga, murmura le gamin, je suis Gantulga…

— Hey, Gantulga, mon pote, content que tu te réveilles, client ! Tu m'as foutu la trouille, tu sais ? Tu parles français ?

— Non, petit peu seulement.

— Tu parles quoi, alors ?

— Mongol.

— Mongol ? Seulement mongol ?

— Oui, et russe aussi…

— Русский ! Вы говорите Русский ? То что это блестяще ! Привет Gantulga !

— Привет Zarza !

Zarza bondit de sa chaise pour étreindre le gamin.

Il exultait et dut se retenir de l'embrasser, de lui pincer gentiment la joue ou de lui ébouriffer les cheveux. Le visage du gosse s'illumina alors d'un faible sourire fatigué mais heureux.

— Ah putain, client, s'exclama Zarza en russe, tu ne peux pas savoir ce que ça me fait de te voir revivre comme ça ! Toi et moi on est des potes, n'est-ce pas ? Tu veux bien ?

Gantulga n'eut pas le temps de répondre. Zarza devina des bruits de pas dans le couloir, trop décidés pour être ceux de visiteurs, et trop appuyés pour être ceux de soignants. Il entrouvrit la porte et reconnut les trois flics en civil qu'il avait un peu bousculés plus tôt contre les containers.

— La police ! prévint-il en russe. Tu fais le mort et tu ne dis rien, d'accord, partenaire ? Je m'occupe d'eux !

Zarza vit une étincelle s'allumer dans les yeux du gamin quand il prononça le mot « partenaire », mais il n'eut pas le temps de chercher à comprendre. Les flics entraient déjà dans la chambre.

— Qu'est-ce que tu fous là ? aboya le premier en apercevant Zarza.

— Je veille le gosse, alors parle moins fort !

— Tu n'as rien à foutre ici, dégage !

— Vous allez en faire quoi quand les toubibs l'auront retapé ?

— Si on ne peut pas le foutre en taule, on le foutra en rétention et on le renverra chez lui.

— Il est mineur, mon pote. Et en plus tu sais où c'est chez lui ?

— T'inquiète pas pour nous, la nounou, on saura le lui faire dire. On a l'habitude de ces merdeux.

— Alors je vous laisse dans votre merde.

Zarza se leva et dans un spasme chorégraphié les trois flics s'écartèrent prudemment. Il en profita pour embrasser Gantulga, lui murmurer deux mots en russe à l'oreille, et débrancher discrètement une des électrodes qui monitoraient son cœur. L'écran et les bips s'affolèrent aussitôt.

— Putain, vous avez gagné avec vos conneries ! Je vais chercher les infirmières…

Il sortit de la chambre et prit la direction opposée à celle du bureau de garde. Il atteignait l'escalier quand il entendit le personnel accourir et jeter les trois policiers hors de la chambre.

Il sortit de l'hôpital en montrant sa carte chaque fois qu'on lui demanda ce qu'il faisait là à cette heure-ci. Puis il traversa une grande cour et sortit par la porte principale qui donnait sur la rue Flaubert où Soulniz l'attendait, frigorifié, dans son Duster.

— Pourquoi tu n'as pas mis le chauffage ?

— Pour être plus discret.

— Discret ? Tu te crois dans un film d'espionnage ou quoi ?

— Et alors, tu n'es pas espion ?

— D'abord « j'étais », et ensuite c'était barbouze, pas espion.

— Et on peut connaître la différence ?

— Barbouze, c'est jamais discret. Allez, démarre, et fais crisser les pneus.

Soulniz démarra en faisant brûler la gomme sur le bitume.

— Tu fais tout ce qu'on te dit, toi, hein ? Tu marches au quart de tour. Mets plutôt le chauffage !

— …

— Non, là c'est pour de bon. Mets le chauffage, on se les gèle !

— Et le gosse, il est dans quel état ?

— Il est mongol, expliqua Zarza comme si c'était une victoire. Et en plus il parle russe !

— Et alors, tu parles russe, toi ?

— Bien sûr, client, qu'est-ce que tu crois ? Russe, allemand, italien, espagnol, portugais. Anglais *of course* ! Arabe un chouïa. Deux ou trois mots de serbe et de croate…

— Sans déconner ?

— C'était mon job, avant de compter des wagons : courir le monde.

— J'y crois pas ! s'extasia Soulniz. Bon, on fait quoi maintenant ? Tu es descendu où ?

— Ne te marre pas : aux Albatros…

— Dans la zone ? Entre la route industrielle et la route de la chimie ? Tu n'as pas trouvé plus près des raffineries ? Tu sais que tu es en zone Seveso là-bas, quand même ?

— C'était le mieux placé pour aller à la chasse aux wagons.

— Bon, laisse tomber. On passe prendre ton paquetage et tu viens chez moi.

— Je ne veux pas déranger ta femme, dit Zarza en lui rappelant son alliance.

— Ma femme, ça fait longtemps qu'elle a pris son paquetage elle aussi.

— Elle s'est tirée ?

— Oui. Une balle dans la tête après la mort de notre fils.

43

*... pensa-t-il en levant prudemment
les bras.*

Soulniz n'aurait pas pu habiter ailleurs qu'à Honfleur. Rue Brûlée, une petite maison à la façade en
ardoise, en retrait derrière un précieux garage dont
le toit servait de terrasse. Trois belles portes-fenêtres
ouvraient sur ce que sa femme avait transformé en jardin sauvage et suspendu. De l'autre côté de l'étroite
rue pavée de granit bleu, une maison plusieurs fois
centenaire en pierres de Caen et colombages en chevreau surplombait la terrasse enchâssée entre deux
murs aveugles. Chaque fois qu'il apercevait les deux
chiens-assis plantés sur le toit en bardage de cette maison historique, Soulniz se demandait si quelqu'un les
avait vus. Lui entraînant Louise nue sur la terrasse, les
nuits d'été, pour l'aimer à l'ombre de la lune. Et elle,
ce matin d'hiver où, Soulniz à peine parti, elle avait
mis fin à ses jours et aux siens, qui n'avaient plus de
sens depuis.

— C'est arrivé quand ? demanda quand même
Zarza.

— Louise, il y a sept ans. Mathieu, un an plus tôt.

— Et comment pour Mathieu ?

— Overdose. Sa seule et unique dose. Je lui avais raconté que j'avais tout essayé, une fois, une seule, quand j'étais jeune. Il a voulu faire comme moi.

— Tu n'y es pour rien...

— Je t'en prie. Épargne-moi ce discours à la con.

— Désolé, tu as raison. Nous sommes tous responsables d'une façon ou d'une autre de ce qui arrive à ceux que nous aimons.

— Tous tes discours à la con, insista Soulniz. Je te préparerai la chambre de Mathieu. Mais avant, allons manger quelque chose.

— Encore ?

— Les demoiselles de Petit Louis, ce n'était que du homard. Juste une gourmandise. Allons dîner pour de bon...

Ils remontèrent la rue Brûlée à pied vers une place où Zarza avait aperçu une curieuse église. L'hiver frisquet et la nuit nuageuse avaient vidé les rues de ses derniers touristes. Il suivait Soulniz qu'il dépassait d'une bonne tête, les poings enfouraillés au fond des poches et le col relevé sur sa nuque.

— Là ? demanda Zarza en désignant du menton un petit bistrot encore ouvert entre deux galeries éteintes.

— Un fast-food, tu plaisantes ! Tu es dans la ville d'où cinglèrent des vaisseaux vers la perfide Albion en 1450 pour attaquer et raser la ville de Sandwich. Ce n'est pas pour y manger aujourd'hui des fish and chips ou des hamburgers ! Suis-moi...

Ils débouchèrent sur une place et Zarza s'émerveilla de la beauté rustique de l'église. Soulniz lui expliqua comment la première nef de Sainte-Catherine avait été construite comme une halle, et comment toute sa structure en chêne avait été taillée, sans scie, à la hache, par les « maîtres de hache » des chantiers navals de l'époque, à la façon des Vikings.

— Ils n'eurent pas le temps de faire mieux. Ils venaient de chasser les Anglais après la guerre de Cent Ans alors ils l'ont construite à partir de ce qui restait de chênes dans la forêt de Touques.

Zarza resta un instant admiratif devant ce monument sans prétention, avatar de l'histoire et pied de nez à un siècle de guerre. Puis le froid lui hérissa l'échine et il se secoua.

— On y va ?

Soulniz le prit par le bras et l'entraîna de l'autre côté de la place jusqu'à la Lieutenance. La salle était presque déserte et Zarza crut qu'ils arrivaient trop tard, mais quelqu'un reconnut Soulniz et ils furent chaleureusement invités à s'asseoir. Un couple de toute évidence illégitime et très désireux terminait un repas exagérément romantique à une table ronde. Deux commerciaux habitués aux bonnes adresses attendaient l'addition pour se renseigner sur le Honfleur *by night*, déjà résignés à finir au Havre dans un bar à filles du quai Notre-Dame. Et un dernier touriste dînait seul à une table, près de la porte.

Soulniz commanda d'office un dos de cabillaud côtier rôti au romarin pour lui et un merlan « en colère » sauce tartare pour Zarza accompagné d'un Terres Blanches 2008, un vin blanc des coteaux d'Aix-en-Provence. L'intimité feutrée du restaurant et la discrétion du personnel poussaient à la confidence. Soulniz confia bientôt à Zarza comment il survivait à son quotidien fracassé par la mort des deux personnes qu'il aimait le plus au monde.

On les avait installés au fond de la salle, en diagonale de la porte. Un recoin discret et privé auquel Soulniz semblait habitué. Le maître d'hôtel lui avait aussitôt présenté la chaise en coin, dos au mur. Zarza s'assit face à lui, un peu malheureux de ne pas profiter de la vue avant de remarquer le large miroir qui lui renvoyait l'image inversée des tables et des hôtes. Il y aperçut l'amant glisser sous la table une main jusqu'au genou de la femme amoureuse. Le vin la fit rire plus fort qu'elle n'aurait voulu et son rire émoustilla les deux représentants qui ne perdaient rien de l'affaire. Zarza chercha des yeux le dernier client pour voir si lui aussi s'intéressait à la scène. Il regardait dans son assiette et mangeait avec attention un émietté d'aile de raie. Zarza sentit aussitôt qu'il y mettait trop d'application. Il eut la sensation qu'il venait de les quitter des yeux et se forçait à ne plus regarder dans leur direction. C'était un homme qu'on sentait fort et brutal malgré les manières policées qu'il se donnait. Il mangeait tête baissée et Zarza ne devinait pas son visage.

Soulniz attira son attention pour le ramener à leur conversation en parlant de Gantulga. Le policier lui expliqua qu'il n'avait pas l'intention de laisser le gamin aux mains des flics et qu'il cherchait un moyen de le récupérer. Ils échafaudèrent plusieurs plans, envisageant même de retourner à l'hôpital pour l'enlever de nuit, mais Zarza expliqua que le gosse était encore trop faible pour prendre un tel risque.

Ils réfléchirent en silence à d'autres solutions, et quand Zarza regarda dans le miroir à nouveau, l'homme avait payé et s'apprêtait à quitter le restaurant. Il ne fallut que quelques secondes à Zarza pour comprendre.

Le verre de vin à peine entamé, la moitié du poisson dans l'assiette, la serviette de toile blanche par terre sur le parquet sombre. Le regard incrédule du serveur. La stature de l'homme qui passe la porte son manteau de cuir sur le bras. Et son regard furtif vers eux à travers le reflet de la baie vitrée.

— Putain, Soulniz, c'est le Chinois ! Le Chinois de Petit Louis dans les gravières !

Le temps que Soulniz s'étonne et que le serveur se planque, Zarza avait sorti son arme et se précipitait hors du restaurant. Le coup de feu claqua et la balle fracassa un petit lampadaire qui devait éclairer la terrasse en été. Le type avait attendu qu'il sorte pour tirer, mais la lampe qu'il avait visée était à plusieurs mètres de la porte. Coup de semonce ! Zarza visa au hasard dans sa direction, certain que l'homme était resté pour voir s'il avait réussi à le décourager. Trois coups lui répondirent comme il s'y attendait. Le Chinois se couvrait pour changer de planque. Zarza dégomma la lanterne à l'ancienne qui éclairait la rue pour se protéger dans l'obscurité. Mais il entendit des pas rapides et comprit que l'homme avait préféré fuir. Il se lança à sa poursuite et aperçut sa silhouette au détour d'une rue perpendiculaire. L'homme avait cinquante mètres d'avance sur lui et courait vers les quais, mais ce qui l'inquiéta, c'est qu'il courait sans panique, comme quelqu'un qui savait pouvoir courir assez longtemps pour épuiser ses poursuivants.

Zarza se savait endurant lui aussi et décida de s'économiser pour le prendre à son propre jeu. Le port était pratiquement désert à cette heure. Ils passèrent un vieux bâtiment sombre et austère, protégé de tourelles comme la demeure d'un petit puissant haï par le peuple, puis une marina de plaisance fermée par un pont mobile. Ils s'engageaient le long d'un quai où des chalutiers se préparaient à la pêche, en face de ce qui s'affichait comme étant l'hôtel de ville, quand ils entendirent les premières sirènes. Le Chinois continua droit devant lui, au beau milieu de la rue, à contresens du trafic, forçant les rares voitures à des écarts paniqués. Plus loin devant eux, Zarza avisa un vaste parking et pensa que le Chinois cherchait à rejoindre un véhicule. Il accéléra sa course mais comme s'il l'avait deviné, le fuyard s'arrêta brusquement et lui fit face, jambes bien écartées, bras tendus, une arme dans chaque main. À peine surpris que Zarza se soit figé dans la même position.

— Jette ton arme !

Zarza entendit le policier hurler dans son dos en même temps qu'il entendit la Mercedes freiner. Les flics avaient pilé net n'importe où pour sauter hors de leur voiture banalisée et le mettre en joue. Le touriste allemand qui sortait d'un dîner en famille au Bouillon Normand avec pavé de veau en croûte d'andouille de vire et soufflé chaud au calvados ne put l'éviter et percuta la Mégane de patrouille. Deux flics qui n'avaient pas eu le temps de sortir restèrent coincés dans la ferraille. L'autre, surpris par le choc, sursauta en se retournant et tira en l'air. Le Chinois répliqua aussitôt et lui perfora l'épaule, sans même le viser, avec l'arme qu'il tenait dans sa main gauche. Avec celle de la main droite, il visa Zarza qu'il n'avait pas quitté des yeux. Ils firent feu en même temps et c'est le souffle de l'explosion qui sauva Zarza. En s'embrasant, la Mégane des flics fit tressaillir le Chinois dont la balle ne fit que frôler le bras de Zarza. Lui par contre était sûr d'avoir touché le Chinois, même si le colosse asiatique n'avait pas bougé. Le deuxième round s'annonçait aussi mal engagé pour l'un comme pour l'autre, et ce fut encore le gastronome allemand qui joua l'homme du destin. Dégageant en panique sa Mercedes pour contourner la Mégane en feu et s'en éloigner, il passa entre les deux hommes armés. Zarza retint son tir, l'autre pas. La Mercedes traversa la rue, brisa la chaîne basse qui interdisait l'accès au quai, s'écorcha le châssis en sautant un plot en béton, et traversa tout le quai pavé pour s'encastrer dans un chalutier amarré, coffre grand ouvert sous le choc, pneus en feu, et klaxon bloqué par le corps affaissé du conducteur. Le Chinois profita du chaos pour disparaître et Zarza s'apprêtait à le poursuivre quand le hurlement des flics coincés dans la Mégane en feu le rappela à ses priorités. Des témoins accouraient vers l'incendie, des extincteurs à la main, sans trop savoir quoi en faire. Il en saisit un et se précipita pour sortir du brasier les deux policiers. Il allait courir au secours des touristes allemands quand il entendit dans son dos une bordée d'injures.

— Bouge plus, espèce de sale fils de pute d'enfoiré de merde, ou je t'en mets une.

Le flic qu'avait blessé le Chinois le tenait en respect, allongé au beau milieu de la rue, adossé à la petite bordure en pavé du parterre fleuri qui séparait les deux voies.

— Calme toi, client. Je suis de la maison. Je te montre ma carte.

— Rien à foutre, tu ne montres rien. Tu bouges, t'es plus flic. T'es plus rien. T'es mort !

Il était si mal en point que Zarza aurait facilement pu le maîtriser. Mais au même instant il entendit le bruit d'une culasse qu'on arme derrière lui.

— Laisse, Eliot, s'il bouge, c'est moi qui me le fais.

Zarza se retourna et vit un des flics qu'il venait de sortir des flammes le mettre en joue malgré la douleur qui le faisait grimacer.

Appeler son môme Eliot et le laisser devenir flic. Pourquoi pas Harry tant qu'ils y étaient. Ou Starsky ! pensa-t-il en levant prudemment les bras.

44

Comme dix ans plus tôt.

C'était un mauvais réflexe, un truc de nomades à la con et il s'en voulait. Ils traînaient à travers la steppe en donnant des noms qui leur parlaient aux lieux qu'ils traversaient, et il avait succombé à la même tradition superstitieuse. Ils transbahutaient leurs yourtes misérables d'«au-delà de l'eau» en «herbe aux reflets bleus» jusqu'à des «montagnes dans l'ombre» et lui avait fait la même chose. Il s'était laissé prendre par des noms, comme un putain de nomade qu'il était malgré tout ce qu'il avait commis pour y échapper.

Déjà, il passait le pont de Normandie en suivant la E44, filant vers la Belgique et la Hollande pour rejoindre Berlin. Mille deux cents kilomètres. Dix heures de conduite. Il y serait pour déjeuner. Il reconnaîtrait la route. Il l'avait déjà faite quelques années plus tôt, d'une seule traite, avec un corps dans le coffre et trois complices pour se relayer au volant. Mais cette fois il était seul et blessé.

Tout ça pour un dernier repas. Il s'était laissé prendre au nom des rues, comme s'ils présageaient pour lui de meilleures fortunes. Il avait choisi l'hôtel de Honfleur pour voir la mer et parce que la dernière fois, on ne l'avait pas logé là. Mais aussi et surtout parce qu'il était construit sur le chemin des Butins. Même superstition imbécile pour le restaurant.

On y allait par la rue des Lingots. Un butin et des lingots pour le rejoindre, ça lui parlait. Partout où il allait, il étudiait d'abord le nom des places et des rues. Ce soir cette manie ridicule avait bien failli lui coûter la vie et ruiner son plan. Le flic qui l'avait repéré au restaurant avait failli l'abattre. Erdenbat avait passé sa vie à deviner les gens. Ce flic-là était dangereux. Fort et souple dans son corps, instinctif et vicieux dans sa tête, chasseur dans son regard. Un prédateur comme lui.

Son bras et sa jambe le lançaient comme si son cœur battait dans ses plaies. Quand il serait plus dans le nord de la France, il sortirait de l'autoroute juste le temps de fracasser la devanture d'une pharmacie d'un bled de Picardie et de récupérer de quoi se soigner. Même si la douleur ne l'atteignait plus depuis longtemps. Ni la sienne, ni celle des autres.

Ce qui le tourmentait, c'était le temps que les flics français avaient mis à retrouver le corps de Batguerel. Chaque jour, depuis qu'il l'avait étranglée dans sa voiture, la nuit dans les gravières, il avait remonté la petite route en craie qui longe la berge sud de l'estuaire dans l'espoir d'apercevoir les secours récupérer le corps. Le soir même du crime, déjà, il avait observé l'arrivée tardive des pompiers et leur départ trop rapide. Ils n'avaient rien vu des indices qu'il avait laissé traîner autour de la voiture. Et puis personne n'était revenu pendant près d'une semaine. Ni flic, ni pompier, ni promeneur, ni voleur. Chaque jour il refaisait le chemin de Honfleur à Berville-sur-Mer, descendait la rue du Bac jusqu'au chenal, et roulait son Audi de location dans un petit pré frisé de gelée où trônait un vieux chalutier en bois noir et bleu échoué sur des étais. Et il surveillait les gravières de l'autre côté de l'estuaire. Quand il avait aperçu le 4 × 4 gris s'approcher du trou d'eau, même s'il ne s'agissait que d'un véhicule civil, il avait repris espoir. Quand la cavalerie avait débarqué deux heures plus tard avec pompiers et ambulance, il avait enfin pensé pouvoir reprendre la route de Paris et sauter dans le premier avion de l'Aeroflot pour Oulan-Bator. Non pas qu'il accordât plus de crédit qu'elle ne le méritait à la blague qui rebaptise la MIAT, la compagnie mongole, en « Maybe I Arrive on Time ! », mais parce que par les temps qui couraient, il avait plus d'amis en Russie qu'en Mongolie. Et plus en Allemagne qu'en France. Maintenant qu'il avait dû changer ses plans, il avait donc pris la route de Berlin. Comme dix ans plus tôt.

45

L'enfant de salaud !

Soulniz, debout, une main sur l'épaule de son ami et l'autre sur son propre cœur, essayait de reprendre sa respiration depuis un bon quart d'heure. Il était arrivé en pleine panique juste après la fusillade, débraillé et éructant d'avoir tant couru. Il fallait croire que les flics des trois départements avaient convergé vers le quai de la Quarantaine à Honfleur. Les flics et les pompiers, les ambulances, la gendarmerie, les dépanneuses. Avec un mort allemand et six blessés dont trois flics, la réception de l'hôtel L'Absinthe avait été jugée trop petite et les pompiers avaient réquisitionné la véranda du restaurant comme hôpital de campagne.

— Tu l'as eu ? réussit-il à articuler.

— Je l'ai touché, j'en suis sûr.

— Où est-il passé ?

— Le type du chalutier pense l'avoir vu plonger dans le bassin.

— Avec une flotte à dix degrés, il n'est pas près de remonter.

— Personne ne l'a vu, justement. D'un autre côté je pense que personne n'a vraiment regardé. Le marin avait une Mercedes plantée dans son rafiot, la Mégane des flics cramait au milieu de la rue, et il y avait des blessés partout.

Soulniz observa la scène. Un vrai chaos doublé d'un carnage. Il remarqua aussi la façon dont chacun fixait Zarza. Avec colère. Il était évident que tous, flics et secouristes confondus, le tenaient pour responsable de ce massacre.

— On ferait mieux de rester à l'écart. Tu ne veux pas qu'on aille jeter un coup d'œil sur la jetée de l'autre côté du bassin ?

Zarza accepta et ils s'éloignèrent sous le regard suspicieux d'un flic qui s'approcha aussitôt, la main sur l'étui de son arme.

— Hey, vous ne quittez pas les lieux.

— Ne t'en fais pas, client, on revient. C'est moi qui ai sorti tes potes du brasier, alors je ne quitterai pas les lieux avant qu'ils m'aient remercié. En attendant, quelqu'un est allé de l'autre côté du bassin pour inspecter l'endroit ?

— L'autre côté, pour quoi faire ?

— Et alors, d'après toi, celui qui a déclenché tout ça, c'est le flic qui est devant toi et qui est resté sur place, ou c'est le type que le marin a vu plonger dans le bassin et qu'on ne retrouve pas ?

— De toute façon s'il a plongé, il est mort. L'eau est trop froide.

— Ah oui, et son corps, il flotte où ?

— Ça, c'est du ressort de la brigade fluviale. Ils vont sûrement venir avec un Zodiac.

— Sûrement. Dans deux ans ! Alors tu viens avec

nous et on fait le tour du bassin pour repérer le corps ou des traces de sa fuite.

— S'il a plongé, il est mort, répéta le flic.

Mais Zarza et Soulniz l'avaient déjà devancé.

C'est en arrivant sur la jetée de l'autre côté du bassin que Zarza perçut les gémissements et qu'il dégaina son arme. La plainte, à peine audible, venait d'un chalutier amarré à la jetée. Il fit signe à Soulniz de rester où il était, et au flic de le suivre avec prudence. Ils montèrent en silence sur le pont et découvrirent aussitôt le cadavre d'un marin en vareuse bleue et un jeune labrador mourant à ses côtés, la gueule en sang. La bête agonisait, les reins brisés. Quand il eut constaté son état désespéré, Zarza décida d'abréger ses souffrances. Le coup de feu claqua et le corps du chien glissa contre celui du marin.

— On dirait qu'on lui a brisé la nuque, murmura Soulniz qui les avait rejoints et observait le corps du pêcheur.

— Et celui qui a fait ça a aussi brisé les reins de son chien, mais il avait une bonne raison.

— Comment ça ? s'inquiéta le flic.

Zarza s'agenouilla près du corps du labrador et lui ouvrit la gueule du bout des doigts.

— Ce n'est pas sa gueule qui saigne, c'est ça !

Il tira d'entre les crocs un petit bout de chair sanguinolente et le montra aux autres.

— Nom de Dieu, tu crois que...

— Oui. Le type attaque le marin, le chien défend son maître et mord l'agresseur. L'autre lui brise alors les reins pour se dégager, mais le chien ne lâche rien et le type part avec un bout de mollet en moins.

— Cette brute a vraiment fait ça ?

— C'est évident, client. Un témoin voit ce type plonger dans le port, et voilà que de l'autre côté du bassin quelqu'un massacre un marin et son chien. Ce n'est pas une coïncidence.

Il se releva pour regarder le quai qui pulsait encore des gyrophares de la police et des secours de l'autre côté du bassin.

— Ce type saute tout habillé avec un manteau de cuir dans une eau à moins de dix degrés, il nage quarante mètres sous l'eau pour ne pas se faire repérer, et il lui reste assez de force pour se hisser à bord d'un chalutier et tuer un marin et son chien à mains nues ? Sans compter que je suis certain de l'avoir touché au bras. C'est quoi, ce type ?

— Tarass Boulba. Mais ce que tu tiens au bout des doigts nous dira peut-être qui il est vraiment. Pour une fois, côté prélèvement d'ADN, on a ce qu'il faut, non ?

— Le sang ! hurla Zarza en bondissant hors du bateau. Avec ce morceau de viande en moins, ce type doit saigner comme un poulet égorgé. On devrait pouvoir le suivre à la trace.

Ils remarquèrent vite les gouttes au sol et les suivirent jusqu'à l'entrée de la jetée.

— Qu'est-ce qu'il y a par là ? demanda Zarza à Soulniz essoufflé.

— Devant ça va jusqu'au bassin Carnot, et sur la droite c'est un parking. Celui du bassin du Centre.

— On y rentre de ce côté ?

— Si c'est ce à quoi tu penses, c'est un Vinci. Il y a forcément des bornes et des caméras.

— Pas la peine, réfléchit Zarza à voix haute. Un type comme ça, ça ne prend pas de ticket. Je te parie qu'il a juste coupé par là.

Comme Zarza s'y attendait, les traces traversaient l'aire de stationnement pour ressortir de l'autre côté, sur le quai de la Tour, à hauteur d'un hôtel du même nom dans une contre-allée. Là où le fuyard blessé s'était arrêté, ils remarquèrent une petite flaque de sang et la seule place libre parmi toutes les voitures garées en épi.

— Il a volé une caisse ! soupira Zarza.

— C'était peut-être la sienne ! remarqua Soulniz.

— Il dînait là-haut, à côté de l'église. Pourquoi serait-il venu se garer ici ?

— Parce que c'était peut-être son hôtel !

Ils vérifièrent auprès de la réception, mais aucun client ne correspondait à une brute asiatique.

— On l'a perdu ! conclut Zarza. Il va retourner à sa voiture, disparaître dans la nature en abandonnant la caisse volée. Et on aura de la chance s'il n'y fout pas le feu histoire de nous occuper un peu !

Au même instant, ils entendirent la sirène des pompiers du côté du quartier de l'église.

— L'enfant de salaud !

46

... sans la moindre détonation...

— Inspecteur Oyun ?

Elle sortait de la luxueuse galerie marchande surchauffée de Central Tower. Autant elle ne parvenait pas à s'imaginer ce qu'allait devenir Oulan-Bator le jour, avec son chaos immobilier et tous ses improbables chantiers, autant elle se surprenait à aimer ce que la ville devenait la nuit grâce aux lumières. Longtemps, sous le Régime d'Avant, Oulan-Bator n'avait été éclairée que pour être surveillée. Les nuits nouvelles au contraire étaient belles de leurs éclairages qui sculptaient les formes et les structures. Dans les parcs, ils jaillissaient du sol et des parterres pour inonder les pelouses par touches verdoyantes et illuminer par-dessous les troncs et les branches basses. Ils jouaient du contre-jour sous les bancs publics et plissaient les statues conquérantes dans des drapés lumineux. L'été, ils clapotaient des reflets dorés sous les eaux des fontaines, et, l'hiver, lissaient d'ombres argentées les glaces immobiles sous la lune et les enseignes colorées. Et dans le ciel étoilé, hiver comme été, la lumière hissait des voiles tamisées comme celle de la Blue Sky Tower vers laquelle Oyun se dirigeait.

— Inspecteur Oyun ?

Bekter l'avait rejointe en quelques pas. Elle avait encore la tête à ses improbables achats et sursauta, surprise. Bekter était flic. Flic de flic même. Il ne pouvait pas être là par hasard. Est-ce qu'il l'avait filée ? Est-ce qu'il l'avait vue faire son shopping ?

Elle changea de main les deux élégantes pochettes en carton glacé pour qu'il ne puisse pas lire les marques.

— Qu'est-ce que tu veux ?

— Je peux te parler ?

— Je ne parle pas aux flics de flics sans y être obligée.

— Je veux te parler de l'enquête sur Yeruldelgger.

— Tu nous as interdit de nous en mêler.

— Justement. Ce n'est plus le cas…

Il la prit par le bras pour la pousser à avancer. Il y avait autant de prévenance que d'assurance dans son geste et elle se laissa faire.

— Écoute, je suppose que tu sais déjà que Yeruldelgger et moi avons fait la paix. Il n'est plus suspect dans cette affaire. Il est plutôt la cible d'une incompréhensible manipulation.

— Tu as mis du temps à reconnaître son innocence. Je te l'avais dit dès le début.

— J'ai mis le temps qu'il faut à un bon flic pour étudier et recouper tous les indices. Si tu avais été à ma place et moi à celle de Yeruldelgger, tu aurais procédé de la même façon.

— Non, moi je t'aurais laissé croupir en taule. C'est tout ce que méritent les flics de flics.

Ils traversaient le parc devant Central Tower et

Bekter la retint. L'air était si vif qu'il plissait les yeux pour lui parler.

— Je voulais juste te mettre au courant du dossier, reprit-il en choisissant d'ignorer la remarque d'Oyun. Quelqu'un s'est donné beaucoup de mal, avec beaucoup de moyens, pour essayer d'impliquer Yeruldelgger dans le meurtre d'Altantsetseg.

— Et alors ?

— Alors je n'arrive pas à comprendre pourquoi. Quel intérêt à tuer Altantsetseg ? Que représentait cette fille ? En plus tout était si mal ficelé que ça ne pouvait pas vraiment le faire tomber. Alors à quoi bon ?

— Des flics ripous ?

— De ceux que Yeruldelgger a envoyés en taule ? Mes hommes ont tout examiné. Rien de ce côté-là.

Oyun fit quelques pas en silence, avant d'oser dire ce à quoi elle pensait.

— Et Erdenbat ?

— Quoi, Erdenbat ?

— C'est la seule personne à pouvoir en vouloir à Yeruldelgger à ce point. Le seul aussi à être assez cruel pour le faire aux dépens d'une innocente.

— Je croyais qu'il était considéré comme mort depuis l'assaut de son ranch dans le Teredj l'an dernier ?

— On n'a jamais retrouvé son corps.

— C'est vrai. Tu le crois vivant ?

— C'est Erdenbat.

— Oui, admit Bekter. Pourquoi pas Erdenbat…

Ils marchèrent encore quelques instants avant que Bekter ne l'arrête à nouveau, lui faisant brusquement face.

— Tu es certaine qu'Altantsetseg n'était pas sa

maîtresse ? C'était une prostituée. Il aurait pu succomber à ses charmes.

L'image flasha aussitôt dans l'esprit d'Oyun et elle ne parvint à cacher son trouble que par un trop brusque éclat de rire. Altantsetseg était là, dans une petite chambre, face à Yeruldelgger, et s'exhibait, lascive et vulgaire, dans cet *underwire bra nude-look* qui tenait bien haut ses petits seins dont les tétons pointaient à travers le voile transparent bordé de satin noir et luisant comme un cuir léger. Et sur son sexe à peine caché, un string en tulle noir avec la cordelette tressée de satin noir entre ses fesses. Cette même lingerie qu'elle venait d'acheter pour elle dans une des luxueuses boutiques de la galerie. Elle avait refusé de l'essayer malgré l'insistance de la jeune vendeuse. Plus par honte d'oser un tel achat, que par peur de montrer ses cicatrices. Elle s'était imaginée se déshabillant devant Gourian étonné, et le désir de ses dents mordillant sa peau à travers le tulle fragile avait dissipé ses dernières pudeurs. Elle avait aussitôt craqué pour une seconde parure, rouge celle-là, avec une culotte mini-cœur en dentelle de plumetis brodé sur le sexe et un crêpe doux voilant les fesses. Et pour le haut, un légendaire soutien-gorge corbeille d'une célèbre marque parisienne avec un petit nœud coquin en ruban gros grain entre les seins. La jeune vendeuse avait dû faire appel à une autre plus âgée et plus expérimentée pour lui expliquer la notion française de *voilé-dévoilé*...

— Oyun ?

Elle sortit de son rêve éveillé dans un frisson et rougit à l'idée que Bekter ait pu en deviner l'ardeur.

— Alors, sa maîtresse, tu n'y crois pas ?

— Pas une seconde ! répondit-elle trop vite en prenant trois pas d'avance sur lui.

— Tu le connais mieux que moi, concéda-t-il. L'hypothèse sur laquelle nous travaillons maintenant c'est que si machination il y a, ce crime ne pouvait servir qu'à pousser Yeruldelgger à faire quelque chose, ou bien à l'en empêcher. Mais quoi ?

— Tu n'as qu'à le lui demander !

— Tu sais bien qu'il a disparu.

— Yeruldelgger ne disparaît jamais. Il s'absente, puis il réapparaît. Il a toujours fait comme ça.

Bekter s'était arrêté mais sans retenir Oyun cette fois. Elle fit quelques pas avant de se retourner et comprit que leur entretien était terminé. Finalement, Bekter était peut-être un type bien. Elle lui adressa un sourire amical et reprit son chemin.

— Ah, Oyun !

— Quoi ?

— Si j'étais ton beau militaire, je te préférerais en noir…

Il lui fallut deux secondes pour comprendre. Elle le regarda, baissa son regard sur ses deux sacs, puis releva la tête à nouveau et le vit qui s'éloignait sans attendre sa réponse.

— L'enfant de salaud ! jura-t-elle entre ses dents, honteuse et flattée jusqu'aux yeux.

Elle traversa l'esplanade vers Peace Avenue. Maintenant que quelqu'un d'autre savait, autant céder à la tentation de le montrer à Gourian au plus vite. L'idée folle de se déshabiller pour se montrer en petites tenues frivoles lui frissonna le ventre. Mais comme elle passait devant la statue du cavalier figé dans une improbable ruade sur son rocher, au milieu des fontaines sans eau, elle hésita en souriant de son audace.

Elle pensa d'abord que l'homme s'était mépris sur son hésitation et son sourire.

— Je suis d'accord avec vous, dit-il. C'est une posture très improbable.

Il était plutôt élégant et bien mis de sa personne, mais elle remarqua aussitôt les deux gardes du corps de chaque côté à cinq mètres derrière lui. Elle pensa instinctivement à un de ces nouveaux riches arrogants plus qu'à une nouvelle tentative d'enlèvement. Un de ces parvenus qui pensent que tout leur est acquis, y compris les femmes plus jeunes, et qui se donnent des airs d'hommes cultivés.

— Ce cavalier ! reprit l'homme en désignant la statue. Avez-vous déjà vu dans nos steppes un si prétentieux rodéo ? N'importe qui chevauchant de la sorte serait déjà le cul par terre avec les reins brisés !

Il avait raison. Le cheval ruait des postérieurs, et le cavalier n'était pas assez basculé vers la croupe pour résister à la secousse. L'artiste l'avait aussi déporté sur le côté, le bras droit trop levé et pas assez en arrière pour lui éviter la chute.

— Au moins pourrait-il, en été, tomber dans l'eau. Mais par ces temps glacés, il va tomber du haut de son rocher et se casser les os dans le bassin gelé.

Encore une fois il avait raison, mais Oyun n'avait pas l'âme à jouer les bimbos pour golden boy. Elle lui tourna le dos sans répondre.

— Inspecteur Oyun ?

Cette fois, elle se figea sur place avant de se retourner vers celui qui connaissait et son nom et son grade. L'homme s'était à peine rapproché, ses deux sbires toujours à la même distance derrière lui.

— Inspecteur Oyun, si je peux me permettre, et sans aucunement chercher à vous offenser, contrairement à l'homme des Affaires spéciales, je vous imagine plus dans le modèle français en dentelle rouge que dans l'autre.

— Espèce de sale petit connard d'obsédé de voyeur, fulmina Oyun en avançant droit sur lui.

Les cerbères vinrent aussitôt encadrer leur patron pour le protéger, glissant une main sous leur veste. Mais Oyun avait déjà dégainé et les tenait en respect. L'homme, sans panique, fit signe à ses gardes de reculer et de ne pas sortir leur arme.

— On ne m'avait pas menti, reprit-il à l'adresse d'Oyun. Vous êtes décidément très affûtée et vos réflexes sont excellents. Vous devriez envisager de travailler pour moi.

— Et je travaillerais pour qui ?

— Que vous ne le sachiez pas est plutôt vexant. D'un autre côté, n'est-ce pas le rôle du patron des services secrets de rester discret ?

— Vous êtes Bathbaatar ? Le Bathbaatar de l'Agence nationale de sécurité ?

— Ce Bathbaatar-là. Est-ce que cela peut m'autoriser à vous demander de baisser votre arme avant qu'un des stupides vigiles d'une de ces boutiques de marque ne nous descende tous en pensant à une tentative de braquage ?

Malgré le froid et la nuit, une foule joyeuse déambulait dans le contre-jour des enseignes internationales, comme si un luxe contagieux apportait à chaque badaud un peu de cette élégante nonchalance qui sied aux gens aisés. Pour l'instant, personne n'avait remarqué la colère d'Oyun ni son arme.

— Je vous en prie, continua Bathbaatar en haussant les sourcils, laissez-moi vous raccompagner jusqu'à votre hôtel !

Ce fils de pute se servait de chaque mot comme d'un coup de poing. Comment savait-il qu'elle allait à l'hôtel ? Comment savait-il qu'elle avait acheté deux parures de couleurs différentes ? Et comment savait-il en plus que Bekter avait préféré la noire ? Comment était-il possible que tous les services de police du pays soient au courant de ce qu'elle avait imaginé comme la soirée la plus secrète et la plus intime de sa vie ?

— Services secrets ! résuma l'homme en écartant les bras, comme si cela répondait à toutes les questions non dites d'Oyun.

Elle rangea son arme et pointa les deux gardes du corps d'un geste du menton.

— Très bien, on ne bouge pas d'ici et ces deux-là restent à vingt mètres.

Bathbaatar apprécia le jugement d'Oyun. Elle et lui étaient noyés dans une zone d'ombre, et les gardes restaient en pleine lumière. En cas de grabuge, cela donnait à Oyun quelques précieuses fractions de seconde d'avantage.

— On dit que vous avez été embarquée par les militaires à la sortie du 100 %.

C'était moins une question qu'une façon de lui faire comprendre qu'il savait déjà.

— Ils m'ont invitée à les suivre un peu fermement.

— J'ai déjà eu l'occasion de le dire à Yeruldelgger. L'homme que vous avez trouvé mort dans l'Otgontenger était un de mes hommes. Infiltré chez les militaires…

Elle encaissa le choc sans rien laisser paraître, mais Bathbaatar était assez roué pour savoir qu'il n'en était rien. L'imperceptible retard de sa réaction le confirma dans son jugement.

— … Et alors ?

— Et alors rien, répondit-il. Vous êtes assez grande pour en tirer les conclusions logiques.

— Et quelles conclusions en a tirées Yeruldelgger ?

— Aucune, puisqu'il ne sait pas.

— Mais vous venez de me dire…

— J'ai dit à Yeruldelgger que l'homme appartenait à mes services. Je ne lui ai pas parlé de sa mission.

— Et pourquoi avez-vous infiltré les militaires ?

— Je ne peux pas encore vous le dire. Pour l'instant mon message est celui-ci : méfiez-vous des militaires et prévenez Yeruldelgger.

— Personne ne sait où il est.

— Il est de l'autre côté de la frontière, du côté de Krasnokamensk, en Russie.

— Pourquoi ne pas le prévenir vous-même, dans ce cas ?

— Mon job, c'est de dénouer les ficelles, pas de les tirer. Je ne sais pas ce que cherche Yeruldelgger, mais je m'intéresse à ce qu'il pourrait trouver. Alors je le laisse faire. Et vous avec.

Bathbaatar avait eu un imperceptible regard vers le garde du corps sur sa gauche. Il allait partir.

— Je ne vous retiens pas, dit Oyun avec un peu

plus d'insolence dans la voix qu'elle ne l'aurait voulu. Je suppose que nous ne nous sommes jamais rencontrés et que la statue du cavalier s'autodétruira dans les cinq secondes ?

— Jolies références, sourit-il, mais je ne suis pas Daniel Briggs et encore moins Jim Phelps.

Puis il redevint sérieux et fixa Oyun quelques instants.

— Cette entrevue a bien eu lieu et je vous invite à tenir compte de mes recommandations, Oyun. Et dès ce soir…, ajouta-t-il en pointant du doigt les pochettes de lingerie qu'elle cacha aussitôt dans son dos, comme une gamine surprise à fumer en cachette.

Le temps qu'elle cherche une réplique cinglante, l'homme et ses gardes du corps s'étaient éloignés. Elle était sidérée par son audace et son arrogance, comme elle l'avait été de l'intervention de Bekter. Tout à sa colère et à son indignation, elle remonta vers la statue de Marco Polo, rejoignant les badauds noctambules en doudoune dans les lumières colorées. Leurs rires et leurs paroles pouffaient des fumerolles dans la nuit bleue, et Oyun chercha par instinct l'homme silencieux qui l'épiait dans la foule.

— Ça y est ? hurla-t-elle soudain en écartant les bras, un sac dans chaque main. Il n'y a plus d'autre flic pour me pourrir ma soirée ? C'est fini ? Je peux aller baiser l'homme que j'aime ?

Et elle se décida à rejoindre la suite qu'elle avait réservée pour l'occasion au Blue Sky Hotel. Au loin, la silhouette moirée de bleu du bâtiment tout en verre tranchait sur la nuit électrique. Beaucoup le voyaient comme une voile avec sa façade sud droite et étroite comme un mât de cent mètres, et sa face nord bombée en quart de cercle comme un spinnaker incongru dans ce pays sans mer. Oyun, elle, y voyait la lame ronde d'une hache d'acier aiguisée. Dressé de l'autre côté de Peace Avenue, surplombant les deux hectares de dallages géométriques et soviétiques de la grande place Sukhbaatar, le bâtiment avait changé sa vision de la ville. Avant, tassée face à l'esplanade qu'elle dominait, dos tourné au Palais du gouvernement dans une niche sans porte, surélevée par une haute volée de marches en marbre, la statue colossale de Gengis Khan lui avait toujours semblé menaçante.

Tout le monde se plaisait à y voir l'image d'un père fort et puissant, bras plantés dans les accoudoirs de son trône, jambes écartées sans honte et sans peur, qui veillait sur son peuple et protégeait la maison du gouvernement. Oyun y avait toujours vu l'image d'un père castrateur et abusif, surveillant en silence ses sujets et leur interdisant l'entrée de sa maison. Mais maintenant, avec sa lame en équilibre sur son tranchant juste dans l'axe de la statue, le Blue Sky ramenait Gengis Khan à ce qu'il était aussi : un despote dont la force avait été d'être le plus cruel et le plus fort, et qui aujourd'hui n'était plus que ça. Un despote des temps passés. Oyun se plaisait à penser qu'un petit coup de pied, une simple pichenette, pourrait faire rouler la lame qui couperait en deux l'indigeste gâteau de marbre du square stalinien et trancherait enfin la statue du père tutélaire. Pour elle, le Blue Sky, par sa hauteur et son audace, allait enfin rattacher sa ville aux autres mondes. Son pays allait entrer dans la verticalité contemporaine. La force du Khan n'avait été qu'horizontale, dans l'espace et le temps de ses conquêtes. Voilà maintenant qu'il avait face à lui ce qu'il avait piétiné à travers le monde entier, parce que trop fragile contre sa force cruelle : la beauté et l'élégance. L'imagination. L'esthétique. Et cette nouvelle réalité qui se dressait face à lui le rendait soudain si petit et si insignifiant tout là-bas dans sa niche à l'autre bout de la place. L'hôtel coupait pour elle ce cordon ombilical dont personne n'osait s'avouer qu'il était un lien qui les tenait prisonnier d'un mythe. Elle entra dans l'atrium du Blue Sky, face au long comptoir de marbre noir derrière lequel les trois chargés de réception attendaient, immobiles et bras dans le dos, en uniforme sombre. Elle avait gardé sa clé magnétique et se dirigea directement vers les ascenseurs en répondant à leur sourire appliqué. Au centre du hall, sur une table ronde de la même pierre que le comptoir, une jeune et belle femme en habit de fête construisait avec délicatesse l'ossature d'une yourte traditionnelle en modèle réduit. Elle y mettait l'élégance et la patience d'une joueuse de mikado et les visiteurs allaient pouvoir admirer, son œuvre terminée, l'agencement d'une tente des steppes à travers la gracile charpente des cloisons et du toit qui ne serait recouverte ni de feutre ni de toile. En passant à sa hauteur, Oyun comprit à la lenteur et à la précaution de ses gestes que l'ensemble ne serait qu'un assemblage en équilibre sans aucune fixation.

Elle avait demandé à visiter plusieurs chambres avant de se décider. Une « de luxe » pour sa surprenante salle de bain entièrement vitrée, au cœur même de la chambre. Elle avait trouvé ce manque d'intimité très excitant. Elle s'était imaginée se douchant après l'amour sous le regard sans gêne de Gourian, encore nu et satisfait d'elle dans les draps défaits. Puis elle avait visité les suites et elle avait choisi la Plazza, beaucoup plus en étage, plus haut sur la tranche, dans l'arrondi de la lame, ouverte à la fois sur la place Sukhbaatar en face et sur tout le reste d'Oulan-Bator sur la droite. La salle de bain était séparée par un mur de verre dépoli, et elle décida aussitôt que ce serait assez pour ses jeux d'ombres suggestifs. Mais dès qu'elle avait aperçu la ville à ses pieds, elle avait décidé de se faire aimer contre ses reflets allumés dans la nuit. Elle éteindrait les appliques et les lampes de chevet et ils flotteraient tous les deux dans le ciel même de la ville constellée de lumière. Elle se laisserait prendre comme il le voudrait, plaquée contre les baies vitrées qui descendaient jusqu'au sol, au bord du vertige...

Elle était prête à toutes ces audaces, mais elle choisit, dans un réflexe de pudeur, de se précipiter dans la salle de bain pour essayer sa lingerie. Elle se glissa d'abord dans le tulle noir, frémissant aussitôt de ses transparences osées, et la lumière lui sembla soudain trop franche et trop crue. Elle repassa dans la chambre sans allumer pour se voir dans le reflet de la baie vitrée qui faisait miroir contre la nuit du dehors. L'homme était là, assis dans le fauteuil club. Un Chinois, plutôt petit, mais au physique affûté, le visage marqué par la cicatrice d'une brûlure et l'arme à la main. Un PSS russe conçu pour tirer des balles de calibre 7,62 à absorption de gaz. Pas besoin de silencieux. De quoi descendre une cible jusqu'à vingt mètres sans la moindre détonation...

47

Le noir vous va bien mieux...

L'homme était courtois. Il avait deviné la colère et la honte dans le regard d'Oyun et s'était excusé d'avoir dû surgir ainsi dans son intimité. Il lui tendit un peignoir aux initiales de l'hôtel, qu'il avait pris dans la salle de bain avant son arrivée.

— Avant de ranger mon arme, et pour que vous ne me forciez pas à en faire usage, permettez-moi de vous dire que je suis un ami, ou disons une connaissance, de votre partenaire Yeruldelgger.

— Je sais qui vous êtes, répondit Oyun en passant le peignoir. Vous êtes un enfoiré de faux diplomate et vous travaillez pour le dix-septième bureau des services secrets chinois. Vous avez essayé de flinguer une de nos enquêtes à Yeruldelgger et à moi. Vous avez essayé de le faire virer de la police, et vous avez foiré l'arrestation d'Erdenbat qu'il vous livrait sur un plateau. Voilà qui vous êtes !

— Bien, reprit-il avec calme mais sans ranger son arme. Puisque vous savez déjà qui je suis, laissez-moi au moins vous dire pourquoi je suis ici, alors.

— Je n'écoute pas les gens qui me braquent avec un flingue, le provoqua Oyun.

— Je ne braque que les individus qui refusent de m'écouter, répondit le Chinois. Mais je vous propose un arrangement. Asseyez-vous en tailleur à l'autre bout du lit. Moi je reste dans ce fauteuil, mais je pose mon arme sur la table basse. Comme ça, elle n'est plus braquée sur vous et vous pouvez m'écouter.

Oyun obéit de mauvaise grâce, cherchant dans sa tête un plan pour lui échapper ou le neutraliser. Elle décida que la meilleure chose à faire était de gagner du temps et d'attendre que Gourian frappe à la porte.

— Très bien, commença le Chinois quand elle fut assise. Nos services suivent avec beaucoup d'intérêt plusieurs de vos enquêtes qui dépassent les limites que vous leur supposez. Votre partenaire a enquêté à Krasnokamensk et il a eu raison. Il se passe là-bas des choses qui influeront sur certaines de vos conclusions. Il en va de même pour la Chine. Mon pays sert d'alibi à des trafics auxquels nous voulons mettre fin. De préférence avec vous, mais sans vous si vous refusez notre aide. Voire contre vous s'il le faut.

Il parlait d'une voix convaincante. Il lui sembla à la fois sincère et déterminé et elle ne prit pas ses derniers mots comme une menace.

— De quel genre de trafic parlez-vous ?

— Contrebande et traite d'êtres humains.

— J'ai du mal à vous croire. Aucune de nos enquêtes actuelles n'ouvre de pistes dans ces directions.

— Parce qu'il vous manque les éléments pour les

relier. Vous ne cherchez des réponses qu'en Mongolie alors que les trafics sont à l'échelle mondiale.

— Mondiale ? Qu'est-ce que c'est, votre truc, la parano mégalo des services secrets ? De quoi parlez-vous ?

— Je parle de contrebande par millions d'euros, et de trafic d'êtres humains par centaines d'enfants. Chaque année.

Oyun le regarda fixement pour tenter d'évaluer sa crédibilité. Il paraissait toujours aussi sincère, mais ce n'était qu'un agent secret. Même si son arme était posée devant lui sur la table, elle était sous sa menace. Et elle était assise en tailleur sur son lit, à peine vêtue de dentelles affriolantes sous son peignoir.

— Que voulez-vous ? finit-elle par demander.

— Je veux parler à Yeruldelgger et à lui seul, dans un endroit le plus secret possible, le plus vite possible.

— Vous m'avez dit vous-même qu'il était à Kras-nokamensk. Ça devrait être dans vos cordes de le rencontrer là-bas si vous ne pouvez pas attendre qu'il rentre.

— J'ai dit qu'il y avait enquêté. Il n'y est plus, dit-il en se levant et en rangeant son arme dans sa ceinture. Les Russes qui voulaient le tuer, nous qui voulons lui parler, et même vous avec qui il devrait travailler, plus personne ne sait où il est.

Il se dirigea vers la porte comme s'il ne redoutait aucune réaction d'Oyun.

— ... Et ce ne sont pas les trois ou quatre cadavres qu'il a laissés derrière lui en Sibérie qui vont nous dire où il est allé. Mais s'il contacte quelqu'un, ce sera vous. Alors passez-lui le message, s'il vous plaît, dit-il en sortant.

Il allait refermer la porte quand il se ravisa :

— Et personnellement, je pense que vous avez fait le bon choix. Le noir vous va bien mieux...

48

... le cœur en panique.

Oyun était restée immobile, assise sur son lit dans l'obscurité bleutée de sa suite éteinte. Elle avait encore vaguement conscience d'attendre Gourian, mais elle n'était déjà plus la femme amoureuse dans son affriolante tenue érotique qu'elle avait rêvé d'être. Elle était redevenue flic et essayait de comprendre pourquoi trois hommes, flics ou espions, l'avaient filée et piégée pour lui parler de son partenaire qui avait disparu en l'abandonnant dans le fatras de ses enquêtes.

Elle se leva pour mieux réfléchir et se dirigea par instinct de flic vers la baie vitrée. Elle attendit d'apercevoir le Chinois sortir sous la grande dalle de béton qui faisait office d'auvent au porche de l'hôtel, et le suivit des yeux quand il descendit sur sa droite vers le carrefour de Peace Avenue et d'Olympic Street. Chaque chaos a son ordre, chaque désordre sa logique. Même la circulation d'Oulan-Bator. Vus d'en haut, deux véhicules ne jouaient pas leur rôle dans ce ballet infernal. Un pick-up noir et chromé, tous feux éteints, remontait imperceptiblement le long du trottoir où marchait le Chinois. Et juste au pied de l'hôtel, une berline grise, phares allumés, perpendiculaire à Peace Avenue, attendait pour entrer dans le trafic depuis le parking de l'hôtel alors qu'elle aurait déjà pu s'y engager à plusieurs occasions.

Puis tout alla très vite. La berline bondit pour percuter le Chinois et le projeter au milieu de l'avenue sous les roues du pick-up qui lui roula dessus avant de disparaître dans le désordre du carrefour.

Oyun resta quelques secondes pétrifiée puis se précipita hors de sa chambre et fonça jusqu'aux ascenseurs, appuyant nerveusement sur le bouton de fermeture des portes chaque fois qu'un client nonchalant montait en faisant mine de ne pas s'étonner de sa tenue. Elle jaillit dans le hall en se glissant entre les battants trop lents à s'ouvrir et courut jusqu'à la porte en se jetant dans son élan contre un groupe de touristes empêtrés dans leurs bagages. Elle trébucha sur un sac, faillit perdre l'équilibre, et se cogna à la table ronde où trônait la maquette de la yourte. Un couple d'Italiens hurla un cri d'opérette quand le squelette de la yourte s'effondra. Oyun aperçut le regard embué de honte de la jeune femme en tenue traditionnelle.

— Désolée, petite sœur, désolée, je...

Elle ne trouva rien à dire et fila vers la sortie en bousculant le groom, insensible à l'air tranchant comme une lame. L'accident avait provoqué un carambolage et ils étaient plus nombreux à vouloir se battre pour de la tôle froissée qu'à tenter de porter secours au Chinois.

Elle se fraya un passage entre les curieux hurlant qu'elle était de la police, et tous ceux qui affichaient des mines écœurées à la vue du corps écrabouillé échangèrent aussitôt des apartés salaces en découvrant ses dessous entre les pans de son peignoir. Le cœur du Chinois battait encore quand elle chercha son pouls et elle demanda si quelqu'un avait appelé les secours. Comme personne ne sut lui répondre, elle hurla de le faire. Puis le froid lui piqua les reins et elle réalisa qu'elle était agenouillée sur la chaussée en peignoir et pieds nus par moins vingt degrés. Tous autour riaient d'elle maintenant, engoncés dans leurs anoraks et leurs parkas, les plus hardis lui proposant de la réchauffer dans leurs bras. Elle leva la tête et vit au-dessus d'elle leurs visages plissés pouffer des bouffées de buées à chaque grossièreté. Soudain le Chinois s'affaissa dans un ultime spasme. Il était mort et elle avait tout vu. C'était un assassinat. Pour les flics qui allaient débarquer dans une bonne demi-heure, ça serait d'abord un accident de la route probablement dû à un chauffard ivre. Avec délit de fuite pour leur compliquer la vie. Elle n'allait pas se compliquer la sienne à essayer de leur expliquer ce qui s'était passé. Un tremblement glacé lui secoua la nuque et les épaules. Elle se releva et traversa la foule pour regagner l'hôtel. Quelques mains en profitèrent pour s'égarer sur son corps en se moquant d'elle, et elle allait vriller le coude d'un géant en anorak qui osait une caresse sur son sein quand elle avisa la voiture. Là encore c'était une question de tempo. Depuis l'accident, les véhicules se frayaient un chemin parmi la foule et chauffeurs comme passagers essayaient d'arracher un aperçu du corps désarticulé. Cette berline-là n'était pas dans le même rythme. L'homme au volant, qu'elle ne voyait pas, n'hésitait pas devant la cohue des badauds. Au pas, mais sans ralentir, il les repoussait et les écartait de son pare-chocs chromé. Oyun eut une terrible intuition en reconnaissant le modèle. BMW Série 5. Puis son cœur manqua un battement quand son regard croisa celui de Slava, assis à l'arrière, qui la fixait droit dans les yeux, sans s'intéresser au macabre spectacle qui fascinait la meute. Elle fut soudain incapable du moindre mouvement. Slava ne la quittait pas des yeux. Puis la foule se referma sur la berline qu'elle perdit de vue et il ne lui resta plus rien de ce terrifiant hasard que l'image du regard sans émotion de Slava planté dans le sien.

Le froid lui tétanisa le dos à nouveau et elle se précipita vers l'hôtel. Le groom la regarda courir vers lui en serrant son peignoir des deux mains et lui ouvrit la porte à l'avance. Elle s'engouffra à l'intérieur dans une coulée d'air glacé qui fit grommeler un groupe d'Américains offusqués par sa tenue. Oyun chercha des yeux la jeune femme en tenue de fête et se dirigea vers elle.

— Écoute, petite sœur, je suis vraiment désolée pour tout à l'heure. C'est cet accident dehors, ça m'a secouée, tu comprends ? Sincèrement, je te demande pardon, petite sœur. J'avais admiré ton travail en entrant à l'hôtel, tu te souviens ? Ta patience et ta dextérité.

Mais la jeune femme restait prostrée devant sa petite yourte effondrée sur la table de marbre. Oyun aurait préféré lire dans ses yeux de la révolte, mais elle n'y voyait que de la honte. Celle d'avoir failli en public, ce qui la mettait, elle, en colère. Cette addiction des nomades à la culpabilité, cette résignation à la responsabilité, elle n'en pouvait plus. Elle savait le désarroi de la pauvre femme et sa détresse de n'avoir pas su protéger ce qu'il lui revenait de montrer aux étrangers comme le symbole de sa culture, mais en même temps elle lui en voulait. D'être incapable de rage, de révolte, de rébellion. De ne pas oser lui dire que c'était sa faute, qu'elle n'avait eu aucun respect pour son travail, pour ce que représentait leur demeure traditionnelle. De ne pas lui avoir hurlé qu'on ne court pas dans les halls d'hôtel pieds nus et habillée comme une pute au sortir du lit ! C'est ce qu'elle aurait voulu entendre la jeune femme lui jeter au visage au lieu de rester là, perdue, muette, effarée, devant sa yourte effondrée comme…

— Oh merde ! jura soudain Oyun en fixant le petit tas de bois qui jonchait la table de marbre noir. Merde, merde, merde, merde !

Et sans plus s'intéresser à personne, elle courut jusqu'aux ascenseurs pour regagner sa chambre, et appeler Gourian.

— Oui ? répondit une voix qu'elle reconnut aussitôt.

— Slava ? Où est Gourian ?

— Parti.

— Parti ? Comment ça parti ? Parti où ?

— Rentré au poste. Permission annulée.

— Qu'est-ce que c'est que cette histoire, Slava, et qu'est-ce que tu faisais devant le Blue Sky tout à l'heure ?

Slava raccrocha sans répondre, et elle resta le combiné à la main, le cœur en panique.

49

Commissaire Yeruldelgger ?

Quand il sortit de la petite isba, l'homme l'attendait en fumant, adossé à son 4 × 4 malgré le froid. Yeruldelgger se dirigea vers lui sans hésitation. Après avoir si longtemps interné Khodorkovski au YaG 14/10, cette ville ne pouvait qu'avoir pris l'habitude de grouiller d'indics, de mouchards et autres barbouzes.

— Tu soignes ton cancer ? lança Yeruldelgger.

— Tu ne crois pas si bien dire. Ici, à Krasnokamensk, fumer c'est comme boire du sirop sur une bronchite.

Il envoya son mégot valdinguer en spirale d'une pichenette et monta dans le véhicule à la suite de Yeruldelgger.

— On va où ?

— Ça m'étonne que tu ne le saches pas déjà.

— Tout ce qui m'intéresse, c'est de le savoir quand je t'y aurai déposé.

— Alors on cherche un genre de salon de thé avec un grand samovar bien astiqué sur le comptoir.

— C'est comme si on y était, répondit le chauffeur de sa voix éraillée.

Ils sortirent du vieux quartier de bicoques en bois par des rues gadouilleuses à angle droit sous les arbres nus et noirs, puis récupérèrent une longue route tannée de neige brune qu'ils remontèrent en ligne droite vers le nord. Des barres d'immeubles trop grands, le long de rues trop larges, autour de parcs trop vastes. Une ville faite pour être à l'échelle d'une ambition paranoïaque. Pour que des hommes y tombent de fatigue, épuisés par des jours sans fin dans la mine. Pas pour qu'ils y vivent. Pour qu'ils y restent, enfermés. Une ville close, interdite aux étrangers et jusqu'aux Russes des autres provinces qui devaient présenter un passeport pour y séjourner sous le contrôle arrogant et permanent de la police politique.

— Qu'est-ce que tu penses de Borissovitch ? demanda le chauffeur sans quitter des yeux son pare-brise étoilé d'impacts.

— Tu me crois aussi naïf que ça ? répliqua Yeruldelgger.

— C'est juste une question…

— Parler de Khodorkovski en disant Borissovitch, c'est admettre qu'on en sait déjà trop sur lui pour être à Krasnokamensk.

— C'est ce que tu viens d'admettre.

— Oui, mais je t'ai dit que j'étais là pour le Septième Monastère, pas pour la Huitième Division.

— N'empêche que tu en sais plus que tu ne veux le dire sur Borissovitch.

— Tu diras ça à ceux qui t'emploient.

— C'est pour ça qu'ils me payent, répondit-il sans gêne.

Ils continuèrent en silence à travers des cités

ouvrières délabrées. Des gosses encapuchonnés dans des survêtements de contrefaçon graphaient de tags rageurs la base des immeubles, comme pour les saper de leur révolte silencieuse. On commençait à voir les mêmes à Oulan-Bator, se dit Yeruldelgger. Puis soudain ils bifurquèrent dans une contre-allée et s'arrêtèrent devant la baie vitrée du salon de thé. Yeruldelgger aperçut le samovar à travers la vitre. Les alentours semblaient un peu plus animés que ce qu'ils avaient traversé de la ville, et l'endroit plutôt fréquenté.

— Je t'offre le thé ? proposa Yeruldelgger.

— Merci, mais mon boulot est de leur dire où tu allais. Je n'ai pas envie d'en savoir plus.

— Tu seras encore là quand je sortirai ?

— Non.

— Et comment je trouverai un taxi ?

— Un taxi te trouvera, ne t'en fais pas.

Yeruldelgger le regarda droit dans les yeux, pas vraiment surpris.

L'autre soutint son regard en allumant déjà une nouvelle cigarette.

— Je ne m'en fais pas, finit par dire Yeruldelgger. Et quitte à mourir, essaye de fumer autre chose que ça, il y a encore plus de carton que de foin dans ces papiros sans filtre.

L'homme regarda son paquet bleu et blanc de Belomorkanal où était dessiné le tracé du canal de la mer Blanche à la Baltique. Chacun savait ici que le faux filtre en carton de cette marque de propagande à la gloire du grand canal était surnommé le filtre d'Auschwitz, en mémoire des deux cent mille morts qu'aurait coûté ce titanesque chantier à la soviétique.

— Décidément, répondit le chauffeur, tu sais beaucoup trop de choses pour espérer vivre vieux, toi.

Yeruldelgger ne chercha pas à lui répondre. Il attendit de le voir disparaître au prochain carrefour pour entrer dans le salon de thé.

Curieusement, l'intérieur était beaucoup plus chaleureux qu'il ne l'imaginait. Et bondé. Des vieilles ouvrières retraitées qui jouaient aux bourgeoises, des hommes désœuvrés qui tapaient le carton, et, plus inattendu, des jeunes en survêtement qui refaisaient le monde dans une gestuelle de rappeurs. Yeruldelgger repéra vite le flic en civil qui surveillait tout ce joli monde. Un vieil homme mal fagoté à la dégaine prétentieuse de celui qui sait que tout le monde sait qui il est. Cela suffisait sans doute à ce que l'endroit reste calme juste ce qu'il fallait pour qu'il y passât des journées tranquilles et sans embrouilles.

Yeruldelgger avait les photos de Ganshü en tête et devina aussitôt qu'elles avaient probablement été prises depuis la table où se trouvait le flic. Il hésita sur l'attitude à prendre, et préféra laisser venir les choses en se dirigeant vers le bar où trônait le samovar. Une femme rougeaude et rousse de henné, tablier et coiffe bleu ciel comme une serveuse de donuts de l'Oklahoma, faisait face à la salle comme un arbitre qui surveille son ring. Elle regarda Yeruldelgger s'approcher comme un champion toise et menace son challenger.

— Il fonctionne vraiment ? demanda-t-il en désignant le samovar.

— Et toi, tu fonctionnes encore à ton âge, le Chinois ?

— Je suis mongol, rectifia Yeruldelgger.

— Je suppose que c'est pire que chinois. Qu'est-ce que tu veux ?

— C'est un vrai à charbon, ou il est électrique ?

— À quoi ça servirait ? Ici l'eau est tellement radioactive qu'elle chauffe toute seule, tu ne le savais pas ?

La femme se retourna aussitôt vers la table du flic en civil en haussant les sourcils.

— Excuse-moi, Dimitri, le Chinois l'a cherché. Ça m'a échappé !

L'autre fit un petit geste de la main pour signifier que ce n'était pas bien grave. Yeruldelgger sourit à la femme derrière le bar.

— C'est un magnifique Batachev de Toula en cuivre jaune. Il doit dater de la fin du dix-neuvième siècle, 1870…

— Les chinetoques s'y connaissent en samovars, maintenant ?

— Les Chinois ont inventé le ho-go quand vous n'aviez pas encore appris à chasser pour couvrir votre cul de peaux de bêtes.

— Ouais, répondit la femme sans se démonter. Je suppose qu'on se couvrait de peaux de Mongols à l'époque.

Yeruldelgger apprécia sa repartie et décida de changer de registre.

— Je m'y connais parce que j'en ai offert un à mon beau-père il y a quelques années. J'ai mis du temps à le choisir.

— Ton beau-père ? Tu as bien fait. Les beaux-pères sont tous des fumiers qui profitent de leurs brus ou de leurs gendres.

— Je parlais du samovar…

— J'avais compris. Et alors, il t'aime toujours pour ce beau cadeau, ton beau-père ?

— Je n'en sais rien. Je l'ai tué l'an dernier. Enfin, je crois.

— Thé noir aux agrumes, dit-elle en essuyant soudain ses petites mains rondes dans son tablier bleu. Assieds-toi à cette table là-bas. Je t'apporte une vatrouchka et des pirojkis.

Yeruldelgger s'installa sous les regards en biais de l'assistance et attendit de longues minutes. Quand elle revint, la femme posa sur la table une grande tasse de thé noir aux arômes puissants d'écorce d'orange et de bergamote, et deux assiettes. Dans la première, une petite brioche ronde fourrée de crème frappée et piquée de fruits confits. Dans l'autre deux petits beignets frits de pâte feuilletée, fourrés l'un de chou et d'œufs d'esturgeon, et l'autre de miettes de poulet.

— Mange, dit-elle, tu ne sais pas qui te mangera.

— Dis-moi, est-ce que tu as déjà vu ce gamin ? demanda-t-il brusquement en sortant les photos de Ganshü prises dans le salon de thé.

Encore une fois, il fut étonné qu'elle ne le soit pas. Elle resta juste plantée devant lui quelques secondes à le fixer en silence.

— Alors c'est toi ? Eh bien il était temps !

Elle retourna derrière son bar, disparut le temps de chercher quelque chose en dessous, puis revint vers lui une enveloppe à la main.

— Tiens. On a laissé ça pour toi.

— Pour moi ?

— Oui. Pour celui qui demanderait des nouvelles du gosse. Je ne me serais jamais doutée que ce serait pour un chinetoque.

Elle retourna derrière son bar en glissant un œil vers le flic en civil, et Yeruldelgger ouvrit l'enveloppe. Elle contenait d'autres photos, prises avant et après celles qu'avait reçues Saraa et deux détails attirèrent aussitôt son attention. Les voitures d'abord. Celle dont descendaient Ganshü et l'homme qui l'accompagnait avant qu'ils n'entrent dans le salon de thé, et celle dans laquelle un autre homme faisait monter Ganshü en ressortant. Elles étaient identifiables. La marque, le modèle et même les plaques. L'autre détail, c'était que l'homme qui repartait avec Ganshü était parfaitement visible, alors qu'on ne voyait jamais le visage, ni aucun signe distinctif de celui avec qui il était venu. Trop évident pour n'être qu'une maladresse de photographe, et Yeruldelgger comprit le message : ne t'occupe pas de celui qui te met sur la piste, mais suis la piste.

Il examina encore une fois toutes les photos puis les rangea dans l'enveloppe et savoura tranquillement sa vatrouchka et ses pirojkis. Les choses s'éclaircissaient. Quelqu'un le mettait sur la piste de Ganshü. Quelqu'un qui s'attendait à ce qu'il vienne jusqu'à Krasnokamensk. Qui savait qu'il exploiterait comme il le fallait les photos récupérées par Saraa. Donc quelqu'un qui, d'une façon ou d'une autre, le connaissait, et ne s'était pas trompé sur lui. Le problème était de comprendre jusqu'à quel point ce quelqu'un le manipulait

313

et dans quel but. Il ne lui échappait pas que le point de départ de son intérêt pour Ganshü était la mort de Colette et la disparition de Gantulga, et il ne pouvait ignorer l'interrogation qui s'imposait : et si l'assassinat de Colette ne s'expliquait que par la volonté de le mettre sur la piste de Ganshü ?

Yeruldelgger fit signe à la serveuse qu'il voulait payer. Pendant qu'elle cherchait la monnaie dans la besace qu'elle portait à sa ceinture, il lui demanda si elle connaissait le Cyber Planet.

— Est-ce que j'ai une tête à faire dans le virtuel ? s'indigna la femme.

Elle demanda à la table des rappeurs en contrefaçon d'Adidas et ils lui donnèrent l'adresse. Il la nota sur l'enveloppe des photos, remercia les rebelles de pacotille qui firent mine de ne pas le voir, et se leva pour sortir.

— Y a pas de pourboire ? s'offusqua la serveuse.

— Tu m'as déjà arnaqué de trois cents roubles par rapport à la carte, sourit Yeruldelgger.

— Putain, si les Chinois lisent le cyrillique, maintenant ! soupira-t-elle en retournant vers son bar.

Il se cogna au froid et l'air gelé lui transperça les tempes. Il lui fallut une seconde pour reprendre ses esprits et chercher des yeux le faux taxi qui devait l'attendre.

— Commissaire Yeruldelgger ?

50

... mais un cri le fit se figer à nouveau.

L'homme s'avançait vers lui main tendue et sourire aux lèvres. Un vrai sourire qui ne cherchait à cacher ni sa fatigue, ni son âge, ni la montagne d'emmerdements qu'allait lui valoir cette poignée de main. Ni non plus ceux, pires encore, qui lui tomberaient dessus s'il cherchait à y échapper.

— Commissaire Akounine, dit-il.

— Vous m'avez retrouvé plus vite que prévu, admit le Mongol.

— Nous ne t'avons jamais perdu depuis la frontière, admit le Russe. Tu sais, c'est Krasnokamensk ici. Depuis le passage de Borissovitch à la Huitième Division, c'est probablement la ville la plus fliquée de Russie.

— Alors tu dois bien savoir que je ne suis pas là pour ça.

— Oui, je le sais. Comme je sais que tu n'es pas là non plus pour le Septième Monastère.

— Bon, alors puisque tu sais déjà tout ça, conduis-moi là où je veux aller. Ça nous économisera des mondanités.

— Au Cyber Planet ? Qu'est-ce que tu espères trouver là-bas ?

— Les images de celui qui a posté ces photos sur les bandes d'archives de la vidéosurveillance, répondit-il comme une évidence.

— Qu'est-ce qui te fait croire qu'elles existent ?

— Dans une ville où les services secrets ont systématiquement réservé pendant toutes ces années toutes les chambres du seul hôtel pour décourager la famille et les partisans de Khodorkovski de lui rendre visite, ça m'étonnerait beaucoup que vous ne fliquiez pas le premier internaute venu.

Akounine sourit et l'invita d'un geste à l'accompagner jusqu'à sa voiture. Un improbable Duster Renault dont le moteur tournait.

— Construite en Roumanie ! précisa le Russe comme une bonne excuse. Monte, je t'emmène.

— Au Cyber Planet ?

— Tu imagines bien que nous ne laissons pas ces commerces potentiellement subversifs stocker leurs propres archives. Un des services d'une de nos polices s'en charge.

— Tu y as accès ?

— Bien sûr que non ! Je ne suis qu'un commissaire, un rouage, un moins que rien.

— Où allons-nous alors ?

— J'obéis aux ordres. Je t'emmène voir ceux qui commandent.

Yeruldelgger comprit que le commissaire était arrivé à la limite de ce qu'il pouvait dire et changea de conversation.

— Tu penses qu'il s'en sortira ?

— Qui ?

— Borissovitch.

— Oh, il a fait son temps ici en zone noire. Maintenant qu'il l'a transféré à l'autre bout du pays en zone de régime, c'est qu'il va le libérer un jour ou l'autre. Il ne peut pas prendre le risque qu'il meure en prison.

— Il va laisser son pire opposant sortir de prison en martyr tout auréolé de sa capacité de résistance pour se présenter contre lui ?

— Non, il va laisser ce type sortir de prison et le regarder mourir dans les années qui suivront, rongé par tous les cancers du monde. Autour de la mine, à vingt kilomètres d'ici, la teneur en radon est cent fois plus élevée que les normes admises. En ville, on ne mesure plus depuis vingt ans, histoire de ne pas savoir. Mais je peux te dire qu'ici, on mange de l'uranium, on boit de l'uranium, et on respire de l'uranium. Et je ne te parle pas des métaux lourds et des boues toxiques dans lesquelles tu patauges dès que tu descends du trottoir. Nous sommes la seule cité de Russie où le cimetière est plus grand que la ville. On nous dit que nous ne risquons rien, parce que les vents chassent les radiations vers la Chine. Tu parles ! Tu te calfeutres chez toi pour éviter les pluies acides, et c'est pire. Tous les ciments et les bétons qui ont servi à construire les barres d'immeubles sont en grande partie composés de déchets de la mine. Avec les progrès de l'isolation, ils sont radioactifs à l'intérieur des appartements pour des décennies. Et au 14/10, où était Borissovitch, c'est là qu'ils le fabriquaient, le béton. Alors l'ordre des choses, c'est que si en sortant d'ici il arrive à monter à une tribune, ça sera pour y cracher son sang et ses poumons.

Il parlait d'une voix calme, sans véritable colère, tout en conduisant avec prudence à travers la ville écartelée par les vents, les terrains vagues et la tristesse. Yeruldelgger lui demanda ce qui pouvait retenir un homme aussi lucide sur son malheur à rester baigner dedans.

— Rien, répondit le Russe. Quelques mauvais coups du sort, une vie qui part en vrille, le dégoût de ce qu'on fait pour le pays, de ce qu'il ne fait plus pour nous. Et puis la nécessité de survivre, les petits arrangements, les compromissions, les petits bonheurs au jour le jour, et l'argent qui manque. Toujours…

Puis le Russe se tut et ils sortirent de la ville par l'est avec, en ligne de mire au-delà de l'horizon noir et plat, la silhouette fumeuse et menaçante de la centrale thermique. Posée au milieu de la steppe, toute en mécaniques diaboliques, noircie de charbon par wagons entiers, hérissée de vapeurs brûlantes, étouffée de poussière noire et de fumées âcres, elle lui sembla un monstre comparé aux quatre centrales qui pourtant pourrissaient l'air d'Oulan-Bator. Plus ils s'en approchaient et plus la centrale lui paraissait une construction démoniaque, une architecture du mal. Dans les lourdes volutes que le vent roulait autour des deux hautes cheminées, il n'aurait pas été surpris de voir apparaître Begtse chevauchant à cru le roi des loups assoiffé de sang. Il devina le perpétuel mouvement de cette cathédrale de fer dont la langue tentaculaire engloutissait des collines de charbon poussiéreux. Il avait toujours été subjugué par la capacité de certains hommes à imaginer et construire des architectures aussi dangereuses et compliquées. Sans trop savoir ni pourquoi ni comment, il y voyait là une certaine allégorie de la vie. De la sienne au moins. Cette capacité inexplicable à ne pas exploser…

La route était droite et déserte sous le ciel d'acier brossé, mais à peine dépassé le monstre noir qui maintenant les surplombait, Akounine enclencha sagement le clignotant pour tourner sur sa droite et s'engager sur le chemin de la centrale jusqu'à un hangar annexe, un peu à l'écart du cœur de la centrale.

— Je suppose que ce n'est pas le poste de police, commenta Yeruldelgger.

— Non, confirma le Russe.

— Et donc je ne vais pas rencontrer tes supérieurs ?

— Non, tu vas rencontrer certains de ceux qui commandent et à qui j'obéis. Je n'ai jamais dit que c'étaient mes supérieurs. Tu n'es pas armé, j'espère ?

— Comment le serais-je ? J'ai déjà été fouillé bien avant d'arriver à Krasnokamensk. Difficile d'échapper au contrôle d'Urunlunguy.

— Tes amis du Septième Monastère auraient très bien pu pourvoir à ça. Permets quand même que je vérifie.

Il leva les bras et le Russe le palpa, puis il lui fit signe de le précéder pour se diriger vers l'entrée du bâtiment. Yeruldelgger se concentra alors pour maîtriser sa peur et utiliser la poussée d'adrénaline qu'elle provoquait en lui pour aiguiser son jugement. Il savait en se rendant à Krasnokamensk qu'il se jetait dans la gueule du loup. Le problème était de savoir à quel loup il devait s'attendre à l'intérieur du bâtiment.

Il le sut très vite. Au milieu du hangar désert un homme l'attendait, debout à côté d'une chaise. Akounine s'arrêta sur le pas de la porte. Quand Yeruldelgger se retourna vers lui, il lui fit signe d'avancer jusqu'à la chaise. Mais dès qu'il s'approcha de l'autre homme, un peu trop près sur son mauvais appui et engourdi par le froid, l'autre pivota soudain pour prendre son élan et lui balança un coup de pied de côté à la tête qui l'envoya au sol pour le compte. En tombant, Yeruldelgger se surprit à se maudire d'être devenu incapable d'anticiper une si piètre attaque. Il s'affaissa sur le béton et entendit l'homme ordonner au commissaire de venir l'aider. Ils le saisirent sous les bras, le jetèrent sur la chaise, et le commissaire lui passa un lien de plastique autour des poignets.

— Désolé, s'excusa-t-il, les fonctionnaires sont bien trop mal payés chez nous. J'essaye juste de survivre. Fais-en autant. Obéis-leur.

— Laisse-le ! aboya l'autre.

Mais Yeruldelgger devina que la brute avait fini son boulot. Il n'était qu'un homme de main et il n'avait pour mission que de le faire asseoir sur cette chaise et de s'assurer qu'il y restât. Jusqu'à ce que quelqu'un vienne…

La berline noire entra dans le hangar à grande vitesse. Yeruldelgger la devina d'abord dans la clarté aveuglante du contre-jour, puis ses yeux s'adaptèrent à la lumière. Une Audi A8 qui pila à cinq mètres de lui en brûlant la gomme de ses quatre pneus sur le sol de béton brut. Trois hommes en descendirent et s'avancèrent aussitôt vers Yeruldelgger en jouant la nonchalance des méchants blasés. Le premier d'entre eux, le plus grand, tenait à la main une crosse de hockey.

L'homme qui avait assommé et ligoté Yeruldelgger appuya ses mains lourdes comme des enclumes sur ses épaules pour se donner le beau rôle. Celui qui s'approchait lui signifia de dégager d'un signe de la tête. L'autre s'éloigna aussitôt, se forçant à ne pas courir pour sauver la face, et sortit du hangar en passant devant le commissaire qui téléphonait. Akounine se laissa fouiller à son tour par une des brutes qui lui confisqua son arme, et alla s'adosser à la porte pour les regarder de loin.

— Tu parles russe, le Chinois ?

— Je suis mongol, répondit Yeruldelgger en russe.

— Sous-race de merde pareil ! Alors tu t'intéresses au business de mon patron, il paraît ?

— Trop vieux pour le sport, répliqua Yeruldelgger sans le regarder directement dans les yeux. J'ai arrêté le hockey. Va refourguer tes crosses de contrefaçon à quelqu'un d'autre, moi ça ne m'intéresse pas.

— D'accord, tu veux la jouer comique brave façon John McClane, hein ? Le sarcasme à la Willis, mon pote, tu vas voir que c'est beaucoup plus difficile en vrai qu'au cinoche. Surtout avec la mâchoire en miettes.

— Si tu me fracasses la mâchoire, comment veux-tu que je te parle ?

— Et qui te dit que j'ai envie de t'entendre, chine-toque ? Les fouille-merde, je les mets pas sur écoute, moi, je les fracasse. Je vais te mettre sur la feuille de match, et pas pour réchauffer le banc ! Je vais te montrer qui c'est, Rebroff. Aux quatre coins de la toundra qu'on va te retrouver, congelé par petits bouts, façon glace pilée. Moi quand on cherche le brassage, je cogne plus : je slap shot, je drop le puck, je pète la rondelle !

La tirade laissa les autres sbires aussi perplexes que Yeruldelgger. Il comprit vite que le plus petit des deux autres, derrière le hockeyeur, était en fait le chef et il reconnut l'homme qui apparaissait sur les photos de Ganshü qu'on lui avait remises au salon de thé. Il regardait son acolyte en secouant la tête comme quelqu'un qui arrête d'essayer de comprendre.

— C'est quoi, ce numéro de hockeyeux à deux kopecks ? Tu ne peux pas lui fracasser un genou sans faire ton cirque ?

— Désolé, monsieur Orlov, s'excusa le géant en triturant sa crosse. C'était juste pour le psychologique. Je veux dire pour la préparation, quoi. La préparation psychologique, vous savez…

Le visage d'Orlov blêmit. Il s'avança vers Rebroff et lui arracha la crosse des mains.

— Psychologique, mon cul, ouais ! murmura-t-il entre ses dents serrées. Pas besoin de psychologique pour fracasser un genou !

Il empoigna la crosse à deux mains et s'avança vers la chaise sur laquelle Yeruldelgger se raidit. Cette fois il fixa l'homme droit dans les yeux. Il s'était souvent préparé à ce genre d'instant fatal. Il y avait déjà été confronté plusieurs fois dans sa vie de flic cabossé. Un de ses propres collègues avait posé une arme contre sa nuque pour l'abattre. Il avait été tabassé par des hommes de main et plusieurs fois il avait failli mourir de mort violente. Après avoir survécu, c'est le calme avec lequel il s'était préparé à mourir qui l'avait terrifié. Préparer son corps à la douleur, ne rien montrer de sa peur, contenir sa rage. Le Nerguii lui avait enseigné toutes ces règles pour bien mourir le moment venu et il s'en souvenait à présent. Déjà, il se réfugiait dans l'absence de lui-même. Plus rien de vivant n'habitait son corps. Il avait déconnecté de sa conscience tout ce qui pouvait déclencher des fulgurances incontrôlables. Il ne souffrirait pas. Ni pour lui, ni pour eux...

— Bon alors, lequel tu préfères ? lui demanda Orlov.

— Ah, murmura le géant en se penchant vers le troisième homme, tu vois, lui aussi il fait du psychologique !

Orlov se retourna, furieux.

— C'est pas psychologique ! C'est juste pour lui foutre la trouille. De toute façon je vais finir par lui fracasser les deux !

— Oui, mais n'empêche, foutre la trouille, c'est ça qu'est psychologique, justement ! protesta l'autre en bougonnant.

— Putain c'est pas possible ! hurla Orlov en brandissant la crosse de hockey face au géant, tu as fait les Komsomol de la connerie, ma parole !

— C'est curieux, hein, ce besoin des cons de faire des phrases, intervint Yeruldelgger.

L'absurdité de la situation l'avait poussé à sortir de sa transe silencieuse. Aucun assassin ne peut cacher dans ses propres yeux l'étincelle qui déclenche sa violence, et il ne l'avait pas encore devinée dans le regard d'Orlov. Il ne lui restait pourtant aucune carte à jouer. Il restait ficelé sur une chaise dans un hangar en Sibérie, entouré de trois hommes de main dont un armé d'une crosse de hockey, mais il ne voulait pas leur laisser cette décision-là. Il ne cherchait pas à survivre. Il était trop tard pour l'espérer. Il voulait juste reprendre la main et pousser l'autre à le tuer au moment où lui l'aurait enfin décidé.

Orlov, hors de lui, se tourna pour lui faire face à nouveau, la crosse toujours brandie au-dessus de la tête, prêt à l'abattre.

— Toi, ferme-la, alors, quel genou ?

— Écoute, si tu me posais une question à laquelle je pouvais répondre, je préférerais garder les deux.

— Mais putain, j'ai rien à te demander, tu comprends pas ça ? Vous comprenez ça vous aussi : je n'ai rien à lui demander ! hurla-t-il en se retournant vers ses hommes pour les prendre à témoin. Je veux juste lui fracasser les genoux, putain ! Juste lui fracasser ses putains de genoux, c'est pas compliqué à comprendre ça, non ?

Il y eut un court silence pendant lequel Yeruldelgger essaya d'imaginer autre chose pour faire durer la situation. Puis quelqu'un osa encore un dernier mot à voix basse.

— Dans ce cas, ça sert à quoi de demander quel genou, si c'est pas psychologique…

Cette fois Orlov explosa. Il empoigna la crosse à deux mains, les jointures blanches de colère et de rage, et marcha droit sur Yeruldelgger.

— Putain, puisque c'est comme ça, je lui fracasse le crâne !

— C'est pas une crosse russe, ça ? tenta Yeruldelgger en détournant les yeux vers le géant. On dirait les couleurs du HK Iounost Minsk.

Orlov se figea dans son mouvement, la crosse au-dessus de la tête, le regard suivant celui du Mongol. Il vit le visage du géant s'irradier d'un sourire subjugué.

— Tu connais le Iounost Minsk ? s'extasia la brute.

— Phase finale 2010 de la Continentale. HK Iounost Minsk contre les Brûleurs de Loups. À Grenoble en France. J'ai vu le match.

— Tu as vu le match ! Putains de Français, ils nous ont mis 3 à 2, tu crois ça, toi ?

— Ils jouaient chez eux, expliqua Yeruldelgger en essayant de maintenir la conversation. Tu en étais ?

— Ah, moi non, regretta le géant soudain nostalgique. Moi je n'ai fait qu'une saison chez les Sénateurs d'Ottawa avant de me faire éclater les croisés dans un brassage avec Ryan Smyth des Oilers d'Edmonton. Non, mais à Grenoble, c'était mon cousin, Oleksander Materoukhine. C'est sa crosse avec laquelle il veut te massacrer, mon pote, tu te rends compte ?

— Materoukhine, soupira Yeruldelgger, Oleksander Materoukhine, élu meilleur attaquant de la finale.

— Ouais, et elle aurait dû lui revenir, cette putain de finale, au lieu d'aller à ces pédés de Mozart autrichiens à la con du Red Bull Salzbourg !

— Là, je suis bien d'accord avec toi, approuva Yeruldelgger.

Dans un ultime effort il essaya de se remémorer d'autres précieuses images de ce match. Il l'avait regardé dans la petite bibliothèque de l'Alliance française d'Oulan-Bator, dans le cadre des travaux pratiques de ses cours de français. Mais même s'il aimait bien le hockey, il avait épuisé ses lointains souvenirs. Tout le petit groupe resta un instant suspendu à un étrange silence, Orlov brandissant toujours sa crosse de hockey au-dessus de Yeruldelgger toujours ficelé sur sa chaise. Rebroff le regardait, songeur, l'autre brute aussi, avec le regard ahuri de celui qui ne comprend rien à rien. Et, loin derrière eux, le commissaire téléphonait toujours.

— Putain, murmura Rebroff résigné, ça fout la gerbe quand même : un mec qui a vu Oleksander jouer contre les Brûleurs de Loups. Avec la propre crosse d'Oleksander en plus !

— Ouais, eh bien je vais lui péter la boîte à souvenirs, moi, à ton patineur des steppes.

Orlov fit un pas vers Yeruldelgger, résolu cette fois à lui fracasser le crâne. Mais un cri le fit se figer à nouveau.

... les choses ne dépendent plus que de toi.

— Téléphone !

Tous les regards convergèrent vers le commissaire qui s'avançait dans le contre-jour en brandissant son portable.

— Quoi, téléphone ?

— C'est lui.

— Lui ? Lui qui ?

— Lui...

Orlov baissa les bras et tendit la crosse au géant qui le regarda sans comprendre.

— Qu'est-ce que je fais, je le fais à ta place ?

— Tu le frôles, t'es mort ! siffla Orlov en pointant un doigt furieux vers Rebroff. Ce chinetoque est à moi !

Puis comme le commissaire s'approchait en lui tendant son portable, il fit dégager les deux autres d'un signe de la main en s'emparant de l'appareil.

— Allô ? Oui, c'est moi. Oui, il est là.

Dans la même seconde, quatre coups de feu résonnèrent sous le hangar et les deux hommes de main d'Orlov s'écroulèrent contre la voiture, la nuque brisée de deux balles chacun. Le temps qu'Orlov lâche le portable pour dégainer de la bonne main, le commissaire s'avançait déjà sur lui, l'arme au poing, bras tendu en oblique vers le sol. La balle perfora le genou d'Orlov qui virevolta sur lui-même, vrillant dans son mouvement sa jambe qui se brisa sous lui. Il s'affaissa sur le béton brut en hurlant de douleur. Akounine en profita pour le désarmer d'un coup de pied et envoyer l'arme le plus loin possible de la chaise de Yeruldelgger. Sans quitter Orlov des yeux, le tenant toujours en respect, il passa derrière Yeruldelgger, tira de sa main libre un cran d'arrêt de sa poche, et trancha les liens qui retenaient le Mongol.

— Orlov est à un bout du fil, et les gosses que tu cherches à l'autre bout. Tu attends que je sois parti, tu récupères l'arme là-bas, et tu fais avec Orlov ce que tu veux. Tu bouges d'un cheveu avant ça, et vous serez deux à ramper le genou en miettes pour faire la course jusqu'au flingue et vous étriper.

Il n'attendit pas la réponse de Yeruldelgger. Il retourna à la voiture d'Orlov, hissa les deux corps à l'intérieur, se mit au volant et sortit calmement la berline du hangar. Dès qu'il eut disparu, Yeruldelgger se précipita vers l'arme, cherchant à deviner quel autre piège cette macabre mise en scène pouvait lui réserver. Mais l'arme que le commissaire lui avait abandonnée n'avait ni tué les deux sbires, ni blessé leur chef. Il s'en empara et revint vers le Russe qui gisait à terre.

— Ça y est, le commissaire est parti ? grésilla une voix dans le portable.

Il chercha des yeux le téléphone, qui avait glissé sur le sol entre les jambes d'Orlov, soudain plus terrorisé par cette voix que par la bouillie de cartilage de son genou. Quand Yeruldelgger se pencha pour récupérer l'appareil, il eut un sursaut de peur qui lui arracha un cri de douleur.

La voix le cueillit comme un crochet au foie. D'abord le choc qui fait chanceler, puis, deux secondes plus tard, la terrible douleur irradiante qui tétanise.

— Erdenbat ?

— Des gosses sont morts, mais Gantulga est toujours vivant. Maintenant les choses ne dépendent plus que de toi.

52

Chez moi...

— Tu as tué Orlov, n'est-ce pas ?
— Oui.
— Pourquoi ? Il n'y avait aucune raison de le faire.
— Il me l'a demandé.
— Orlov ?
— Non, Erdenbat.

Yeruldelgger avait quitté le hangar sans trop savoir vers où fuir. Tout ce pays pourri et corrompu autour de lui et les mots d'Erdenbat qui résonnaient dans sa tête brouillaient son jugement. Il avait juste cherché à gagner du temps en quittant l'usine avant le retour d'Akounine.

Quand il avait aperçu le Duster qui l'attendait au bout de l'allée menant à la route, il s'était résigné à ce que la maîtrise des choses lui échappe encore. Il avait rendu l'arme que le commissaire réclamait en silence d'un bras tendu par la vitre de la portière, puis était monté dans la voiture.

— Ça n'a aucun sens, murmura Yeruldelgger. Il me manipule pour que je vienne jusqu'ici me jeter dans la gueule d'Orlov, et il te demande aussitôt de l'abattre…

— Orlov n'a rien lâché, n'est-ce pas ?

— Ces Slaves analphabètes ont une conception du destin personnel plus tragique encore que celle de Nietzsche, Schopenhauer et Kierkegaard réunis. Il n'a rien dit.

— Il fallait lui tirer une balle dans une articulation à chaque question. Il aurait fini par marchander le coup de grâce et tu le lui aurais accordé contre ce que tu cherchais à savoir.

— C'est ce que tu as fait ? Tu es un bel enfant de salaud.

— J'ai entendu dire que tu n'étais pas mal non plus quand tu t'y mets.

— C'est vrai, mais j'essaye de ne plus être ce genre d'homme-là.

— Eh bien moi je le suis encore, par la force des choses, et Orlov m'a parlé. L'autre bout du fil, c'est en France. Une femme. Batgirl. Une collègue d'Erdenbat du temps où il barbouzait pour les services secrets.

— Erdenbat n'a jamais appartenu aux services secrets.

— Appartenu, je ne sais pas. Travaillé pour, sûrement. Je t'assure qu'Orlov n'avait aucune envie de me mentir quand je lui ai posé la question.

— Batgirl, tu dis ?

— Oui. Un surnom. Mais Orlov est... a été catégorique. Une fille de chez toi. Une Mongole.

— Une Mongole ?

— Restée sur place après une opération de vos services là-bas.

— Qu'est-ce que c'est que cette histoire ?

— Celle de ton pays apparemment, et maintenant en partie la tienne.

Ils roulèrent quelques instants en silence. De toute évidence Akounine les ramenait en ville et Yeruldelgger se creusait les méninges pour essayer de trouver une logique à tous ces événements.

— Rassure-toi, tu ne crains rien.

— Je suppose que c'est ce que pensaient Orlov et ses deux acolytes. Qu'est-ce que tu as fait de leurs corps ?

— La centrale thermique appartient aux amis de ton ami. Laver l'argent sale dans une bonne industrie bien polluante, encore un coup de génie. C'est le contribuable qui blanchit en payant son kilowattheure. Et ça donne un boulot inespéré à quatre cents ouvriers qui sont prêts à tout pour le garder. Dans le genre brûler en toute discrétion autre chose que du charbon de temps en temps.

— Pourquoi fallait-il les éliminer ? Erdenbat pouvait me mettre sur la piste française de mille autres manières.

— Il m'a demandé de le faire. Je ne cherche pas à comprendre.

— Tu crois qu'il profite de moi pour faire le ménage ?

— Erdenbat n'a jamais eu besoin de personne pour faire le ménage. J'ai peur que les choses soient plus personnelles.

— Ça veut dire ?

— Que j'ai l'ordre de descendre tous ceux que tu approches. Je ne sais pas ce que tu lui as fait, mais cet homme-là t'en veut.

— Depuis le temps que tu m'accompagnes, tu n'as pas peur qu'il te fasse descendre aussi ?

— Oui. Il l'a probablement déjà demandé à quelqu'un.

— Et moi ?

— Tu n'es pas encore sur ma liste.

— Ça ne me rassure pas. Où va-t-on ?

— Chez moi...

53

Pour l'entendre quand elle appelle la nuit.

Ce que Poutine donne, il le reprend toujours d'une façon ou d'une autre, avait expliqué Akounine, songeur. Ils regardaient l'église orthodoxe depuis la fenêtre de son immeuble décrépit. L'édifice ressemblait plus à une minoterie qu'à un lieu de culte, avec ses hauts murs de briques rouges et ses toits verts. Les sept tours rondes et étroites qui s'en échappaient comme des minarets orientaux ne semblaient pas appartenir à la même construction, coiffées de leurs bulbes dorés hérissés de croix barrées hautes comme des antennes-relais.

— Il nous a donné l'église, et il nous a pris le père Taratoukhine.

— Tu crois vraiment qu'il peut décider du sort d'une église ?

— C'est le propre des dictateurs d'être cruels dans les petites choses.

— Qu'est-il arrivé au pope ? demanda Yeruldelgger.

— Il croupit dans une isba sans eau et sans gaz dans le quartier des cheminots de Tchita. Il avait refusé de bénir la prison où Poutine a déporté Borissovitch. Le patriarche Alexis II a ordonné à Ievdokimov, son évêque, de le déchoir de son sacerdoce. Un évêque russe qui roule en 4 × 4 Toyota noir, tu imagines !

Il laissa retomber le voilage jauni par la nicotine. Akounine vivait dans un deux-pièces surchargé des souvenirs de tous ses malheurs. Des photos d'enfants joyeux et obéissants, tous morts depuis. Sa douce Irina, son Leonid chéri, son gendre Vassili. Tous morts dans la trentaine.

— Ici l'espérance de vie est de quarante-deux ans, camarade. Tous les plus de cinquante ans que tu croises sont des miraculés en sursis. Bien sûr le maire te dira que chaque école a sa piscine chauffée et que les enfants cultivent des mandarines dans des jardins sous serre, mais aucune propagande n'effacera ceci. On te soupçonne si tu dépasses la quarantaine.

— Tu vis ici depuis longtemps ?

— Mon père était un appelé-déporté, comme on dit. À l'époque, tu pissais de travers sur les rives de la Dniepr, de la Volga ou de l'Ob et tu finissais dans un bataillon disciplinaire déporté ici pour construire la grande ville des lendemains les plus lumineux. À mains nues dans l'uranium.

— Pourquoi tu n'es pas parti ?

— Un peu par manque de moyens, et beaucoup par superstition. Tous ceux qui sont partis sont morts peu après. Des types de Moscou sont même venus faire des études pour vérifier. Comme si la radioactivité nous préservait tant qu'on baignait dedans. En fait nous ne voulions pas voir ceux qui mouraient près de nous. Nous ne comptions que les autres, ceux qui avaient eu le courage de partir, par jalousie. Par rancœur.

Dans le silence qui suivit, un faible murmure appela Akounine depuis la chambre.

— Excuse-moi, dit-il, c'est Svetlana. Je ne t'ai pas encore présenté ma femme.

Il précéda Yeruldelgger et poussa la porte de l'unique chambre. La pièce, minuscule, surchargée de meubles lourds, était plongée dans l'obscurité par d'épais rideaux de velours. Perdue au milieu d'un grand lit en bois, ses mains bleues, décharnées comme des chapelets d'osselets, posées paumes vers le plafond par-dessus un couvre-lit en crochet, gisait une femme au visage déjà mort. Un tube transparent, branché sur une bonbonne de chantier écaillée, l'aidait à respirer, et un goutte-à-goutte relié à un cathéter diffusait un liquide incolore dans un de ses bras.

— Morphine, dit Akounine à Yeruldelgger qui avait compris.

La pauvre femme n'avait plus d'âge. Elle fixait une branche de sapin posée sur une chaise à côté de son lit. Les lumières multicolores de la guirlande électrique se reflétaient dans des fragiles boules à l'ancienne et veloutaient les murs d'ombres colorées et diffuses. Sous le sapin, Yeruldelgger aperçut une crèche et l'enfant Jésus, bras écartés, dans un lit de paille entre Marie et Joseph, presque nu sous le souffle de l'âne et du bœuf.

— C'est bientôt Noël chez nous. Je suppose que vous n'y croyez pas chez vous, n'est-ce pas ?

Yeruldelgger préféra ne pas répondre. Sans force pour tourner sa tête vers eux, le regard hypnotisé par l'enfant Jésus, la femme murmura quelque chose que seul Akounine comprit.

— C'est l'ami mongol dont je t'ai parlé hier, répondit-il d'une voix aimante. Un collègue.

— Enchanté, dit Yeruldelgger sans rien trouver d'autre à dire.

La femme murmura encore et Akounine prit Yeruldelgger par l'épaule pour qu'ils sortent de la chambre.

— Elle voulait juste te voir. Elle est fatiguée maintenant. Elle veut se reposer. Je laisse la guirlande. Je crois qu'elle aime. Je pense. Je n'en sais rien. Le clignotement, ça lui déclenchait d'atroces migraines.

Ils repassèrent dans le minuscule salon. Akounine sortit une bouteille de vodka et deux verres. Ils burent le premier cul sec, en silence, dans le contre-jour de la clarté d'hiver. C'est Yeruldelgger qui les resservit.

— Depuis quand ?

— Le cancer, depuis quatre ans. La dépression, depuis le cancer des enfants. Depuis Irina.

— Et toi ?

— Rien, mais je ne cherche pas à savoir. Je m'occupe d'elle.

— Erdenbat, la pègre, les assassinats, c'est pour ça ?

— Oui. Pour les médicaments, pour l'oxygène, pour la morphine. Je hais ce qu'ils me font faire, mais elle est tout ce que j'ai et je le ferai tant qu'il le faudra.

— Et tu n'as jamais pensé à la délivrer autrement ?

— Tu crois en Dieu ? demanda Akounine au lieu de répondre.

— Moi ? J'ai déjà tellement de mal à croire en l'homme.

— Moi j'y crois. Je ne crois pas qu'il me juge jour après jour pour ce que je fais. Je crois qu'il me jugera à la fin, une fois pour toutes, et qu'il comprendra ce que j'ai fait et pourquoi.

— Je l'espère pour toi ! lâcha Yeruldelgger.

Ils burent une autre vodka puis Svetlana appela Akounine. Il s'excusa en passant devant lui et poussa la porte de sa femme mourante.

— Je suis là, mon ange...

Yeruldelgger enfouit son visage dans ses mains. Akounine avait abattu deux hommes de sang-froid cet après-midi-là, et en avait torturé un autre avant de l'achever. Il l'aurait tué avec la même détermination si Erdenbat le lui avait demandé. Pour une bonbonne d'oxygène ou une poche de morphine. Pour sa femme irradiée. Putain de vie !

— Elle voulait juste que je lui humecte les lèvres. L'oxygène la dessèche, expliqua Akounine en revenant s'asseoir.

— Comment as-tu connu Erdenbat ? demanda Yeruldelgger.

— Il a toujours été un caïd par ici. Il a débarqué il y a une vingtaine d'années. Il a raconté comment vos goulags étaient encore plus inhumains que les nôtres et qu'il y avait survécu. Il était d'une violence inouïe. Il s'est imposé par la terreur. Puis il est devenu très riche et il s'est maintenu par l'argent.

— Tu sais comment il s'y est pris ?

— Pour ce qu'il a amassé chez vous, non. Mais pour ici, oui. Regarde, tu vas vite comprendre.

Il tira du tiroir de la table basse un vieux portable qu'il connecta à un câble. Il pianota quelques secondes jusqu'à faire apparaître une photo satellite de Google Maps.

— Tu vois, à cent kilomètres à l'est d'ici, les frontières de la Chine, de la Russie et de la Mongolie
se rejoignent. Maintenant, si tu zoomes sur la frontière sino-russe, tu te rends compte que c'est une vraie
frontière, avec no man's land, check points et tout le
bazar. La frontière entre la Russie et ton pays, c'est
déjà beaucoup plus cool. Il n'y a pas si longtemps
d'ailleurs, ça nous arrangeait plutôt, nous les Russes,
qu'elle soit un peu passoire histoire de vous piquer
votre uranium. Quant à la frontière sino-mongole, les
Chinois pensent tellement que vous n'êtes qu'un pays
de merde qui devrait leur revenir qu'elle n'existe pratiquement pas. Alors quand l'URSS s'est effondrée,
que nous sommes devenus le trou du cul de la Russie, et que la Chine est devenue le premier fabricant
de tout pour tout le monde, l'idée d'un grand trafic a germé dans des esprits comme celui d'Erdenbat. Toute la contrebande s'est mise à valser autour
du point des trois frontières en passant par votre province du Dornod. C'était ça l'idée géniale. Transiter
par chez vous !

— C'est un gros trafic ?

— Par millions de dollars.

— Et le trafic d'enfants ?

— Rien à voir. Les mômes sont tous partants pour
la grande aventure en Europe. On les entraîne un peu à
voler ici, puis ils se font la main dans les villes étapes
du Transsibérien avant d'entrer en Europe. D'abord
par l'Ukraine, et de là au choix la Hongrie, la Roumanie ou la Pologne. Jusqu'en France en général.

— Et une fois là-bas ?

— Tant qu'ils volent et qu'ils rapportent, quelqu'un

s'occupe d'eux. Sinon ils se font larguer. Ils ont dix ou douze ans, ils ne parlent pas la langue, ils n'ont pas de papiers…

— J'ai du mal à imaginer qu'une pègre comme celle de Sibérie puisse perdre son temps à organiser les larcins d'une bande de chapardeurs.

— Tu as déjà mangé des Mars ?

— Les barres chocolatées ? Oui, pourquoi ? s'étonna Yeruldelgger.

— Parce que les frères Mars ont longtemps été en tête des plus grosses fortunes du monde, avec leurs petits bouts de chocolat à la con. Leur credo : petits profits, énormes quantités. C'est pareil pour les mômes. Il existe des dizaines de petites bandes qui commettent chaque jour de petits vols dans chaque pays d'Europe. Tu n'as aucune idée des millions que ça rapporte.

— Et ils volent quoi ?

— Tout ce qui est siglé d'une marque connue et que la contrefaçon ne peut égaler. Vin, champagne, parfums, cosmétiques.

— Et tu as tué autant de personnes pour protéger ça ?

— Je le fais pour protéger Svetlana.

— Tu es une belle ordure, et la souffrance de ta femme n'y change rien.

— Je le sais. Pas besoin de me le rappeler.

Ils se regardèrent un long moment, chacun retenant sa colère.

— Tu dors sur le canapé, dit soudain Akounine en sifflant sa dernière vodka.

— Et toi ?

— Sur un matelas, par terre, à côté de son lit. Pour l'entendre quand elle appelle la nuit.

54

Largement le temps de réfléchir à tout ça...

Il n'avait pas beaucoup dormi. Il avait ruminé des colères et des angoisses. Il avait entendu dix fois Akounine se relever dans la nuit et murmurer des choses rassurantes. Il avait entendu Svetlana gémir et il avait entendu pleurer aussi. Sans vraiment savoir qui. Dans la nuit il avait fouillé en silence à la recherche d'une arme, au cas où, et avait fini par trouver un Makarov et des munitions dans le tiroir d'un petit secrétaire. Puis il s'était endormi, la main sur l'arme, sous le coussin qui lui servait d'oreiller. Vers six heures du matin, Akounine l'avait réveillé en le secouant par l'épaule et Yeruldelgger avait surgi en sursaut de son mauvais sommeil en le braquant avec le Makarov.

— Habille-toi, on y va, lui dit-il. Tu peux garder le flingue.

— À propos de flingue, d'où venait celui avec lequel tu as descendu Orlov et les autres ?

Akounine lui sourit.

— L'essentiel, c'est d'en avoir plus dans la tête que dans les poches, dit-il en ôtant sa chapka.

Il retourna sa coiffe de fourrure et montra fièrement la petite arme glissée dans la doublure intérieure renforcée de cuir sur le côté.

— Cybermag 15. C'est chinois : Dai Lung, semi-automatique, treize millimètres de long, chargeur de dix et munitions de six millimètres. Bien sûr, avec du six, il faut viser la tête pour tuer. Tu as vu le peu de dégâts que ça fait ailleurs, sur la jambe d'Orlov par exemple.

L'ascenseur était bloqué entre deux étages depuis plus d'un an. Ils descendirent par les escaliers tagués à la gloire du groupe de rap local des KKK.

— Krasnokamensk Khaos Klan, expliqua Akounine en le précédant à travers un large parking au bitume bosselé par le gel et la chaleur. Suis-moi, on y va à pied.

— Et Svetlana ?

— Des volontaires d'une ONG néerlandaise se relaient pour s'en occuper dans la journée. Des protestants. Des gens bien.

Ils traversèrent une avenue bien trop large jusqu'à l'église bien trop seule au milieu d'un vaste terrain désert. Dans le matin blanc, les bulbes dorés brillaient d'un pâle éclat satiné. Ils marchèrent une bonne demi-heure sans vraiment se parler, Yeruldelgger suivant Akounine de trottoirs en raccourcis entre les barres d'immeubles mal réveillés.

Quand ils arrivèrent dans le quartier de la gare, il reconnut le pick-up Toyota qui lui avait servi de taxi à sa descente du train. Akounine se dirigea droit vers lui, ouvrit la portière, attrapa par l'épaule l'homme qui somnolait derrière le volant et le jeta à terre.

342

— Hey, qu'est-ce qui te prend, commissaire ! vociféra l'homme en roulant dans la boue encore durcie par le froid de la nuit.

— Ta gueule ! grogna Akounine en le relevant, le bras tordu dans le dos, pour le plaquer contre le Toyota. Je t'arrête, Vassia !

— Quoi ? Moi ? Mais tu es fou, Borislav, pourquoi ?

— Taxi clandestin.

— Tu plaisantes…

— J'en ai l'air ?

Akounine menotta le chauffeur et le força à remonter dans le pick-up. Puis il fit signe à Yeruldelgger de prendre place au volant et monta du côté passager. Une fois à l'intérieur, il enserra la nuque de Vassia dans une poigne de fer pour le forcer à se pencher, et de l'autre il accrocha les menottes à une armature sous le siège.

— Démarre, ordonna-t-il à Yeruldelgger.

— Qu'est-ce qu'on fait ?

— Tu as besoin d'un véhicule pour rentrer chez toi.

— Putain, ils vont te tuer pour ça, Borislav ! Ils vont te tuer ! hurla Vassia.

Akounine empoigna sa nuque et lui cogna le dessus du crâne contre le tableau de bord.

— C'est vraiment nécessaire ? demanda Yeruldelgger qui essayait de comprendre la situation.

— Mon pays, ma méthode, lâcha Akounine sans se préoccuper des gémissements de Vassia. Sors de la ville par le nord, et tout en haut prends vers l'ouest.

À la sortie de Krasnokamensk, ils traversèrent un grand quartier miséreux sous des arbres déchiquetés par le gel. Et aussitôt après, le paysage ne fut plus qu'une taïga désolée. À une vingtaine de kilomètres de la dernière isba, Akounine les fit s'arrêter dans ce qui ressemblait à un ancien atelier de réparation mécanique. Il marchanda quatre jerrycans de carburant qu'il fit charger et arrimer à l'arrière par un mécano tatoué comme un vétéran de Tchétchénie, et ils repartirent vers l'ouest.

— Dans cent bornes, on va couper la 166 qui vient de Manzhou en Chine à une trentaine de kilomètres au sud de Borzya, à hauteur du point des trois frontières. Après tu continues vers l'ouest jusqu'à récupérer l'ancienne route douanière qui longe la frontière avec la Mongolie. Et notre ami Vassia t'indiquera où et quand piquer vers le sud et trouver une piste à peu près sûre pour passer la frontière discrètement.

Yeruldelgger fit signe de la tête que ça lui allait comme ça, et ils restèrent plus de deux heures sans parler. Il ne pensa longtemps à rien d'autre qu'à la route, puis soudain à Svetlana et son regard hypnotisé par la guirlande électrique et la crèche. En quoi pouvait-elle croire à cet instant-là, elle qui souffrait tant ? Était-elle anesthésiée de douleur, ou dévastée de terreur à l'idée de mourir ? Triste de partir, de laisser les photos de ses enfants déjà morts, d'abandonner Akounine, seul, avec tout ce qu'il avait fait de mal pour lui faire un peu de bien. À quoi pensaient ceux que la vie a condamnés ?

— Qu'est-ce que tu sais de plus sur Erdenbat ? demanda soudain Yeruldelgger.

— De plus sur quoi ?

— Sur cette histoire de services secrets.

— Rien de plus. D'après Orlov, lui et la fille qui gère la filière des gamins en Europe se seraient connus là-bas. Je n'avais jamais entendu parler de ça. La rumeur parle plutôt d'un ancien associé qu'il aurait en Mongolie, dans la province du Dornod, qui contrôle encore plus ou moins une partie du trafic entre les trois frontières. On parle d'un type dans son genre, avec qui il aurait fait quelques coups tordus en Europe. Je n'en sais pas beaucoup plus. Erdenbat cloisonne beaucoup ses activités.

— Et ton Vassia, là, il est dans le trafic depuis longtemps ? demanda Yeruldelgger en désignant l'homme toujours menotté au tableau de bord.

— Plusieurs années, oui. C'est un bon passeur.

— Assez bon pour en savoir plus au sujet de cet ancien associé d'Erdenbat ?

— Je suppose, oui. Tu veux que je le lui demande ?

— Ça pourrait m'aider à comprendre.

— Quand on aura passé la frontière. Tu me laisseras un peu avec lui. S'il sait quelque chose, tu le sauras.

De nouveau ils se turent. La route longeait maintenant la ligne théorique de la frontière qui remontait vers le nord-ouest. Quelques dizaines de kilomètres plus loin elle replongerait vers le sud-ouest jusqu'à la berge sud du lac Baruun Tooroi et le grand nœud ferroviaire le long de la route 430. Un poste-frontière officiel entre les deux pays que Yeruldelgger voulait éviter. Il ne savait plus très bien quel était son statut criminel d'un côté ou de l'autre de la frontière.

— Alors ? demanda Akounine à Vassia qui s'était buté dans un silence mauvais.

— ...

Ses mains menottées sous le siège entre ses pieds l'obligeaient à rester plié en deux, la tête à hauteur du tableau de bord. Des crampes lui torsadaient les muscles du dos et ses poignets, gorgés de sang, se boursouflaient de chaque côté des menottes.

Akounine saisit le haut de son crâne à nouveau.

— Tu veux la même chose ?

— Je ne sais même pas où nous sommes, protesta Vassia. Je ne vois rien.

Akounine empoigna ses cheveux et le força à cambrer la nuque pour regarder la piste à travers le pare-brise.

— Et là, tu vois mieux ?

— Ça va, ça va. Dans un ou deux kilomètres, une piste après un pont sur une rivière gelée, il faut prendre à gauche sur la rive et remonter sur un demi-kilomètre. Après on pique au sud et cent mètres plus loin on est en Mongolie.

Akounine lui rabaissa la tête et la força sans ménagement sous le tableau de bord, la nuque tendue entre ses genoux.

— On n'a plus besoin de toi. Si tu nous as raconté des salades, je t'en mets une dans la nuque.

Ils trouvèrent les traces après la rivière, comme l'avait indiqué Vassia. Les marques étaient bien là, creusées de deux sillons par les contrebandiers. Un maigre bois marquait la frontière cent mètres plus loin. Ils le traversèrent et de l'autre côté la piste s'affichait, bien marquée dans la neige, comme si elle commençait vraiment là, officiellement, en Mongolie. Yeruldelgger faillit se laisser surprendre, mais Akounine tira sur le volant juste à temps. Le Toyota fit une embardée sur la droite et plongea dans le petit fossé qui bordait la piste. Le Russe resta agrippé au volant et força Yeruldelgger à longer la piste en contrebas pendant une dizaine de mètres avant de braquer sur la gauche pour escalader à nouveau le talus et revenir dans les traces.

— Qu'est-ce qui t'a pris ? s'emporta Yeruldelgger.

— Arrête-toi, viens voir, et sors ton arme.

Ils descendirent du pick-up, abandonnant Vassia à l'intérieur, et Akounine ramena Yeruldelgger une dizaine de mètres en arrière.

— Là, cette bande de neige en travers de la piste, dit Akounine. Regarde…

Il déblaya la neige de la pointe de ses chaussures, et Yeruldelgger vit apparaître une étroite tranchée, peu profonde, mais où courait une chaîne hérissée de clous.

— Un vieux truc des gardes-frontières. Tu crois que tu es déjà en Mongolie, et en fait tu es encore dans un no man's land en Russie. La frontière doit être quelques dizaines de mètres plus loin. Ces trucs-là déchirent tes pneus et tu es pris du mauvais côté de la frontière.

— Et ils t'arrêtent ?

— Bien sûr que non. Si tu es Mongol tu cours jusque chez toi te mettre à l'abri. Si tu es Russe, tu te planques de ce côté-ci. En abandonnant tout, dans les deux cas, et eux te piquent ton véhicule et sa cargaison.

— C'est pour eux que tu m'as dit de sortir mon arme ?

— Non. Eux, ils ne pratiquent plus depuis long-temps. Ce sont les passeurs eux-mêmes qui ont repris le business. Sauf qu'ils ne te laissent ni courir, ni te planquer. Ouvre les yeux pendant que je bavarde avec notre ami Vassia.

— Pourquoi ? Qu'est-ce que tu lui veux ?

— Je croyais que tu voulais en savoir un peu plus sur Erdenbat ? Et surtout n'oublie pas une chose : il savait forcément pour la herse en travers de la piste. Remonte dans la voiture et reste vigilant...

Ils retournèrent jusqu'à la voiture et Akounine démenotta Vassia pour le tirer hors de la cabine.

— Donne-moi dix minutes et ne t'occupe pas de nous. Surveille les alentours.

Il referma la portière et Yeruldelgger les regarda s'éloigner dans le miroir du rétroviseur. Akounine poussait Vassia devant lui et ils remontèrent jusqu'au petit bois. Il les vit disparaître derrière les troncs mouchetés des bouleaux. Malgré le froid, il descendit la vitre et écouta longtemps le silence qui figeait le pay-sage.

Puis le coup de feu claqua sec comme une vitre qui casse et deux gros oiseaux bruns en panique filèrent à tire-d'aile en oblique vers le ciel. Yeruldelgger crut à des oies sauvages, le cou et la tête tendus vers l'avant, puis reconnut le battement vigoureux et les larges ailes rectangulaires des outardes barbues. Alors jaillirent de nulle part des dizaines de gazelles à queue blanche effrayées elles aussi. Il resta sans voix, fasciné par la beauté surréaliste du spectacle qu'elles offraient.

Elles passèrent à vingt mètres à peine de lui, les muscles frémissants de leurs cuisses les poussant vers leur plus grande vitesse. Ces animaux graciles pouvaient courir aussi vite qu'un cheval sur quinze kilomètres.

Elles filaient sous ses yeux, de gauche à droite, en long troupeau étiré, et bondissaient soudain à plus de deux mètres de haut. C'était comme une symphonie silencieuse, la partition d'une ode à la nature. Les gazelles défilaient droites comme des notes sur une portée, puis accrochaient en bondissant des doubles et des triples croches aériennes qui donnaient une harmonie orchestrale à leur fuite. Avant qu'il ne puisse mettre dans sa tête des mots sur l'émotion qui le saisit, le troupeau s'effilocha et il regarda passer les dernières bêtes. Contrairement aux autres, elles zigzaguaient en fermant le ban dans le réflexe ancestral des plus faibles qui cherchent à échapper aux éventuels prédateurs. Puis la steppe jusqu'à l'horizon devant lui redevint infinie, immobile, immaculée et muette comme avant le coup de feu. Il regarda dans le miroir et devina un mouvement entre les troncs. Il aperçut Akounine qui sortait du bois. Il le regarda remonter sur la piste et prendre son temps pour rejoindre le Toyota, les mains dans les poches de son manteau. Il passa du côté de Yeruldelgger qui n'avait pas remonté sa vitre.

— Mardaï, dit-il, tu sais où c'est ?

— Oui, à cinquante kilomètres au nord du lac Yakhi.

— Un type nommé Ganbold. Il était en Europe avec Erdenbat il y a une dizaine d'années. Pour rejoindre Mardaï, Vassia a dit que tu dois passer par une ONG à Choybalsan. Equity Survey, des Australiens. Ce sont les seuls à disposer d'un hélico dans la région. Le pilote est un as, paraît-il.

— Et pour Vassia ?

— J'en ai fait mon affaire.

— Ce n'était pas la peine.

— Si. C'est le début de ma rédemption. À propos, Equity Survey est sûrement une couverture pour Erdenbat et ses amis russes, alors prends ça, dit-il en ôtant sa chapka.

Il arracha celle de Yeruldelgger et lui enfila la sienne sur la tête jusqu'aux yeux en riant.

— Et toi ?

— J'ai une carte de flic, un autre flingue et aucun remords. Ça serait bien le diable si je n'arrivais pas à convaincre quelqu'un de me ramener à Krasnokamensk avant la nuit. Allez, fous le camp…

Il tapa du plat de la main sur le toit de la cabine et Yeruldelgger démarra par réflexe. Sans un geste, ni même attendre qu'il se soit éloigné, il le regarda dans son rétroviseur faire demi-tour et s'éloigner à pied. Il y avait plus de deux cents kilomètres avant de rejoindre Krasnokamensk. Lui avait cinquante kilomètres de pistes et deux cents kilomètres de route avant de rallier Choybalsan. Largement le temps de réfléchir à tout ça…

55

... dans le guanz de la vieille femme.

C'était comme dans les autres rares villes de Mongolie. Des quartiers d'immeubles en béton posés géométriquement n'importe où. Une périphérie de yourtes poussiéreuses encrassées par le gel et les canicules. Des monuments en forme d'arche en souvenir de la glorieuse avancée vers l'est, ou bien de la victoire du grand frère soviétique sur les Japonais. Des blindés russes sur des socles de faux rochers en béton, des fresques grandiloquentes, des alignements de baraquements, des restes de temples, des semblants d'église, des rails et des aiguillages et une grande zone ferroviaire ouverte à tous les vents. Le tout à prudente distance des méandres de l'Herlen que seul osait encore défier un vieux pont en bois.

Yeruldelgger entra dans Choybalsan à la tombée du jour, laissant sur sa gauche l'aéroport gratté à même la steppe immense et désolée. Après un enchevêtrement de rails et de wagons à l'abandon dans une zone qui avait dû servir de gare industrielle, il piqua plein sud vers la rivière gelée qui charriait ses glaces bleues en désordre, et s'engagea sur sa droite dans la longue rue rectiligne qui s'étirait d'est en ouest. La ville entière semblait s'organiser le long de cet axe unique. Yeruldelgger s'arrêta au hasard devant un des guanz qui s'égrenaient le long de la route. Il était épuisé et mourait de faim. La cantine n'était qu'une baraque en bois et l'odeur des kuushuurs lui creusa aussitôt l'estomac. Il en commanda une quantité qui fit rire aux éclats la vieille femme aux cuisines. Il lui demanda ce qu'elle préparait d'autre de bon. Tout, lui répondit-elle, et elle rit encore quand il commanda de tout. Enfin rassasié, il s'inquiéta du nom d'un bon hôtel.

— Mon garçon, répondit-elle en osant lui caresser la joue, un homme qui mange comme toi, ça se garderait bien à la maison. Mais je devine que tu cherches un lit pour bien dormir après un long voyage. Passe le Kherlen Hotel, plus loin sur ta droite, et pousse jusqu'au East Palace, cinq cents mètres plus loin. Avec un peu de chance, ils te donneront une chambre avec vue sur le lac.

Il paya la vieille femme avec générosité et suivit ses conseils. L'East Palace ressemblait plus à une succursale automobile qu'à un hôtel, avec son atrium arrondi tout en baies vitrées donnant sur le parking comme un hall d'exposition. Mais les chambres étaient spacieuses et équipées d'une vraie salle de bain. Il en demanda une avec vue sur le lac, et le garçon de la réception lui expliqua qu'il avait aussi accès au sauna et à la salle de billard. Il faillit se laisser tenter par un sauna, mais tomba de fatigue sur son lit sans même se déshabiller et s'endormit aussitôt, saoulé par le voyage et son trop copieux dîner dans le guanz de la vieille femme.

56

... le foie de cheval poivré aux oignons !

— Putain, Yeruldelgger, mais qu'est-ce que tu fous ? hurla Oyun.

— Hey, calme-toi, tu veux ?

— Me calmer ? Ça fait des jours que tout le monde te cherche. J'espère que tu progresses sur le meurtre de Colette, au moins.

— Je n'enquête pas sur cette affaire…

— Quoi ? Mais qu'est-ce que tu fous alors ? D'où tu appelles ?

— Je suis à Choybalsan, dans le Dornod…

— Je sais où est Choybalsan ! cria Oyun, exaspérée. Le problème est de savoir ce que tu y fais !

— J'y suis arrivé hier en provenance de Krasnokamensk, en Russie…

— Et ?

— Et je vais essayer de rejoindre Mardaï dans la journée.

— La ville secrète ? Qu'est-ce que tu vas faire là-bas ?

— J'enquête sur la disparition de Ganshü, le fils de Colette, et celle de Gantulga qui y est probablement liée.

— Yeruldelgger, il n'y a aucune enquête ouverte là-dessus. Ils n'ont même pas été officiellement déclarés disparus. Et c'est quoi cette histoire d'aller enquêter en Russie ? Et pourquoi Mardaï maintenant ?

— Je t'en dirai plus en revenant. J'ai une piste sérieuse pour le gosse. Je te promets de rentrer au bercail après Mardaï, mais il faut absolument que j'y aille.

— Qu'est-ce qui t'oblige à y aller ? Tu sais ce qu'on dit de Mardaï. Les ruines sont livrées aux mafias et aux pègres, et les flics n'y sont pas les bienvenus.

— Rassure-toi, je n'y vais pas en tant que flic.

— En tant que quoi, alors ?

— En tant que gendre d'Erdenbat.

— Erdenbat ? Tu es sur la piste d'Erdenbat ?

— Peut-être bien. Il existe un lien entre la disparition de Ganshü et Erdenbat. Je pense qu'il gère une filière de trafic humain entre la Sibérie et l'Europe, mais je n'arrive pas à comprendre comment il monnaie ce trafic. D'après ce que j'ai appris, les gosses sont volontaires, et personne ne paie pour leur passage. C'est comme si la filière investissait sur eux, mais je ne sais pas encore comment ils leur rapportent assez d'argent pour justifier une telle organisation et les profits qui vont avec. Je dois rencontrer un contact à Mardaï. J'en saurai plus demain, et après je rentre à Oulan-Bator. C'est promis.

— Tu as intérêt ! bougonna Oyun.

— Oyun, je m'excuse pour l'autre jour. J'y suis allé un peu fort.

— Ça fait un bout de temps que tu y vas trop fort,

354

Yeruldelgger. Et pas qu'avec moi, dit-elle en raccrochant sans attendre sa réponse.

Yeruldelgger reposa le téléphone sur le rebord de la baignoire et se laissa glisser dans l'eau bouillante. Il était tombé dans le sommeil comme écrasé par la pression des derniers jours, la respiration courte et les rêves compressés. Il avait mal dormi, courant toute la nuit parmi des loups silencieux qui l'encadraient à distance en le surveillant de leurs yeux jaunes. Il avait couru des kilomètres dans son sommeil sans jamais s'essouffler, mais en sentant ses jambes le trahir peu à peu. Puis la meute s'était regroupée derrière lui et l'avait pourchassé sans jamais le rattraper malgré le souffle long et la foulée puissante de chaque bête. Un seul se maintenait à sa hauteur, toujours à distance, la tête tournée dans sa direction, sans regarder devant, malgré la forêt de plus en plus dense. Quand Yeruldelgger le perdait de vue, la meute entière disparaissait et il se sentait soudain seul et perdu, paniqué au cœur d'une forêt sombre et sans fin. Puis le loup au regard froid réapparaissait entre les troncs, parfois de l'autre côté, et Yeruldelgger reprenait sa place dans l'univers, avec une course qui prenait un sens, vers une issue qui le sortait de la forêt, poursuivi par des loups qui prenaient bien garde de ne jamais le rattraper...

Il jaillit de l'eau bouillante en reprenant son souffle comme un plongeur qui vient de battre un record, et sortit de la baignoire en inondant la salle de bain. Le lac, à travers le voilage gris de la baie vitrée, n'était qu'un étang triste et pris par la glace avec une sorte de bouddha en béton posé sur un bloc en son milieu. Sur la droite s'emboîtaient en quinconce des barres d'immeubles roses de l'ère soviétique, et en face, il aperçut les yourtes sales qui formaient désormais les quartiers pauvres des villes mongoles.

Il s'habilla, descendit payer en refusant le petit déjeuner inclus, et se fit indiquer l'adresse d'Equity Survey. Puis il récupéra le pick-up de Vassia et remonta la route qui longeait les immeubles soviétiques jusqu'au guanz de la petite vieille. Elle le reconnut aussitôt et l'accueillit avec un grand sourire de femme seule. Elle lui prépara du thé et, à la façon de le faire, il comprit qu'elle était bouriate. Elle avait jeté les feuilles de thé dans l'eau froide…

— Tu sais comment on appelle cette heure-là, j'espère ? lui demanda-t-elle.

— Non, avoua Yeruldelgger en souriant d'avance.

Quand l'eau se mit à frémir et gonfler, elle y ajouta le lait froid qui l'aplatit à nouveau.

— L'heure des amants éconduits. L'heure à laquelle ils s'éclipsent de chez leur maîtresse. Celle à laquelle ils viennent reprendre des forces avec un bon petit déjeuner après une belle nuit d'amours nomades.

— Alors sers-moi un petit déjeuner d'amant nomade, grand-mère, je meurs de faim.

Elle porta à nouveau l'eau à ébullition et laissa le tout mijoter.

— Ouais, que tu dis, se moqua la vieille. Sûrement pas d'avoir fait l'amour toute la nuit en tout cas !

— Qu'en sais-tu, vieille sorcière ?

— Parce que les amants ne disent rien. Ils boivent et mangent en silence en refaisant leur nuit dans leur tête. Et ils ont ce petit sourire satisfait que tu n'as pas.

Elle le servit dans une tasse de fausse porcelaine

chinoise ébréchée en retenant le thé avec le dos d'une vraie cuillère en argent.

— Tu as raison, grand-mère, on ne peut rien te cacher. Je suis un peu loin de mes amours en ce moment pour être leur amant.

— C'est justement à ça que servent les amours nomades, mon garçon.

Puis de la cuillère chauffée par le thé bouillant, elle creusa une motte de beurre rance d'une petite noisette qu'elle laissa tomber dans sa tasse.

— Dis donc, grand-mère, tu ne jouerais pas les mères maquerelles par hasard ? Tu ne serais pas en train de me proposer des filles ?

— Écoutez-moi ce vieux dzo castré ! Qui te parle de jeunes filles ? Si tu étais resté chez moi hier soir tu serais là ce matin avec ce petit sourire nomade au coin des lèvres, au lieu de ce visage de yack avachi.

Elle posa la farine dans une petite soucoupe dépareillée à côté de sa tasse pour qu'il en saupoudre son thé gras fumant.

— Ne m'en veux pas, grand-mère. Hier tu m'as trop bien nourri, et cette nuit j'ai trop mal dormi.

— Mauvais rêves ? demanda la vieille, intéressée.

Si elle était bouriate, se dit Yeruldelgger, elle devait avoir en réserve quelques gourmandises. Comme si elle devinait son appétit, elle sortit d'un garde-manger grillagé une part de gâteau de merise et de la bouillie de fleurs d'ail sauvage. Ainsi que des petites crêpes épaisses qu'elle réchauffa dans le gras d'une vieille poêle et qu'elle servit accompagnées de crème de yack et de confiture de myrtilles.

— Mauvais rêve, confirma Yeruldelgger en s'asseyant à la table qu'elle lui désigna. J'ai couru accompagné par des loups toute la nuit.

— Rêves de loups, vie de courroux, dit-elle soudain sérieuse en s'asseyant face à lui pour lui prendre les mains dans les siennes. Loup qui te poursuit est un faux ami. Loup qui court devant te mène où il veut. S'il te mord, tu n'es pas mort, mais si tu le tues, il n'est pas mort non plus.

Yeruldelgger resta quelques instants immobile, son regard plongé dans les yeux noirs de la vieille, à vouloir chercher un sens à ce qu'elle venait de dire. La peau de ses mains, fripée comme un papier huilé, était étonnamment douce et fraîche dans les siennes. Il se troubla à imaginer que celle de son visage pût l'être autant, et la beauté de la vieille lui sauta soudain au cœur. Cette femme avait été belle et désirable et le restait encore à l'intérieur. Quelque chose d'animal, comme une survivance instinctive. Peut-être même qu'elle se transformait en louve dans sa couche et qu'elle...

— Arrête toutes ces sornettes de vieille sorcière bouriate ! grommela Yeruldelgger d'un coup mal à l'aise.

— Il ne fallait pas me raconter ton rêve, répliqua la vieille en se levant.

— C'est comme ça que chaque famille mongole se réveille, dit-il, en racontant ses rêves aux autres.

— Sauf les cauchemars, mon garçon ! Les cauchemars, on ne les raconte à personne, souviens-toi : on court loin des yourtes dans la steppe, on les hurle contre le vent et on crache trois fois par terre.

— C'est ce qu'on raconte aux mômes pour conjurer leur peur. C'est ce que ma mère me racontait. J'ai passé l'âge de cracher par terre pour faire le fier, s'énerva Yeruldelgger. Merci pour le petit déjeuner, mais je dois y aller.

La vieille redevint aussitôt une vieille et se leva en secouant la tête, s'essuyant les mains au torchon qui lui servait de tablier.

— Décidément, les hommes ne comprendront jamais rien à rien. Mange ton petit déjeuner et va aux loups. Je suis sûr que tu les connais déjà et qu'ils t'attendent.

Il sortit en colère contre lui-même d'avoir offensé la vieille Bouriate. Bien sûr que hurler son mauvais rêve face au vent lui avait fait oublier bien des cauchemars. Bien sûr que les rêves avaient un sens. Et en plus, à préparer la crème de fleur d'ail sauvage comme elle le faisait, la vieille devait cuisiner à la perfection le foie de cheval poivré aux oignons !

57

Mais il devait bien ça à Colette.

Depuis l'hélico, Yeruldelgger aperçut les ruines de Mardaï. La ville avait abrité jusqu'à cinquante mille âmes, la deuxième ville du pays, et aujourd'hui il n'en restait plus rien. Peut-être parce que c'étaient des âmes damnées. Des âmes russes. À la fin des années quatre-vingt, dans le cadre de la coopération fraternelle entre les peuples pour un avenir radieux et de la planification du pillage systématique des ressources naturelles des petits pays frères, les Soviétiques avaient construit cette ville russe en territoire mongol. Interdite aux Mongols. La ville ne servait d'atelier, de dortoir et de réfectoire qu'aux techniciens et cadres russes de la grande mine d'uranium à ciel ouvert de Dornod, le second plus grand gisement du pays.

La voix du pilote grésilla dans les écouteurs de Yeruldelgger.

— Mardaï était officiellement une « ville secrète » jusqu'en 1989. Aucune photo, aucune carte. Tu captes l'ironie de l'histoire ? Tu vas sur Google en mode satellite et tu vois la photo de ce qui reste de cette ville. Tu passes en mode plan, et tu ne vois plus rien. Zone grise. Carte indisponible. Quinze ans après le départ des Soviétiques ! Ces histoires de villes interdites, c'est vraiment un truc de Russes. Même chose pour Krasnokamensk : tu vois chaque détail de la moindre rue en mode satellite, mais zone grise en mode plan. Tu viens de là-bas, je crois ?

— Comment sais-tu que j'étais à Krasnokamensk ?

— « Quand la steppe est trop grande, c'est le vent qui apporte les nouvelles », plaisanta le pilote en citant un vieux proverbe que Yeruldelgger n'avait plus entendu depuis longtemps.

Quand il était arrivé dans les bureaux sécurisés d'Equity Survey, il avait déjà eu cette impression étrange d'y être attendu. Deux hommes l'avaient accueilli. Un Mongol, qui faisait figure de responsable officiel et d'homme de paille, et un Australien rouquin du nom de Jeff Garland qui avait pris les choses en main. Les deux cents kilomètres de vol jusqu'à Mardaï coûtaient une petite fortune, mais Garland avait décliné l'offre de Yeruldelgger de le payer. Il était prêt à décoller et tout était arrangé. Porter assistance à ceux qu'il appelait les survivants de Mardaï entrait dans la mission d'Equity Survey. L'ONG effectuait un vol hebdomadaire vers la ville en ruine dans le cadre d'un programme d'assistance humanitaire. Garland ne fut pas plus explicite. Ils allaient juste avancer la rotation d'une journée.

— Même la voie ferrée qu'on aperçoit là-bas, au sud de la ville, était secrète. Un aiguillage discret au sud d'un bled sans nom, sur la ligne qui descend de

Russie jusqu'à Choybalsan. Sur place, tu as l'impression d'une voie de garage, mais pendant cinq ans il est passé sur ces rails secrets dix fois plus de trains que sur la ligne principale. Minerai d'uranium vers le nord, matériel et hommes vers le sud...

Ils survolaient maintenant les premiers quartiers au sud de Mardaï. Des rues parfaitement perpendiculaires de ville pionnière et pas une maison entre les rues. Pas un toit, pas une cour, pas une palissade. Rien qu'un quadrillage d'arbres malingres autour de carrés d'herbe rase. Pas un trottoir non plus le long des rues en terre. Puis ils survolèrent des alignements de fondations abrasées, comme si la ville avait été soufflée au ras du sol par une explosion nucléaire. Il lui revint en mémoire des images de guerre et de villes détruites, et les ruines de Mardaï ne ressemblaient pas à celles effondrées et fracassées de Varsovie, de Londres, ou de Dresden mais à celles de Nagasaki ou d'Hiroshima. Les trottoirs eux-mêmes semblaient avoir été soufflés ras. Plus au nord il ne restait rien de ce qui avait dû être une zone industrielle d'ateliers et d'entrepôts.

Garland commença à manœuvrer pour atterrir dans ce qui avait été un bâtiment fortifié et dont seuls étaient reconnaissables les sillons profonds des fondations du mur d'enceinte dans le sol pétrifié par le gel.

— La puissance soviétique a été capable de ça, tu te rends compte ? Construire tout une ville et deux cents bornes de voies ferrées pour y amener jusqu'à cinquante mille Russes. Tu vois ce qu'il a fallu d'immeubles, de commerces, d'infrastructures pour exploiter cette putain de mine et leur piller leur uranium ? Enfin, je veux dire, ton uranium. Garder la zone secrète, en virer les Mongols, l'effacer des cartes, l'interdire aux voyageurs. Pas étonnant qu'en retour, vous ayez été capables de vous venger comme ça !

Dès le départ des Russes, en 1993, les bannis, les exclus, les interdits avaient en effet réinvesti la ville en silence pour la dépecer consciencieusement.

Pierre par pierre, dalle après dalle, câble après câble. Ils avaient commencé par le métal des antennes, la toile goudronnée des toits d'immeubles, le fer des rampes, les marches des escaliers. Ils avaient dépecé chaque immeuble par le haut, déboîtant les fenêtres des façades, dégondant les portes à chaque palier, démontant les chambranles. Ils s'étaient ensuite attaqués aux murs, récupérant un à un les parpaings, les interrupteurs et les fils électriques. Puis le dallage des trottoirs, les bordures en granit, les grilles d'égouts, jusqu'à éventrer chaque caniveau pour en récupérer un à un tous les tuyaux du réseau de canalisation. Ils avaient proprement défait cette ville comme on désosse une carcasse…

— Ils ont tout vendu aux Chinois, expliqua le pilote en négociant sa descente finale. La Chine de l'époque n'était pas encore le grand fabricant de tout. Ils se fabriquaient eux-mêmes à partir de rien. Tout est parti là-bas par convois de camions et même par caravanes de chameaux. Je suis prêt à parier qu'une ville comme Manzhou, sur la frontière russe, est à moitié construite à partir des ruines de Mardaï.

Mais Yeruldelgger ne l'écoutait plus. À travers le plexiglas, il observait les hommes armés de Kalachnikov qui surveillaient l'atterrissage de l'hélico. La seule chose que savait vraiment Yeruldelgger de Mardaï, c'était qu'elle était devenue une zone incontrôlable où plus aucune autorité ne s'aventurait depuis longtemps. Police comme armée, ex-auxiliaires complaisants des Soviétiques, avaient profité de la fuite des Russes pour s'éclipser et laisser faire. Elles n'étaient jamais revenues, et des bandes organisées s'en disputaient maintenant le territoire. Mardaï restait aujourd'hui aussi secrète qu'avant, mais pour d'autres raisons. Elle était devenue la base arrière de tous les trafics dans la région des trois frontières.

— Garde ton calme, lève les bras, et laisse-moi parler. On se connaît, eux et moi, dit le pilote en coupant le contact de la turbine et en raccrochant son casque.

Mais Yeruldelgger était déjà descendu, droit malgré les pâles qui tournoyaient encore au-dessus de sa tête, et se dirigeait vers celui qui semblait être le chef du comité d'accueil.

— Je viens parler à Ganbold.

L'homme posa le canon de son arme sur son ventre.

— Tu t'es trompé de quartier.

— Ce n'est pas moi le pilote.

— Qui c'est ce mec ? demanda l'autre en apostrophant le pilote qui descendait à son tour.

— Quelqu'un qui a l'autorisation.

— Ça ne me dit pas qui c'est.

— Je suis le gendre d'Erdenbat. Ça te va ? tenta Yeruldelgger avec bravache.

— C'est vrai, ça ? demanda l'homme au pilote.

— En tout cas c'est Erdenbat qui a payé le vol.

Le chef siffla entre ses dents et un camion militaire russe surgit de nulle part. Quatre de ses hommes grimpèrent dans la benne pendant qu'il ordonnait aux deux autres de surveiller l'hélico. Une heure plus tard, le camion revint et quand trois hommes descendirent de la cabine, Yeruldelgger devina tout de suite qui était Ganbold. Un grand homme au faciès émacié, la pommette éclatée. Probablement par un coup de crosse.

— Il a fallu le convaincre, s'excusa le chef, Ganbold est un peu casanier. Il n'aime pas trop voyager dans notre quartier.

— C'est bon, je veux lui parler seul à seul.

— Comme tu veux. De toute façon il n'est plus armé.

Il fit signe à ses hommes de le suivre, et Yeruldelgger ordonna de la tête au pilote de les rejoindre.

— Jamais de la vie, répliqua l'Australien. Je ne quitte pas ma bécane des yeux. Ici, le temps de pisser, et elle est déjà vendue aux Chinois et refondue pour faire de la matière première pour coques d'iPhone !

Yeruldelgger prit Ganbold par le bras et l'entraîna à l'écart.

— Désolé pour la manière. Je ne leur ai pas demandé d'utiliser la violence.

— C'est comme ça qu'on se parle ici. Tu es qui, toi ?

— Je suis Yeruldelgger, le gendre d'Erdenbat. Il paraît que tu connais une Batgirl qui vit en France. J'ai besoin que tu m'en parles.

— Pourquoi tu ne demandes pas à ton beau-père ? Il peut t'en dire autant que moi sur elle.

— Lui et moi, nous sommes un peu en froid.

— Écoute, je ne veux d'emmerdes avec personne, et surtout pas avec Erdenbat.

— Dis-moi quand même ce que tu sais sur cette femme sinon je t'attache par les pieds sous l'hélico.

— Et quoi ? Tu montes dans les nuages et tu me balances dans le vide ?

— Non. On vole en rase-mottes à travers la ville et je te fais labourer ce qui en reste.

Ganbold prit tout son temps pour dévisager Yeruldelgger.

— Putain, j'y crois pas. Tu le ferais vraiment, n'est-ce pas ? Tu es bien de la même famille qu'Erdenbat, toi !

Yeruldelgger voulut protester, mais le jugement de Ganbold, définitif et terrifiant, lui coupa sa réplique comme un coup au plexus. Puis il devina dans le regard de l'autre comme un éclair de compassion et cette fois ça lui pulvérisa le cœur. Il allait massacrer ce type de ses propres poings.

— Laisse tomber, va, ça a fait la même chose à tous ceux qui l'ont approché.

— Vous avez travaillé en France, paraît-il ?

— En 2003, l'enlèvement en France de l'assassin d'un ex-ministre par les services secrets, tu t'en souviens ? Je faisais partie du commando et Erdenbat aussi. Nous avons piégé le type sur un parking, dans une ville qui s'appelle Le Havre. Batgirl c'est Batguerel, en fait. C'était notre appât. C'est elle qui a attiré la cible au rendez-vous. Je ne sais pas quand elle est devenue la maîtresse d'Erdenbat ni quand elle ne l'a plus été. Avant ou après l'opération, va savoir ! Elle a fait quelques allers-retours entre la France et la Mongolie puis elle s'est définitivement installée là-bas. C'était une mante religieuse, cette fille : un corps de rêve, un tempérament de feu, aucun sentiment et un instinct de survie à toute épreuve. Le matin même elle baisait sur commande avec notre cible, et quelques heures plus tard elle nous le livrait contre un paquet de billets et un passeport neuf.

— Elle appartenait aux services secrets ?

— Non. À part le chef du commando, personne n'était officiel dans cette affaire. C'était une occasionnelle, comme nous. Je suppose qu'on l'avait engagée pour son cul, qu'elle avait joli d'ailleurs. Nous, parce que nous avions survécu aux camps et que nous étions sans passé, sans avenir et sans remords.

— De qui se composait le commando ?

— À part Batguerel et le chef, nous étions trois. Erdenbat, moi, et un type qu'on appelait l'Ours. Il est mort celui-là. Bouffé par un ours à ce qu'on dit, tu te rends compte, mon frère ?

— Je ne suis pas ton frère. Tu m'appelles comme ça une fois de plus et je te fracasse l'autre pommette. Dis-moi plutôt qui menait le commando à l'époque ?

— Ce n'est vraiment pas très difficile à trouver, tu t'en apercevras vite. Mais ne compte pas sur moi pour te le dire. Je ne veux d'emmerdes ni avec Erdenbat, ni avec personne d'autre.

— Un officiel des services ?

— …

— Un homme puissant aujourd'hui ?

— …

— Pire que ça ? D'accord, je trouverai bien. Et les liens entre Erdenbat et Batguerel aujourd'hui ?

— Elle gère une partie des affaires d'Erdenbat en Europe.

— Le trafic de mômes ?

— Dans ce sens-là, oui. Dans l'autre sens, le trafic de tout le reste.

— Comment ça dans l'autre sens ?

— Là, tu deviens vraiment trop gourmand, mon frère, même sous la menace d'une séance d'hélicoluge...

— D'accord, concéda Yeruldelgger sans céder à la provocation. Vous continuez à travailler ensemble, Erdenbat et toi ?

— Nous avons été associés dans le passé mais il a grandi plus vite et plus fort que moi. Maintenant j'ai mon propre business ici, avec sa bénédiction. Mais de temps en temps il lui arrive de faire appel à mes services. Tu dois savoir que c'est le genre d'homme à qui on ne peut pas refuser grand-chose.

— Quel genre de services ?

— Du genre de ce qu'on a fait en France. Un peu de ménage par-ci, par-là. Quelquefois du grand nettoyage.

— Tu es son homme de main, alors ?

— Son homme de confiance, tu veux dire. Erdenbat peut lever une armée de sbires d'un claquement de doigt. Mais pour les vrais jobs, c'est à moi qu'il demande, en souvenir du bon vieux temps.

Yeruldelgger essaya de n'en rien laisser paraître, mais l'autre comprit que sa fanfaronnade venait d'alerter son instinct. Ils restèrent un moment silencieux à regarder leurs pieds dans la neige, Yeruldelgger à son-

der son intuition, et l'autre à espérer qu'il ne le faisait pas.

— Donc cette fille est en France à l'autre bout du
trafic de gosses qui part de Krasnokamensk, c'est bien
ça ?

— C'est ça, admit Ganbold rassuré que l'autre ne
s'accroche pas à ce qu'il venait de laisser entendre
malgré lui.

— Et que font les gosses là-bas ?

— Cette question ! Ils volent, évidemment.

— Donc le trafic dans l'autre sens, c'est la marchandise volée.

— Eh bien tu vois, tu n'es pas si con que tu en as
l'air. Tu arrives à comprendre.

Avoir l'air con, c'est ce que cherchait Yeruldelgger.
Il posa encore deux ou trois questions trop naïves dans
lesquelles Ganbold s'empressa de voir la preuve qu'il
était trop idiot pour être dangereux, puis il lui fit signe
de la tête que c'était bon et qu'ils retournaient à l'hélico. Ils marchèrent en silence jusqu'au petit groupe
qui les observait de loin.

Quand ils arrivèrent à leur hauteur, Yeruldelgger
demanda négligemment une Kalachnikov et deux
chargeurs au chef qui n'osa pas les lui refuser. Celui-ci
ordonna d'un signe à un de ses hommes de donner son
arme que Yeruldelgger saisit au passage. Il dépassa le
groupe en poussant Ganbold devant lui.

— Nous avons encore quelques petites choses à
nous dire, dit-il à l'intention des autres pour bien leur
faire comprendre qu'ils ne devaient pas les suivre.

— C'est quoi ce cirque ? s'inquiéta Ganbold en
cherchant à masquer sa peur.

— T'inquiète et avance. On va à la rivière.

— Elle est gelée.

— Justement…

Ils traversèrent des bosquets de bouleaux et de saules et glissèrent le long d'un coteau enneigé jusqu'à la surface glacée de la rivière.

— Jusqu'où ?

— Jusqu'au milieu.

— Qu'est-ce que tu vas faire ?

— Te poser des questions.

Un méandre contournait le nord de Mardaï en creusant la rive opposée.

C'était l'endroit où le lit était le plus large. Ganbold s'arrêta soudain au beau milieu du miroir de glace.

— Je n'irai pas plus loin. Qu'est-ce que tu me veux ?

— Ça ira très bien ici, admit Yeruldelgger, conscient que tous les observaient depuis la berge, à peine cachés derrière les saules et les bouleaux.

— Est-ce qu'Erdenbat t'a demandé de tuer Altantsetseg ? demanda-t-il brusquement en armant la Kalachnikov.

— Connais pas cette fille ! répliqua trop vite Ganbold, confirmant aussitôt Yeruldelgger dans son intuition.

— Je sais que c'est lui qui a organisé son assassinat, et tu viens de m'avouer que tu étais son homme de confiance dans ce genre d'affaire.

— Connais pas d'Altantsetseg.

Les quatre balles perforèrent la glace un mètre à peine à gauche des pieds de Ganbold. Leur trajectoire creusa de petits trous tubulaires bleutés et profonds, en oblique dans la glace translucide.

— C'était une amie à moi…

— Connais pas.

— Une très bonne amie, morte égorgée dans une chambre du Mongolia à Oulan-Bator…

Un autre tir perfora la glace devant les pieds de Ganbold.

— Putain, tu es fou, qu'est-ce que tu cherches, à nous noyer tous les deux ?

— Non, juste toi si tu ne me dis pas ce qui s'est passé.

— J'ai rien à dire ! hurla l'homme en cherchant à reculer.

Yeruldelgger fit deux pas de côté et mitrailla la surface gelée sur ses talons.

— Qui l'a tuée ?

— Si je parle, il me tue. Je ne veux pas mourir !

— Tu ne crois pas que tu es déjà en train de mourir ?

— Qu'est-ce que tu vas faire ?

— Est-ce que tu as tué Altantsetseg ?

— Tu sais bien qu'avec lui je ne pouvais pas faire autrement !

Maintenant Yeruldelgger marchait à deux mètres tout autour de Ganbold en lâchant de courtes rafales.

— Qui était avec toi ?

Terrorisé, Ganbold voyait les balles perforer la glace en pointillés tout autour de lui. Yeruldelgger avait presque réussi à refermer le cercle.

— Ne fais pas ça, putain, ne fais pas ça, je t'en prie !

— Qui était avec toi ?

— J'étais seul à m'occuper de la fille. Le reste de

l'équipe devait piéger quelqu'un à un autre étage. Je n'en sais pas plus.

Une nouvelle rafale troua la glace qui se lézarda. Ganbold n'osait plus bouger.

— Qui dirigeait cette équipe ?

— Je t'en prie, il va me tuer !

— Tu es déjà mort.

Une autre rafale découpa la surface. L'eau de la rivière trouva le chemin pour sourdre des trous sous la pression du courant prisonnier en dessous.

— Arrête, tu ne peux pas faire ça, tu es flic, tu es flic !

— De moins en moins, crois-moi, de moins en moins. Qui dirigeait l'équipe qui devait me piéger ?

— Quoi ? C'était après toi qu'il en avait ? Je ne le savais pas, je te jure que je ne le savais pas !

Une nouvelle rafale perça la glace. Cette fois l'eau jaillit de la glace sous les impacts.

— Je veux son nom et l'endroit où le trouver.

— Sergueï, il s'appelle Sergueï, s'empressa de répondre Ganbold. Sa couverture c'est une boîte d'entretien d'immeubles, sur Narnii Road dans le quatorzième district, à hauteur du Degerekh Hotel. C'est lui qui a trafiqué l'ascenseur.

— Altantsetseg, tu l'as torturée ? Tu as abusé d'elle ?

— Non, je te jure. Je ne lui ai fait aucun mal. Elle n'a pas souffert, je te le promets !

— Espèce de putain de fils de Begtse, siffla Yeruldelgger entre ses dents, tu l'as égorgée en éclaboussant son sang sur les quatre murs de la chambre et tu prétends ne pas lui avoir fait mal ?

Il tournait toujours autour de Ganbold en lâchant

de longues rafales qui suivaient le tracé déjà perforé dans la glace.

— Ceux qui l'ont vue à la morgue disent que son visage était figé dans un masque de terreur et toi tu oses dire qu'elle n'a pas souffert ?

Yeruldelgger tirait maintenant sans discontinuer et ne regardait plus que la glace qui brusquement céda sous les balles dans un craquement sec. La calotte sur laquelle se tenait Ganbold se libéra de la surface gelée et se mit aussitôt à tanguer. Il finit par perdre l'équilibre. Il glissa vers l'avant, enfonçant la glace qui bascula dans l'eau glacée sous son poids. Il y tomba comme par une trappe secrète qui s'ouvre soudain. Son menton cogna avec violence le bord auquel il essaya de se retenir, mais le rond de glace, emporté par sa chute, fit un demi-tour sur lui-même et se referma en couvercle, assommant au passage l'homme englouti par les flots. La calotte de glace reprit aussitôt sa place, obstruant hermétiquement le trou d'eau, sous les yeux de Yeruldelgger qui ne tirait plus. Il regardait la masse diffuse de Ganbold, réveillé par l'eau glacée, tenter de soulever le couvercle de glace. Puis il devina ses gestes impuissants et paniqués qui abandonnaient la lutte, et observa la masse inerte du corps glisser lentement sous la glace opaque sans rien pour la retenir. Il attendit de voir Ganbold disparaître sous des glaces plus épaisses, puis jeta la Kalachnikov et regagna la rive. Rien de ce qu'il venait de faire ne ressemblait à l'homme qu'il avait été. C'est à eux qu'il ressemblait maintenant. Il était devenu comme eux. Pire peut-être.

Mais il devait bien ça à Colette.

58

*... une pomme de terre entière
cuite à la vapeur.*

— Dzanouni, c'est Batgirl !

— Qu'est-ce que ça veut dire ? s'énerva Zarza.

Ils étaient dans le froid, face au MacDo, le dos à la double voie du quai Colbert et au bassin Vauban, sur la pelouse rongée par un soleil d'hiver.

— J'explique : Betty Dzanouni, c'est Batguerel Machinchose. Un nom tellement compliqué que les enquêteurs l'ont baptisée Batgirl.

— Quels enquêteurs ?

— Je suis retombé sur tout ça quand j'ai fait des recherches sur la Mongolian Shipping Company dans les archives du journal, cette nuit. Elle a été mêlée à un truc pas banal à l'époque. Ça ne m'est pas revenu à l'esprit parce que je n'étais pas dans le coin à ce moment-là. Ça s'est passé ici, sur le parking du MacDo. J'ai pris des notes : quatre types en ont enlevé un autre à la brutale. Pas de gants, pas de masque, au vu et au su de tout le monde. Ils avaient garé leur caisse là-bas, en double file devant les places réservées aux handicapés. Un break BMW Touring bleu marine. L'autre est arrivé par la petite allée à l'est, au coin de la rue Chevalier-de-la-Barre. D'après les témoins il a reconnu Batgirl derrière la baie vitrée. Elle lui a fait un signe de la main depuis l'intérieur, mais quand il est passé devant la BM pour la rejoindre, deux des gars l'ont neutralisé avec une matraque électrique, un troisième l'a chopé par-derrière pour lui ouvrir la bouche, et le quatrième l'a forcé à boire un truc. Il est aussitôt tombé dans les pommes. En dix secondes, il était dans la bagnole et l'affaire était pliée. Vingt secondes plus tard ils passaient sur le pont Jean-Jacques-Rousseau et dix de plus, ils redescendaient de l'autre côté pour enfiler le boulevard Winston-Churchill jusqu'à la E44.

— Les témoins ?

— Comme des témoins : ils n'ont vu que des Chinois, au nombre de trois, quatre ou six, mais ni deux ni cinq et une voiture allemande, BMW, Audi ou Mercedes, break ou monospace. Voire berline. Plaques allemandes, tout le monde était d'accord. Ou belges. Ou italiennes peut-être.

— Et ta Batgirl ?

— Là, unanimité : femme superbe, asiate, jolie poitrine, jambes interminables. Elle a été interrogée. Elle n'avait rencontré le type en ville qu'une semaine plus tôt dans un bar. Ils avaient sympathisé entre compatriotes paumés loin de chez eux. Il était plutôt beau gosse dans le genre Mongol et il l'a draguée. C'est lui qui avait donné le rencard au MacDo. Elle ne comprenait rien à ce qui venait d'arriver. Elle a été mise hors de cause.

— Et l'enquête ?

— Partie en eau de boudin. Le type avait bien demandé l'asile politique chez nous mais avec de faux papiers. Impossible de savoir qui c'était. On n'a jamais mis la main sur ses ravisseurs, et on n'a jamais retrouvé la voiture. Le kidnappé a réapparu quelques mois plus tard en Mongolie, accusé du meurtre d'un politicien. Apparemment des barbouzes de chez eux sont venues le récupérer chez nous.

— Des services secrets mongols, chez nous ?

— Il faut croire...

— Tu as plus de détails sur l'histoire ?

— J'ai retrouvé la photocopie d'une coupure de presse anglaise dans les archives. Le type aurait massacré à coups de couteau et de hache l'homme politique le plus prometteur de leur nouvelle démocratie. Un pur et dur, ministre des Infrastructures bien décidé à remettre de l'ordre dans le développement de son pays. Un genre de Kennedy des steppes, si tu vois ce que je veux dire. Notre kidnappé est soupçonné à l'époque et la police le charge. Lui nie tout en bloc et finalement il s'enfuit et se réfugie en France où il demande l'asile politique. Le 14 mai 2003, il se fait embarquer par le commando et le 18 il arrive à Oulan-Bator, avec un visa à la russe...

— À la russe ?

— C'est une expression pour dire qu'ils te font entrer sans passer par la douane et te gardent au secret sans aucune existence légale quelques jours, histoire d'avoir le temps de te torturer consciencieusement. Puis chez eux l'affaire commence à s'ébruiter et les services secrets le font « officiellement » entrer en Mongolie trois jours plus tard et montent un dossier à charge blindé de preuves allègrement fabriquées. Mais les juges ne marchent pas et l'affaire ne va même pas en justice. Le type est relâché, et là, tu pourrais croire que l'affaire est terminée, non ?

— …

— Non, tu n'y crois pas, j'aurais dû m'en douter de la part d'une barbouze. Le type avait déjà fait plusieurs séjours en prison avant cette affaire et avait bénéficié d'une remise de peine. En toute illégalité, elle est annulée et il retourne en prison. Et il y reste pour un autre motif que je te donne en mille.

— Soulniz ! s'impatienta Zarza.

— Il se prend trois ans ferme pour « divulgation de secrets d'État et atteinte à la sécurité nationale », et tu sais pourquoi ?

— SOULNIZ !

— Pour avoir raconté les circonstances de son enlèvement. C'est pas fort, ça ?

— Et alors, où est-il maintenant ?

— Mort.

— Mort ?

— Mort, cinq jours après avoir été libéré sans explication, en avril 2006. En fait la raison est simple : ce type est mort des suites de ses conditions de détention, et les flics mongols ne voulaient pas qu'il meure en prison pour ne pas remuer la merde.

Zarza sortit une poignée de pépites de sa poche et les éclata une à une entre ses incisives en prenant le temps d'assimiler tout ce qu'il venait d'apprendre. Soulniz se demanda où il en cachait les réserves, puis renonça.

— Café ? proposa Zarza en désignant le MacDo de la tête.

— Sûrement pas ici !

— Où tu veux alors, mais café quand même.

— Tarte au sucre, brandon, bourdelots aux pommes, ou bec de Flers ?

— C'est quoi bec-de-lièvre ?

— Pâte feuilletée, pomme et rhubarbe.

— Va pour le bec, alors.

Ils récupérèrent la voiture et Soulniz traversa une moitié de la ville pour acheter une partie des pâtisseries à l'angle de la rue Meyer, et une autre moitié pour acheter les bourdelots rue Carnot.

— On prendra les becs chez Petit Louis, il les fait comme personne. De toute façon on va déjeuner là-bas, à l'heure qu'il est maintenant, non ?

— Et tout ça ? s'inquiéta Zarza en montrant les autres pâtisseries.

— Ça c'est pour la route. On n'a pas petit-déjeuné, souviens-toi.

Il inspecta chacun des sachets de papier blanc et découvrit avec gourmandise et écœurement le sucre poissé sur la galette dorée, le parfum de la crème pâtissière et l'odeur de la pomme au calva. Soulniz fourra sa main dans un des sacs et en tira un bourdelot qu'il croqua à pleines dents sans quitter la route des yeux. Il les préférait comme ça, à la pâte feuilletée dorée à l'œuf qui croustille en miettes et s'effrite avant que le cœur de la pomme cuite à l'intérieur ne se perce et laisse couler sur sa langue le sucre semoule à peine caramélisé et mouillé de calva et surtout, surtout, gourmandise suprême, ce petit jus fondu qui vient de la noisette de beurre qui operculait le trognon évidé du fruit.

— Putain, la vie est belle, non ? soupira-t-il sans

savoir où reposer la moitié de son bourdelot dont le jus sucré dégoulinait sur ses doigts. Finalement il préféra l'enfourner dans sa bouche tout entier. Zarza se contenta de croquer dans une part de galette au sucre en essayant de réfléchir à ce que Soulniz lui avait raconté.

— Tu sais ce que je me demande ? dit-il en léchant les petites croûtes de sucre sur ses lèvres.

— La même chose que moi : est-ce que la mort de la Dzanouni d'aujourd'hui a quelque chose à voir avec l'enlèvement auquel a participé la Batguerel d'il y a dix ans ?

— Tout juste. Après ce que tu m'as raconté, j'imagine bien sa mort liée à son passé. Mais ça pose deux questions : pourquoi aujourd'hui, et qui est le second cadavre dans la gravière ?

— Tu crois qu'il a aussi un lien avec cette affaire du MacDo ?

— Apparemment, le corps de Batgirl n'a séjourné que quelques jours dans la gravière, mais l'autre y serait depuis bien plus longtemps. Alors pourquoi pas depuis l'époque de l'enlèvement ? D'autant que le premier examen du crâne pencherait pour une structure osseuse de type asiatique. Quant au type qui a essayé de me flinguer à Honfleur, tu l'as vu comme moi : asiatique lui aussi. Ça fait beaucoup d'asiates, non ? Et s'ils étaient tous mongols ?

— Tu penses que quelqu'un est venu faire le ménage toutes ces années plus tard ? Si c'est le cas, l'explication est là-bas, chez eux, pas chez nous.

— Peut-être bien, mais je ne suis pas sûr que quelqu'un cherche à effacer l'affaire. Pas vraiment discret pour du ménage, tu ne trouves pas ? Et puis il y a l'autre cadavre. Pourquoi avoir jeté le corps de Batgirl exactement au même endroit, dans la même gravière ? Et si au contraire, quelqu'un s'efforçait de faire remonter cette affaire à la surface ?

— En laissant crever sept gosses dans un container ?

— C'est Dzanouni qui gardait ces gosses prisonniers dans le container. Peut-être que celui qui l'a descendue ne le savait pas. Le type vient, la flingue et repart, et les gosses restent enfermés. Victimes collatérales.

— Sauf que le type n'est pas reparti…

— Oui, si c'est bien notre « Chinois ». Ça aussi ça me tracasse. Il reste dans le coin jusqu'à ce que nous découvrions le corps de Dzanouni. Pas très prudent. Surtout après avoir brûlé la voiture près de la gravière.

— Ce type aurait cherché à nous attirer jusqu'au corps de Dzanouni qu'il n'aurait pas agi autrement.

— Exactement. Et s'il s'était servi de son meurtre pour nous guider jusqu'à l'autre macchabée ? La clé de cette affaire, c'est peut-être l'autre mort. C'est lui qu'il faut identifier.

— Tu as raison, admit Soulniz, mais on peut faire ça après déjeuner, non ? On arrive juste chez Petit Louis, là !

Zarza le regarda engloutir en deux bouchées un brandon à la crème pâtissière parfumée au vieux calva avant de rejoindre la gargote.

— Tu aurais au moins pu en garder un pour le petit, lui reprocha Zarza.

— On lui rapportera un bec de Petit Louis.

Ils entrèrent dans la baraque et Zarza remarqua aussitôt que Petit Louis leur tirait une gueule de six pieds de long. Ils s'installèrent sans qu'il les accueille vraiment, et il les servit sans un mot.

— Il est colère, expliqua Soulniz. On est en retard. Les Ferté-Macé, normalement, c'est juste un en-cas chez les Normands. Ça se mange plutôt en milieu de matinée. Pas au déjeuner. C'est un puriste, le Petit Louis.

Zarza contempla son assiette en se demandant comment il allait pouvoir avaler ça après la galette au sucre. Les tripes étaient roulées en petits paquets tenus par un pic en bois, avec pour tout légume une pomme de terre entière cuite à la vapeur.

59

... sans le trouver !

— Ici, mon gars, tu as au moins un kilo d'oignons, une belle demi-livre de beurre et un bon verre de calva dans ces tripes-là. Le Petit Louis, c'est le seul à les cuisiner comme ça en dehors de la Ferté-Macé. Tu trouveras ça nulle part ailleurs. Mijotées huit heures au four dans une tripière en grès et tenues par une vraie billette en noisetier. Et que de la panse et du pied de bovin adulte, hein ! Ce n'est plus de la gastronomie, c'est du patrimoine culturel. Et ne dis pas à Petit Louis que tu aimes la sauce, parce qu'il n'y a pas de sauce dans la Ferté-Macé, il n'y a que du jus. Du jus, mon gars. Allez, bon appétit !

Ils dégustèrent les tripes en silence et Zarza s'étonna d'aimer ça. Il finit pourtant par reparler de l'enquête.

— Côté MacDo, tu peux ressortir tout ce que tu as de l'époque : archives de ton canard, contact chez les enquêteurs, liste des témoins ? De mon côté, je vais voir avec mon ancien service s'ils ont quelque chose. Une affaire où la police française s'est fait balader, ça a dû laisser des traces. Quand on a tout, on reprend ça à tête reposée. Moi je vais fouiner dans les bureaux de Dzanouni. C'est le point commun entre l'affaire du MacDo en 2003 et la mort des gosses aujourd'hui. Si notre intuition est juste, un type est venu de Mongolie la flinguer pour que son cadavre nous mène au cadavre d'un inconnu dont la mort remonte probablement à l'affaire MacDo. C'est le pourquoi de tout ça qu'il faut piger. Mais je veux comprendre aussi ce que les mômes faisaient là. Je vais aller voir les gars de la BAC. Ils parlaient d'eux comme d'une bande organisée de petits voleurs qui écumait la région.

— M'étonnerait qu'ils t'accueillent à la bonne. Tu leur as un peu raboté leur compétence sur ce coup-là, non ?

— Pas faux. Surtout quand ils vont se mettre à rechercher le gosse sans le trouver !

60

... posé sur sa table de nuit.

Gantulga ne pouvait détacher son regard de la maison d'en face, de l'autre côté de l'étroite rue Brûlée. Il restait là sur la terrasse, un verre de lait fade et pasteurisé à la main, fasciné par le géométrique enchevêtrement des poutres apparentes. Il n'avait aucune idée de ce qu'était une sablière, un pied cornier, un potelet, une décharge, une tournisse, un renfort ou une croix de saint André, mais il devinait par instinct que chaque bois avait un mérite particulier dans l'équilibre de cette construction que la pierre, la brique ou le mortier ne faisaient que remplir. Pourquoi ce premier étage de bois entrecroisés posé sur un rez-de-chaussée de pierres et de ciment ? Pourquoi ces petites guérites symétriques sur le toit ? Pourquoi de si petits carreaux entre tant de croisillons pour de si grandes fenêtres ? Et cette porte lourde et massive en bois plein encoignée en haut dans des poutres cintrées ? Il ne connaissait que les yourtes, les barres d'immeubles ou les isbas à la russe et rien ne correspondait à la logique de construction de ce qu'il avait sous les yeux. Il faudrait qu'il raconte ça à Oyun quand il la reverrait.

Il se pencha au-dessus de la rambarde pour regarder la rue. Combien de temps avait-il fallu à des hommes pour tailler et assembler autant de pavés lisses aux reflets bleus ? Et toutes ces ardoises sur les toits ? Il aurait tant de questions à poser à Zarza quand il reviendrait. Et Daniel, qui avait fait dire par Zarza que cette ville existait déjà plus de cent ans avant la naissance de Gengis Khan et qu'elle était toujours là, avec ses maisons en bouts de bois et ses chemins en pierres carrées, alors que l'empire était mort depuis des siècles. Ses pensées vagabondaient entre le vieux Honfleur et la steppe quand il devina un mouvement dans la rue. La voiture s'arrêta au pied de la terrasse et un homme en descendit, que Gantulga reconnut aussitôt. Un des policiers en civil qui était venu à l'hôpital.

Il se redressa trop vite et la tête lui tourna. Il sentit ses jambes fléchir et dut se retenir à une vieille table ronde en fer forgé pour ne pas tomber. Il était encore faible. Zarza lui avait recommandé de rester allongé et de les attendre, et de ne surtout pas se montrer. Il allait être très en colère. Un des policiers tambourinait déjà à la porte et, à entendre ses cris, il supposa que l'autre lui ordonnait de sortir depuis la rue. Il se réfugia à l'intérieur en fermant la porte-fenêtre qui donnait sur la terrasse, se barricada dans la chambre que lui avait préparée Daniel, et composa le numéro de téléphone sur le sans-fil posé sur sa table de nuit.

61

Ah, si c'est le côté obscur, alors !

Ils furent à Honfleur en moins de dix minutes. Zarza ordonna à Soulniz de prendre la rue Brûlée à contresens s'il le pouvait. Ils s'y engagèrent au moment où la voiture redémarrait devant la maison et le chauffeur leur balança une volée d'appels de phares. Comme ils continuaient d'avancer, une main jaillit par la vitre et aimanta sur le toit un gyrophare bleu. Un deux-tons rageur se mit aussitôt à hurler.

— Ne ralentis pas, fonce pile devant eux, commanda Zarza à Soulniz qui se fit un plaisir de lui obéir.

Les deux portières de la voiture des flics se déployèrent de chaque côté comme une crête d'iguane en colère et les types de la BAC jaillirent hors du véhicule, furieux et menaçants. Quand Zarza descendit à son tour, ils se figèrent sur place en dégainant pour le prendre dans leur ligne de mire, avant de le reconnaître…

— Lequel de vous deux je flingue d'abord, mon lieutenant ? demanda calmement Zarza.

— Tu bouges un doigt, tu perds tes couilles.

— Ah, soupira Zarza à l'adresse de Soulniz qui descendait à son tour, la poésie du flic de terrain !

— Toi, le chef de gare, tu dégages ta caisse. Et toi, le fouille-merde, tu rejoins le gosse à l'arrière et on t'embarque.

— Pour quel motif, mon capitaine ?

— Recel de malfaiteur, ça te va ?

— Avec sept copains morts de soif enfermés dans un container, j'avais plutôt l'impression qu'il était victime, pas coupable, mon colonel.

— Avant d'être ta victime, ce merdeux était notre voleur. Vol en bande organisée. Et s'il est voleur, le journaleux chez qui on l'a retrouvé est son receleur. C'est pas plus compliqué que ça.

— D'accord avec toi, mon général. Avec les cons, c'est jamais compliqué, mais pour toi je vais faire une exception.

— Pour qui tu te prends, la ferroviaire ?

— Tu vas demander à quelqu'un de te l'expliquer, mon amiral. Vous avez un téléphone dans votre dotation ? Un talkie-walkie, un bi-bop, un minitel, un outil quelconque qui te permette de communiquer avec une hiérarchie ? Une hiérarchie compétente, je veux dire.

— De quoi tu parles ?

— Contacte le chef le plus haut gradé que tu connaisses. Qu'il appelle au ministère et demande De Vilgruy. Il saura vite qui c'est, et demande-lui si tu as le droit de flinguer Zarzavadjian. Zarzavadjian. Avec deux « z ». Et fais-le de préférence dans les cinq minutes qui suivent si tu ne veux pas finir planton au ministère, justement.

Pendant que le flic, troublé par l'aplomb de Zarza, appelait son supérieur, une voisine se pencha à sa fenêtre.

— Monsieur Daniel ! Monsieur Daniel ! Ils ont cassé votre porte-fenêtre. Je les ai vus. Celui qui téléphone, là, il a escaladé votre terrasse et il est entré chez vous en cassant la porte-fenêtre pour ouvrir à l'autre !

— Les enfoirés ! grogna Soulniz en se dirigeant vers la porte.

— Hey, personne ne bouge ! ordonna l'autre flic en voyant Zarza emboîter le pas du journaliste alors que Gantulga, sur un signe, sortait de la voiture pour les rejoindre.

— Hey, c'est quoi ce bordel ! hurla le flic au téléphone. Hein ? Non, pas à vous, monsieur, c'est… Pardon ? Comment ? Oui monsieur, oui, oui, affirmatif monsieur…

— Merde ! soupira l'autre flic en voyant le trio disparaître à l'intérieur de la maison pendant que son collègue raccrochait en secouant la tête.

— Putain, on a l'air de quoi, là ?

— De cons, mon vieux. On a l'air de cons, et en plus l'autre fanfaron, là, il nous avait prévenus.

— Pourquoi, c'est qui ce type ?

— Oublie, mieux vaut ne pas savoir. Mais crois-moi, il est couvert de chez couvert.

Ils laissèrent le gyrophare, histoire de décourager les conducteurs belliqueux qui s'impatienteraient d'être bloqués en pleine rue, et se dirigèrent à l'intérieur de la maison pour rejoindre Zarza, Soulniz et Gantulga à l'étage.

— Regarde-moi ces enfoirés ce qu'ils ont fait ! Ils ont brisé la vitre de la porte-fenêtre et fracturé la porte de la chambre !

— Depuis quand on ferme les chambres à clé, aussi !

— C'était comme ça dans toutes les bonnes maisons avant. Une clé par porte.

— De toute façon il n'avait qu'à nous ouvrir.

— Ah ouais ? Vous croyez que vous avez des gueules à vous faire ouvrir des portes par des mômes, vous ?

— Hey, on était plus qu'en flag, d'accord ? Un, le gosse s'était tiré de l'hosto, et deux, il pouvait très bien être en train de cambrioler chez vous.

— Ah oui ? Vous passiez par hasard dans la rue et vous avez aperçu un cambrioleur mineur, mongol, et en pyjama ?

— Écoute, même si on n'est pas des James Bond en immersion à la ferroviaire, on est assez bons flics pour avoir remarqué que vous vouliez vous le mettre de côté, ce môme. Alors on est venus le chercher chez vous en premier et on ne s'est pas trompés.

— Bon, qu'est-ce qu'on fait maintenant ? demanda l'autre flic complètement perdu.

— Ah, voilà une bonne question, s'exclama Zarza. Et la bonne réponse c'est que vous nous laissez le môme et que vous dégagez.

— Pas question, c'est toujours notre enquête.

— Le temps que tu retournes au poste, et ça sera la mienne. Sans rancune ?

Le premier flic refusa la main que Zarza lui tendait et disparut dans l'escalier en contenant sa rage. L'autre tarda à le suivre.

— Je préfère ça, dit-il, je me voyais mal m'acharner sur ce gosse après ce à quoi il a survécu.

— C'est tout à ton honneur, répondit Zarza. Tu connais chez Petit Louis de l'autre côté de l'estuaire ?

— Tu parles que je connais !

— On y retourne finir notre déjeuner. Ça te dit de nous y rejoindre, j'ai besoin que quelqu'un me fasse un topo sur les bandes de voleurs.

— Ben... je ne suis pas sûr que ça plaira chez moi...

— Pas besoin de leur dire. Tu n'as qu'à prendre ta pause déjeuner. C'est le côté obscur de la République qui t'invite.

— Ah, si c'est le côté obscur, alors !

62

... dans le froid des dunes.

Le temps que Petit Louis aille chercher des rougets frais et les cuisine à la sauce verte de Chausez, trois ou quatre tournées d'apéro avaient délié les langues.

— C'est l'Office central pour la répression de l'immigration irrégulière et de l'emploi d'étrangers sans titre qui nous a branchés. Le nom de l'opération, c'est « Goldorak ». Ça a commencé par le recensement de plusieurs plaintes pour vols en bande organisée commis par des « Chinois ». Curieusement, c'est la police des frontières qui a fait le recoupement avec les modes opératoires. Puis il y a eu l'interception par la brigade mobile de recherche zonale de Rennes d'un utilitaire conduit par un Chinois accompagné par deux Afghans. Dans la camionnette ils ont mis la main sur cent vingt mille euros de cosmétiques volés. En remontant la filière, ils ont trouvé deux choses. Cent trente mille euros de marchandises et six gamins mongols entrés en Europe avec de faux visas polonais. Depuis, on tire sur les fils pour remonter les filières et on en trouve partout. L'OCRIEST a déjà identifié une autre équipe en Touraine par exemple.

— Tu dis qu'ils viennent de Pologne ?

— En fait ils entrent en Europe avec de faux visas polonais délivrés en Russie, mais tout part d'Irkoutsk en Sibérie. Ils pénètrent en Europe par son ventre mou : Pologne, Bulgarie, ex-Yougoslavie, puis les mômes sont dispatchés en Suisse, en Belgique, en Allemagne, en Autriche, en Italie. Ce sont de petites bandes très mobiles de huit ou neuf gosses très jeunes, et dès qu'un gamin se fait choper, il en débarque un autre. C'est une organisation parfaitement huilée.

— Et la marchandise volée ?

— Une petite partie est revendue au noir en Europe, sûrement pour financer la filière sur place, mais on pense que la plus grosse partie est acheminée vers Oulan-Bator en Mongolie.

— Oulan-Bator ? Il n'y a rien à Oulan-Bator, s'étonna Soulniz. Comment le marché noir mongol pourrait-il absorber une telle quantité de marchandises ? Je veux bien croire qu'ils ont une croissance à deux chiffres et le cul bordé de minerais, mais leurs nouveaux riches n'ont pas la capacité d'étancher un tel trafic. Et puis leurs nouveaux riches sont bien trop fiers d'acheter beaucoup trop cher de vraies marques dans de vraies boutiques de luxe pour succomber aux attraits du marché noir.

— Soulniz a raison, coupa Zarza, la Mongolie n'a pas une bonne raison d'être impliquée dans un tel trafic. Elle en a deux : une frontière avec la Russie, et une frontière avec la Chine. Deux pays qui ont une vraie nouvelle classe bourgeoise bien décidée à copier les nouveaux riches. C'est là qu'il y a un beau terreau pour du trafic de produits de luxe.

— Et le rôle de Batgirl dans tout ça ? demanda Soulniz.

— Qui ça ? interrogea le flic.

— Dzanouni, la femme qui dirigeait la Mongolian où ont été découverts les gosses. Le cadavre de la gravière.

— On allait s'y intéresser quand James Bond nous est tombé dessus, plaisanta le flic.

— Vous n'étiez pas à l'entrepôt pour elle ?

— Non. Nous, nous ne sommes que l'infanterie de l'opération Goldorak. Notre seule mission, c'est de mettre la main sur les mômes. Mais les cadors de l'OCRIEST ont donné le nom de code Vega à celui qui dirige ce trafic, mais sans savoir encore ni qui il est, ni d'où il opère. Même pas sûr qu'il soit en France. Par contre il paraît qu'on se rapprochait de leur base, nom de code Camp de la Lune Noire, et du chef du réseau en France, voire en Europe : nom de code Minos.

— Eh bien si tu veux mon avis, les cadors de l'OCRIEST devraient réviser leur Club Dorothée, parce que leur Minos à la Goldorak, c'était sûrement une Minas.

— Une femme ? Celle dont tu parlais il y a une minute ? Tu crois qu'on a vraiment mis la main dessus ? La Mongolian Shipping Company ça serait le Camp de la Lune Noire, et votre Batmachine, là, ça serait Minos ? demanda le flic soudain tout excité.

— J'en suis de plus en plus convaincu, répondit Zarza. Dis-moi, juste pour rire, c'était quoi le nom de code de votre opération à la BAC : Cervofulgure ? Fulguropoing ?

— ... Planitronk, avoua l'autre un peu honteux.

Petit Louis en profita pour apporter les feuilletés à la pomme et à la rhubarbe encore tièdes qu'il leur servit avec un petit verre de chifoine.

Un silence gourmand s'installa dans la gargote et chacun savoura à petites pincées de lèvres la force ronde de la liqueur de plantes et de fruits macérés au calva.

— Tu as bien mangé ? demanda Zarza en russe à Gantulga en lui confisquant le verre de chifoine que Petit Louis lui avait servi.

Le gamin fit oui de la tête en écarquillant les yeux pour montrer à quel point il s'était régalé de ces saveurs inconnues.

— C'est quoi ton plat préféré ? demanda le flic en cherchant Zarza des yeux pour qu'il traduise sa question.

Gantulga fit une longue réponse illustrée de gestes et de mimiques qui accrocha aux lèvres de Zarza un sourire complice.

— Son régal, expliqua-t-il, fixant ses yeux plissés de rire dans ceux du flic, c'est la tête de chèvre. D'abord tu tues la bête sans verser de sang sur le sol, c'est la tradition là-bas. Tu la plaques vivante au sol sur le côté en la coinçant avec tes genoux, et tu lui fais une entaille entre les pattes antérieures dans laquelle tu glisses ta main pour lui saisir le cœur et le faire s'arrêter de battre. Ensuite tu la dépiautes, tu la découpes et tu la décapites, puis tu jettes la tête dans une marmite d'eau salée pour la bouillir le plus longtemps possible. Quand la viande commence à se détacher de l'os, tu sors la tête, tu la poses dans un plat, et tu la mets de côté. Plusieurs jours de préférence. Sous un lit par exemple. Et quand tu as des invités, tu la sors et tout le monde s'assied autour et gratte la viande sur les os du crâne avec les doigts ou la pointe d'un couteau. Bien entendu, tu offres au moins un des deux yeux à ton invité, et il faut qu'il le croque et le mâche longtemps devant toi pour faire honneur à ta cuisine…

Le flic se leva brusquement en bousculant les chaises et courut vomir son bec de Flers dans le froid des dunes.

63

... pour faire face lui aussi...

Ils passaient à basse altitude une crête dénudée quand Yeruldelgger devina la présence de l'autre hélico. Engoncé dans son lourd manteau, sanglé à son fauteuil et harnaché de son casque à écouteurs, il ne put se retourner pour vérifier. Garland devina son inquiétude et sa voix crépita dans la radio.

— Un problème ?

Le grésillement aigu de l'interphone lui cisailla les tympans. Il préféra lui demander par signes de virer sur la droite pour vérifier quelque chose derrière eux. L'horizon bascula aussitôt et l'engin sembla perdre d'un seul coup beaucoup de hauteur. Derrière la crête, une autre petite vallée enneigée s'étranglait en entonnoir autour d'une forêt touffue en triangle et il s'étonna, dans ces circonstances, de penser à un sexe de femme.

En relevant la tête, il aperçut l'autre hélicoptère. Un engin kaki, lourd, massif, ventru, le nez proéminent et boursouflé. Militaire. Menaçant. Il les suivait à faible distance et s'engagea aussitôt dans la même courbe.

Yeruldelgger attira l'attention du pilote d'un coup de coude et lui désigna l'appareil.

— Qu'est-ce que c'est ?

— Un clébard.

— ... ?

— C'est le nom de code de l'OTAN pour ce genre d'antiquité, expliqua le pilote. Un « Hound ». Un MI-4 russe Hound.

— Qu'est-ce qu'il fait là ?

— Je n'en sais rien. Je ne savais même pas que ça volait encore ces trucs-là. Les Soviétiques ont arrêté de les fabriquer dans les années soixante-dix. Une opération de douane peut-être...

— La contrebande, c'est l'affaire des gardes-frontières, pas des militaires. S'ils avaient voulu nous intercepter, ils se seraient portés à notre hauteur pour nous forcer à nous poser. Tu peux les semer ?

— En principe oui. De mémoire ce bouledogue pèse deux tonnes de plus que nous et notre Eurocopter doit pouvoir lui mettre cinquante kilomètres-heure de vitesse de pointe dans la vue.

— Alors vas-y !

Le pilote vira sur la gauche et remit l'hélico dans le sens de la vallée. Puis il bascula le nez de l'appareil vers l'avant pour mieux prendre l'air dans ses pales et poussa le régime de la turbine. Par instinct, il abandonna un maximum d'altitude, prit de la vitesse, et fila à dix mètres du sol en descendant la vallée dont il épousa habilement le moindre relief. Yeruldelgger détacha sa ceinture pour pouvoir se retourner et surveiller leur poursuivant. De face, le MI-4 lui apparut soudain pour ce qu'il était : une bête de guerre solide et brutale, passée dans un étau dantesque pour bien écraser sa cabine de chaque côté et lui donner l'air buté des tueurs sans état d'âme. Quand il prit le sillage de l'Eurocopter, l'engin se révéla aussi capable d'une agilité bestiale. Cette fois, il ne faisait aucun doute que le MI-4 ne les poursuivait pas. Il les chassait !

— Il est armé ? cria Yeruldelgger dans son micro pour surpasser le hurlement de la turbine.

— Pas vraiment eu le temps de voir, mais ça ressemble à une version 4A.

— Et ça veut dire ?

— Mitrailleuses. Peut-être même canon en tourelle et missile air-sol. Mais ça fait belle lurette que l'armée n'a plus de missiles. Par contre, si c'est bien un 4A, les mitrailleuses, c'est sûr : deux de chaque côté.

Yeruldelgger essayait de se retourner pour vérifier quand les premiers impacts secouèrent l'hélico.

— Les salauds, ils sont vraiment armés ! jura Garland sans aucune panique dans la voix.

Il fit bondir l'hélico vers le ciel et repiqua aussitôt en virant serré sur la droite. Yeruldelgger comprit qu'il voulait tester la maniabilité du MI-4 et la dextérité du pilote. Mais si leur agresseur ne savait pas voltiger, il avait appris à anticiper les trajectoires de tir et l'Eurocopter se retrouva à nouveau dans la ligne de mire. Une nouvelle rafale fit tressauter la carlingue. Ils ressentirent chaque impact comme des coups de piolet dans le métal. Garland se crispa sur ses commandes et redescendit au ras du sol pour échapper à la mitraille, mais de l'huile bouillante gicla soudain dans la cabine. Quelque chose brûlait quelque part. Du plastique. Une fumée âcre et suffocante.

— On est touchés, expliqua le pilote toujours maître de lui. Je vais me mettre le plus stationnaire possible et essayer de nous stabiliser le temps de sauter. C'est notre seule chance. Ils ont touché le rotor arrière et nous allons partir en vrille lente. Au prochain tir ils vont nous abattre pour de bon.

Il se dégagea de ses sangles de sécurité et de son casque tout en manœuvrant l'hélico. Yeruldelgger l'imita aussitôt mais une autre rafale frappa l'appareil et une balle déchiqueta l'épaule de l'Australien. L'appareil se mit à tanguer comme un ludion dans un tourbillon. La fumée envahit l'habitacle et des gerbes d'étincelles jaillirent des commandes.

— Saute ! hurla Garland.

— Pas sans toi !

— Saute ! Il faut que je reste pour éviter que l'hélico ne te tombe dessus. Nous ne sommes qu'à quelques mètres au-dessus d'un tapis de neige. Je ne peux plus m'écraser maintenant. Au pire je me pose en catastrophe.

— Alors je peux rester moi aussi.

— Non. Ils vont revenir nous mitrailler. Nous aurons de meilleures chances chacun de notre côté. Prends ça et saute !

Le pilote tendit une boîte de survie à Yeruldelgger et profita du mouvement que fit le commissaire pour l'éjecter de l'appareil d'un violent coup de pied.

Le MI-4 les avait rattrapés et restait en vol stationnaire à bonne distance, le nez pointé sur eux pour les garder dans l'axe de ses mitrailleuses. Garland tenta de se poser, mais l'hélico se cabra soudain et s'écrasa dans la neige à la renverse. Le MI-4 se positionna aussitôt de profil et un homme armé d'un fusil d'assaut mitrailla l'épave, criblant de balles le corps du pilote qui tressauta sous les impacts. Puis l'appareil se déplaça de côté pour prendre en ligne de mire l'autre corps inerte dans la neige. Mais comme le soldat armait son arme, Yeruldelgger se redressa brusquement et tira le fumigène de détresse à travers la porte ouverte du MI-4. La cartouche frappa son assaillant de plein fouet au visage et partit en vrille à l'intérieur de l'hélicoptère qui se mit à tanguer et à rouler dans les airs. Yeruldelgger rechargea la seconde cartouche et visa à nouveau le MI-4 qui tentait de prendre de l'altitude. Il visa cette fois le nez de l'appareil et le fumigène s'encastra dans une des grandes prises d'air grillagées qui carénaient le moteur. Les fumées aveuglèrent le pilote qui chercha à se positionner pour un atterrissage d'urgence. Yeruldelgger en profita pour se relever et courir vers la forêt. Avant qu'il ne se jette sous les premières branches alourdies de neige, il se retourna pour évaluer la situation et vit trois hommes sauter de l'appareil sur le point de s'abîmer au sol. Tous les trois armés et vêtus de tenues de combat blanches. Ils l'avaient repéré et se lançaient déjà à sa poursuite.

Il s'enfonça dans la forêt en s'efforçant de garder son calme. Il ne pourrait pas tromper ses poursuivants. La neige profonde allait marquer sa trace. Plus jeunes, mieux entraînés, mieux équipés aussi, chaudement vêtus et bien chaussés, ils allaient le rattraper et le tuer. Il en compta trois et se dit que sa seule chance était de les avoir à l'endurance et à la ruse. Compliquer leur poursuite, les piéger ou les affronter un par un, même s'il n'avait sur lui que l'arme de poing récupérée dans l'appartement d'Akounine. Il lui fallait gagner du temps. Réfléchir à un plan. Il s'enfonça à travers les bouleaux et les trembles. Il avait quatre cents mètres d'avance et ils ne seraient pas sur lui avant un petit quart d'heure. Dix minutes peut-être à portée d'arme. Il maîtrisa son souffle pour courir sans panique le plus vite possible sur un temps de dix minutes. Bientôt l'oxygène et l'adrénaline enflammèrent ses poumons et il trouva le bon rythme à travers les taillis et les buissons gelés qui cassaient comme du verre sur son passage. Insensible à la beauté givrée des lieux, il réfléchissait à la façon de piéger ses poursuivants malgré les traces qu'il laissait dans la neige. Loin derrière lui, il entendait les soldats s'organiser. Celui qui suivait sa piste avait pris les commandes et déployé les deux autres à trente mètres de chaque côté. Il s'époumonait à aboyer ses ordres à voix haute, sans s'inquiéter que Yeruldelgger les entende, sûr qu'il était de leur supériorité. Les autres répondaient en haletant pour lui obéir et il se dit qu'il gagnerait quelques précieuses minutes quand ses poursuivants s'essouffleraient à trop parler. Il faudrait qu'il élimine le chef en premier pour jeter le doute chez les deux autres et désorganiser la poursuite.

Soudain il devina un mouvement sur sa droite et la panique lui épingla le cœur. Il tourna la tête sans ralentir sa course, et son cœur s'affola plus encore. À vingt mètres de lui, un grand loup courait dans la même direction. Une bête impressionnante, le poil argenté, presque blanc, la tête allongée, les oreilles droites, le poitrail puissant et les pattes longues et musclées. Il courait au même rythme que lui, sans forcer l'allure, comme il avait vu des loups faire lors des randonnées d'hiver pendant son enseignement au Septième Monastère. La meute en chasse, les poursuivants chargés de fatiguer la proie, les rabatteurs pour la guider vers le piège, les voltigeurs pour l'épuiser en le mordant pendant sa course, et le tueur pour lui sauter à la gorge et l'étrangler et la saigner en même temps. Il chercha des yeux le reste de la bande mais ne vit aucune autre bête. Il se souvint de son rêve à Choybalsan et de ce qu'avait dit la vieille Bouriate, mais les circonstances l'empêchèrent de se remémorer tous ces vieux dictons. Loup qui court… Loup qui mord…

Au loin, il entendit les soldats se rapprocher mais garda toute son attention sur le loup. Il avait la taille et le poids d'un chef de meute, le cou hérissé d'une crête de poils drus et les crocs acérés saillant de sa gueule aux babines purpurines et retroussées. Pourtant Yeruldelgger ne ressentit aucune menace, même s'il eut aussitôt l'impression qu'il n'était plus maître de sa course et que la bête, en fait, le poussait à aller là où elle semblait vouloir l'entraîner. Elle disparut tout à coup et la panique le saisit comme s'il se retrouvait soudain seul face au danger. Quand il l'aperçut à nouveau, il sentit son cœur reprendre courage. Le loup courait à quelques dizaines de mètres devant lui maintenant, comme s'il lui montrait le chemin. D'instinct il dévia sa course pour se mettre dans la trace du loup. La bête émit un court jappement et deux autres loups jaillirent de nulle part pour la rejoindre et courir devant elle, ouvrant le chemin en creusant dans la neige une tranchée plus grossière et plus profonde. Les trois loups prirent de la distance, puis le chef de la meute s'arrêta loin devant entre deux rochers alors que les deux autres continuaient. Yeruldelgger comprit le plan de la bête. Arrivé à hauteur des rochers, il se jeta sur le côté pendant que le loup repartait de plus belle. Essoufflé, dopé par l'adrénaline, Yeruldelgger s'adossa à la pierre fêlée par le gel, son arme à la main.

Il entendit crisser les pas alourdis du soldat qui suivait des yeux, loin devant lui, la piste laissée dans la neige par les trois loups et qui ressemblait maintenant à celle d'un fuyard. Au moment où il dépassa le rocher, il reçut le coup de crosse en plein front et tomba à la renverse, du sang plein les yeux. Il n'eut pas le temps de voir Yeruldelgger le désarmer et lui tirer une balle dans la jambe pour l'immobiliser. Déjà le policier reprenait sa course pour rattraper le loup qui l'attendait un peu plus loin. Le coup de feu avait dû figer sur place les deux autres soldats. Yeruldelgger les entendit qui s'interpellaient à voix haute pour demander ce qui s'était passé. La voix rageuse du chef leur hurla de continuer et de tuer cet enfant de salaud.

Le loup courait à nouveau à travers les taillis, mais sur la gauche de Yeruldelgger cette fois, obliquant pour le forcer à prendre un chemin plus accidenté qui s'enfonçait dans une petite ravine entre des rochers. Le soldat surgit sur sa droite et bondit sur lui du haut d'un rocher pour le terrasser, faute de pouvoir ajuster son tir dans sa course. Ils roulèrent à terre et Yeruldelgger laissa échapper son arme. Il chercha à se relever, sonné par la chute, mais le soldat, déjà debout, armait sa Kalachnikov pour le mitrailler. Ils perdirent l'équilibre dans un même mouvement, patinant sur une plaque de glace que masquait la couche de poudreuse. La rafale déchiqueta des branches et des troncs gelés qui éclatèrent sèchement dans l'air vif et Yeruldelgger entraîna son agresseur dans une longue glissade à travers la ravine, se cognant et se blessant à tour de rôle contre des rochers et des souches sous la neige.

Puis le sol se déroba sous eux et ils basculèrent dans le vide pour retomber lourdement sur un sol dur comme du marbre gelé. Yeruldelgger, le souffle coupé par sa chute, vit le soldat à moitié sonné essayer de se relever quand même. Il voulut le prendre de vitesse, mais une violente douleur à l'épaule le cloua sur place. Il pensa s'être cassé quelque chose, chercha à évaluer la gravité de sa blessure, et sentit le sang poisser son autre main. Une balle de la rafale lui avait déchiré l'épaule. Il bascula sur le dos pour chercher un autre appui et comprit qu'ils avaient glissé tout le long d'un torrent pris par la glace jusqu'à une cascade gelée. Leur élan les avait jetés trois mètres plus bas dans cette petite clairière qui devait être un trou d'eau fraîche en été et n'était, au cœur de l'hiver, qu'une patinoire sous la neige.

L'autre était déjà debout, en chancelant, mais Yeruldelgger devina que ce qui le figeait sur place était bien plus terrifiant que la peur de retomber. Il se remit sur ses pieds à son tour et se tourna dos à la cascade pour suivre le regard horrifié du soldat. La meute entière encerclait la clairière, ne laissant pour illusoire échappatoire que la paroi de glace bleue de la cascade. Trente bêtes au moins, échine hérissée, le regard jaune. Le chef était face à eux, un peu à l'intérieur du cercle, tête basse et oreilles plaquées par la colère, son regard par-dessous, plus menaçant que n'importe quel autre mâle de sa bande.

La Kalachnikov du soldat avait glissé à quelques mètres de lui. Il amorça un imperceptible mouvement que le loup anticipa aussitôt. Sur un regard qui brilla comme un ordre, un mâle plus jeune se porta aussitôt en grognant entre l'arme et le soldat. Le type était jeune et avait perdu toute sa superbe de commando. Des terreurs millénaires submergeaient ses capacités à raisonner. Il porta lentement la main vers l'étui de son arme de poing.

— Ils sont trente, murmura Yeruldelgger sans quitter des yeux le chef de la meute.

— Et alors ?

— Qu'est-ce que tu as comme arme ?

— Un AK-12 Oktober.

— Chargeur de sept balles. Deux balles par seconde. Et ils sont trente...

— Je tire les premiers et je récupère la Kalachnikov. Une 107, chargeur de soixante-quinze cartouches et huit cent cinquante coups par minute.

— Tu n'auras jamais le temps.

— Tu as une arme aussi.

— Je l'ai perdue dans la chute.

— Mon camarade arrive. Il a une 107 lui aussi. Ça nous fera cent cinquante cartouches pour trente de ces bestioles.

— Si elles sont toutes là. Tu te souviens de l'attaque du village de Verkhoïansk en Russie ?

— Jamais entendu parler...

— Une meute de quatre cents loups a tué trente chevaux en quatre jours.

— Quatre cents ? répéta le soldat en cherchant des yeux d'autres loups. Pourquoi tu me racontes des conneries comme ça, tu es dans le même piège que moi, non ?

— Non, répondit Yeruldelgger en priant pour que son intuition soit bonne. Ils ne sont pas là pour moi.

— Ah ! Tu crois qu'ils vont t'épargner ? S'ils me dévorent, ils te bouffent !

L'autre soldat surgit au même instant en haut de la cascade.

— Des loups ! Des loups ! Ils me poursuivent !

Puis il découvrit la meute au bas du mur de glace et arma sa Kalachnikov en panique. La dernière sensation qu'il connut fut celle du sang chaud de son cou qui giclait dans sa bouche, fumant dans l'air glacé, quand les canines du loup lui déchirèrent la gorge. Il n'eut même pas le temps de tirer une rafale. À peine celui de s'étonner du gargouillis de son propre sang et du silence et de la force de l'animal qui le tuait. Son corps désarticulé glissa entre les rochers de la cascade et tomba aux pieds de l'autre soldat, donnant le signal de la curée. Le chef de la meute bondit aussitôt sur Yeruldelgger et le plaqua sur le dos de ses soixante kilos de muscle pendant que deux de ses lieutenants déchiraient les cuisses et les mollets du soldat pour l'obliger à mettre un genou à terre. Il eut le réflexe de tirer deux fois avant qu'un autre mâle ne l'égorge d'un coup de gueule et laisse les plus jeunes le déchiqueter de leurs crocs.

Quand le chef de la meute relâcha son emprise sur Yeruldelgger, celui-ci resta un long moment immobile avant d'oser le moindre mouvement.

Il avait vécu la scène sauvage sans la voir, le nez et les yeux dans le pelage dru de la bête, ne devinant que l'odeur chaude et sucrée du sang et le déchirement des chairs arrachées par la gueule des fauves. Le loup sembla comprendre sa peur et recula de quelques pas. Yeruldelgger releva d'abord la tête. La bête campée sur ses pattes, tête baissée et gueule close, le fixait. Autour de lui la meute avait disparu, laissant deux traînées de sang dans la neige piétinée. Il se retourna vers la bête à nouveau, cherchant à se relever sans la quitter des yeux, mais sa blessure trahit son appui et il retomba dans la neige. Le loup s'approcha, ses pattes antérieures de chaque côté du corps de Yeruldelgger, le chevauchant comme s'il voulait le plaquer au sol à nouveau, ou comme s'il voulait savourer le moment où il planterait ses crocs dans les veines de son cou. Quand il pencha la tête vers l'homme, ils restèrent un long moment immobiles, les yeux dans les yeux, comme si chacun jaugeait l'autre. Puis la bête puissante abandonna toute superbe, creusa l'échine et rentra la tête dans les épaules, les oreilles rabattues sur les côtés, et frotta longuement son museau contre le visage de l'homme à terre en signe de soumission, allant jusqu'à lécher sa blessure comme si elle cherchait à la guérir. Yeruldelgger se redressa en prenant appui sur son bras valide. Plus loin, dans les sous-bois, il aperçut quelques puissants mâles agités et nerveux devant l'attitude de leur chef. Ils marchaient de gauche à droite, et se sautaient à la gorge en grognant chaque fois qu'ils se croisaient. Mais Yeruldelgger n'était pas dupe. Ils ne s'attaquaient pas entre eux. Ils se provoquaient, ils se donnaient du courage pour s'enhardir. Pour oser.

Et s'ils marchaient à la circonférence d'un cercle invisible dont le centre était l'homme blessé, chacun de leurs pas, chacun de leurs faux combats, rétrécissait le cercle pour les rapprocher de Yeruldelgger et du grand loup. L'animal aussi avait compris. Il se plaça entre l'homme et les autres mâles pour leur faire face. Yeruldelgger en compta sept, tous presque aussi grands et féroces que le chef de la meute. Quand le premier osa briser le cercle pour défier le grand loup, Yeruldelgger retrouva son équilibre, vérifia sa blessure, et se redressa pour faire face lui aussi...

... les traînées de sang paraissaient noires.

— Belzébuth, fils de pute ! cria le vieux trappeur.

Dehors les loups hurlaient et ses chiens aboyaient. Il ouvrit d'un coup de botte la porte en bois de sa cabane, le fusil coincé sous son bras et sa torche à la main. Il refusa de se laisser atteindre par la beauté démesurée de cette nuit mongole et concentra toute sa fascination sur le grand loup assis face à sa cabane, au beau milieu de la clairière.

Il leva sa lampe et balaya l'orée des bois, faisant luire dans la nuit le reflet moiré des yeux de la meute.

Il connaissait les loups. Depuis des années il leur disputait son territoire de chasse. Il connaissait Belzébuth depuis bien avant qu'il prenne le commandement de la meute. Il l'avait vu naître et grandir et lui avait donné ce nom de diable sémite qui lui allait si bien. Mais cette nuit quelque chose d'étrange résonnait dans son hurlement. Jamais il ne s'était approché si près de la cabane. Les trois chiens du trappeur aboyaient de panique et de colère pour conjurer le sort qui les attendait.

Dersou connaissait bien leur courage. Il les avait

déjà lancés à la traque de l'ours et du lynx, et plusieurs fois déjà ils avaient fait face aux loups.

Mais cette nuit la meute était chez eux, sans peur et nombreuse, autour de son chef. Dersou les calma d'un ordre sec et le silence retomba sur la clairière. Les loups ne hurlaient plus. Il y avait maintenant un chef dans chaque camp. Il dirigea alors la lumière vers le grand loup et aperçut le sang sur son pelage.

Comme pour lui répondre, l'animal se redressa, lança vers la lune un long hurlement puis fit demi-tour et se dirigea d'un pas lent vers la lisière de la forêt, à la rencontre de la meute qui s'avança vers lui.

Jamais Dersou n'avait vu autant de bêtes rassemblées. Il en compta au moins une centaine. Au moment de les rejoindre, le grand loup se retourna vers la cabane. Le vieux trappeur répondit à son appel en avançant de quelques pas et son pied buta contre le corps de l'homme.

Le temps qu'il cherche à comprendre et relève sa lampe pour trouver une réponse auprès des loups, tous avaient disparu dans les ombres de la forêt. Dersou remarqua alors la longue trace dans la neige, depuis la forêt jusqu'à sa cabane. Sous la lumière de la lune, les traînées de sang paraissaient noires.

65

Au Havre. En France.

— Qu'est-ce que je fais là ? grommela Yeruldelgger.

L'homme, petit et rondouillard, habillé de cuir et de fourrures nouées par des lacets, portait un revolver et un poignard à la ceinture et une cartouchière en bandoulière. Yeruldelgger essaya de se redresser mais une douleur lui foudroya l'épaule. Il retomba sur la paillasse où on l'avait allongé.

— Blessures et morsures. Tu essayes d'en guérir.

Yeruldelgger parvint à se redresser en grimaçant. La paillasse était matelassée de foin et le lit sans sommier assemblé de planches mal dégrossies. Il dut se reprendre à plusieurs reprises pour réussir à s'asseoir, la tête secouée de vertiges et le cœur au bord de la nausée. Le vieillard le regarda faire sans l'aider.

— Combien de temps ?

— Trois jours.

Malgré la douleur qui concassait son corps, Yeruldelgger prit son visage entre ses mains et le malaxa dans ses larges paumes. Autant pour se forcer à croire ce qu'il voyait et entendait que pour se défroisser les méninges et se remettre à penser.

— Comment suis-je arrivé chez toi ?

— Belzébuth.

— Belzébuth ?

— Un loup. Le chef d'une meute dont je partage le territoire. Il y a trois nuits, ils ont traîné ton corps jusqu'ici et sont repartis. Viens, appuie-toi sur moi que je te montre quelque chose.

Le trappeur s'accroupit près du lit et jeta le bras non blessé de Yeruldelgger par-dessus son épaule. Le policier fut surpris de la force de ses cuisses quand il le releva sans peine. La couverture tomba à leurs pieds et Yeruldelgger s'aperçut qu'il était nu. Le trappeur l'aida jusqu'à la porte de la cabane qu'il ouvrit d'un coup de pied après avoir relevé le loquet. Le froid le saisit aux reins et au front et transperça ses blessures. L'air glacé et immobile vitrifia ses poumons et sans le solide support du trappeur, il aurait défailli. Quand il se reprit, à travers le givre qui frisait sur ses cils, il vit la bête et se souvint de tout.

— Je m'en souviens maintenant : l'hélico, les soldats, les loups… Tu as quelque chose à manger ? demanda-t-il au trappeur en s'appuyant sur lui.

Comme ils allaient rentrer dans la cabane, le loup jeta au ciel un long hurlement. Ils se retournèrent et la bête les regarda longuement, immobile, avant de faire demi-tour et de retourner vers la forêt. Quand elle disparut dans l'ombre des arbres, les hurlements de la meute s'élevèrent dans toute la forêt.

— Ils savent, maintenant ! conclut le trappeur en forçant Yeruldelgger, nu, à rentrer dans la cabane. Ragoût d'écureuil, ou gigot de lynx. C'est tout ce que j'ai !

— Ça ira. J'ai besoin de forces pour reprendre ma route.

— Et pour aller où dans ton état ?

— Au Havre. En France.

... ceux des deux autres chasseurs.

Depuis plus d'une heure, Oyun se repérait à la petite silhouette du cavalier malgré le froid et la vitesse qui lui givraient les cils. En motoneige comme en quad, elle n'avait jamais pu supporter de mettre des lunettes. Elle aimait se brûler le regard aux reflets lisses et argentés de l'immensité gelée. Elle n'était pourtant pas une enfant de la steppe. Ni de l'hiver. Oyun était née après la chute du Régime d'Avant, dans le quartier populaire du marché aux voitures à Oulan-Bator. Sa Mongolie, ce n'était pas celle de Yeruldelgger, qui tentait de se survivre à elle-même, mais celle qui se construisait dans le chaos et le désordre d'une ruée vers un futur meilleur. Les forêts de mélèzes du Khentii, les montagnes du Khangaï, les steppes orientales du Dornod, c'étaient ses terrains de jeu, pas ses terres sacrées. Elle aimait ce pays pour les espaces qu'il offrait à ses élans d'évasion. Et quelquefois pour l'adrénaline qui raidissait sa nuque et son échine dans la crainte de s'y perdre.

Depuis plus d'une heure elle luttait pour maintenir sa motoneige en ligne dans les traces gelées d'une autochenille. Avec dans la tête, à travers ses oreillettes en fourrure, un cliquetis inquiétant dans la pétarade du moteur. Malgré le soleil pris dans un ciel de glace, le mercure restait sous les moins vingt degrés. Dans quelques heures il glisserait encore plus bas. La nuit s'annonçait dans les moins trente et la moindre panne pouvait lui être fatale. Voilà pourquoi elle ne quittait pas du regard la silhouette du cavalier, loin à l'horizon, à travers ses yeux fendus par l'effort et le froid. Même si elle n'imaginait pas que sa rustique Bougran puisse la trahir. Elle était lourde, instable, inconfortable et mal équilibrée, mais elle était robuste. Du matériel soviétique, brutal et efficace.

Elle avait eu beaucoup de mal à convaincre le gradé du poste militaire de lui confier une des deux motoneiges qui avaient survécu à l'effondrement du système soviétique. En 1977, à l'époque généreuse de la coopération fraternelle avec le Grand Frère russe et à l'occasion du soixantième anniversaire de la Révolution, pour remercier la Mongolie d'être devenue le deuxième pays soviétique au monde après la Russie, le poste avait reçu en fanfare une dotation de cinq Bougran. Il n'en restait plus que deux d'opérationnelles, survivant grâce aux transplantations prélevées sur les carcasses jalousement conservées des trois autres.

Oyun était déchirée entre sa confiance irrationnelle dans la solidité de l'engin d'époque, et la crainte qu'elle ne casse au beau milieu de la steppe en plein hiver. Une nuit, alors qu'ils planquaient pour surveiller l'activité d'un bar nazi à Oulan-Bator, Yeruldelgger lui avait parlé de Paris qu'il rêvait de connaître et de la tour Eiffel. Il était émerveillé par la construction audacieuse et la mécanique centenaire des ascenseurs.

— J'aurais un peu la trouille de monter à trois cents mètres dans ces cabines retenues par de simples câbles, avait avoué Oyun.

— Ils n'ont jamais cassé, l'avait rassurée Yeruldelgger.

— Justement, tout ça doit être sacrément vieux et usé !

C'était exactement ce à quoi elle pensait ce jour-là, seule au milieu de la steppe sur son engin bruyant. On croit toujours que tout tient et résiste… jusqu'au jour où ça casse.

Elle était certaine maintenant que quelque chose clochait. Le cliquetis empirait et s'emballait au même rythme que le moteur quand elle franchissait une ornière. Ce n'était pas un élément de carrosserie. C'était un élément mécanique, dans le moteur ou la transmission. La Bougran allait rendre l'âme. Mais peut-être la motoneige tiendrait-elle jusqu'au poste. Il le fallait. Elle y allait pour pointer une arme sur le front de Gourian en espérant qu'il ne lui donnerait pas les réponses qui la forceraient à le tuer.

Elle préféra croire que c'était le froid qui tirait des larmes de ses yeux et prit rageusement de la vitesse. Devant elle maintenant, elle distinguait clairement le cavalier. Un vieux nomade, sur un cheval court sur pattes, et qui tenait par la bride une autre monture sellée. Il n'avait pas bougé depuis qu'elle l'avait aperçu, une heure plus tôt, comme un point à l'horizon de la steppe. Elle fut sur lui en quelques minutes, s'arrêta à distance, et coupa le moteur pour ne pas effrayer les

416

chevaux. Le vieil homme la regardait, la tête un peu penchée sur le côté.

— Tu en as mis du temps, petite sœur, dit le nomade.

— Quoi, grand-père, ne me dis pas que tu m'attendais !

— Que crois-tu que je faisais, ici, immobile dans le grand froid de la steppe avec un cheval pour toi ?

— Ne t'en fais pas pour moi, grand-père, cette vieille Bougran tiendra jusqu'au poste militaire, sourit Oyun en flattant de la main la carrosserie de sa motoneige comme on tapote le flanc d'un cheval qui a bien couru.

— Moi je pense qu'elle ne redémarrera pas, répondit-il impassible.

Oyun avait horreur du mythe des nomades nimbés de sagesse aux pouvoirs chamaniques. Elle en jetait chaque jour et chaque nuit dans les cellules de dégrisement d'Oulan-Bator. Elle les ramassait dans les rues, brisés par de mauvaises chutes ou fracassés par de mauvaises querelles. Elle leur tombait dessus en flagrant délit de petits vols mesquins entre les containers du Marché noir ou les occasions maquillées du marché aux voitures. Cela faisait quelque temps que Oyun ne croyait plus à la sagesse des hommes et encore moins en celle des vieux. Mais ce vieux-là avait une bonne tête, le visage figé dans un éternel sourire qui lui donnait l'air trop ravi pour être vraiment sage.

— Désolée, grand-père. Merci pour le cheval, mais je n'en ai pas besoin. Le poste est bien dans cette direction, n'est-ce pas ?

— À une heure de cheval, répondit le vieux.

— Alors j'y serai dans une demi-heure. Prends soin de toi et de tes troupeaux, dit Oyun en tournant la clé de contact.

Le démarreur cliqueta sans parvenir à enclencher le moteur et Oyun s'en amusa.

— Elle a froid, dit-elle.

— Elle est morte, dit-il.

Oyun réessaya sans répondre mais la motoneige ne démarra toujours pas. Merde, se dit-elle, ce n'était pas possible. Il fallait que ça arrive à ce moment-là, juste pour donner raison à ce vieux à la noix qui jouait les sorciers.

— Elle va repartir, dit Oyun en descendant de la machine sans oser regarder le vieux. Je ne crois pas à tes trucs de magie.

— Elle ne repartira pas, sourit-il en lui tendant la bride de l'autre cheval. C'était écrit. Le vent me l'avait dit, c'est pour ça que je t'ai amené une monture.

— Qu'est-ce que tu racontes ? s'énerva Oyun. Si le vent te parle, il t'a raconté des conneries. Je vais réparer ça et je vais repartir.

Elle dégagea rageusement le capot pour accéder au moteur et fit mine de s'y connaître pour ne pas perdre la face.

— Tu sais qu'un éléphant peut entendre jusqu'à dix kilomètres ?

— Qu'est-ce que ça peut me faire, grand-père ! Il n'y a pas d'éléphant dans la steppe.

Elle retenait le capot d'une main et vérifiait chaque branchement de fil au hasard tout en sachant que c'était peine perdue.

— La chouette aussi entend bien. Mieux que l'élé-

phant, et pourtant on ne voit même pas ses oreilles.
Tu sais pourquoi ?

— Honnêtement, grand-père, à cet instant précis,
là, maintenant, tout de suite, je m'en fous complètement des oreilles de la chouette.

— C'est parce qu'elles ne sont pas à la même hauteur. On voit bien que tu n'as jamais observé le crâne
d'une chouette blanchi par les fourmis et le soleil de
la steppe.

— Jamais, en effet...

— L'oreille la plus haute capte les sons qui viennent
par-dessus et l'autre ceux qui viennent par-dessous.
Comme ça, elle entend mieux et en stéréo.

— Tu connais la stéréo, toi ?

— Dans ma yourte, j'ai un SoundTouch 30 Bose
avec des enceintes à guide d'ondes.

Oyun leva les yeux vers le vieux nomade qui lui
souriait toujours du haut de son cheval. Elle remarqua
pour la première fois son deel mordoré dont le satin
matelassé luisait dans le soleil froid.

— Tu as bien de la chance, grand-père. Moi j'ai
déjà eu bien du mal à me payer un Jianghai de merde
made in China.

— Je les connais, reprit le nomade, ils ne sont
même pas fabriqués à Shenzhen. Ils viennent de Zhu-
hai, dans la province de Guangdong. C'est vraiment
de la stéréo de merde, tu as bien raison.

Cette fois Oyun laissa retomber le capot et essaya
de redémarrer la motoneige sans conviction. Elle sentit la batterie s'épuiser. Découragée, elle se tourna
vers le vieil homme qui la regardait, la tête un peu
penchée sur le côté.

— Bon, alors, qu'est-ce qu'on fait avec ton éléphant et ta chouette qui parlent au vent ? Que faisais-tu là à m'attendre ?

— Le vent m'a dit que ta machine avait des problèmes. Il me l'a dit il y a plus d'une heure déjà.

— Quoi, le vent est mécano maintenant ?

— Le vent te dit ce que tu veux bien entendre. Si tu écoutes mieux, il t'en dit plus.

— Qu'est-ce que c'est que ce charabia ? On croirait entendre une diseuse de bonne aventure bouriate sur le marché aux voleurs !

— Tu te trompes, petite sœur. Quand j'ai entendu ton moteur, au loin, j'ai penché la tête comme la chouette pour mieux l'écouter. L'oiseau peut reconnaître le pas boiteux d'une souris blessée sur la neige à plus de vingt mètres. Moi j'ai reconnu le cliquetis boiteux de ton moteur à des kilomètres.

— Ah oui, se moqua Oyun qui commençait à s'énerver de devoir donner raison au vieillard sentencieux, et comment pouvais-tu savoir que je tomberais en panne juste là où tu m'attendais ?

— Mais tu n'es pas tombée en panne. Tu t'es arrêtée et tu ne peux plus repartir. Si tu étais passée sans t'arrêter, tu serais toujours en route pour le poste militaire, crois-moi !

— Quoi ! Tu veux dire que c'est par ta faute que je suis coincée ici, au beau milieu de la steppe, par moins vingt degrés !

— Moi je n'ai rien fait, petite sœur. Ce qui t'a arrêtée devant moi, c'était de ne pas mieux connaître ton engin. La seule chose à faire, dans l'état de ton moteur, c'était de continuer sans le forcer. Je pense que c'est le joint de culasse. Tant que ton moteur surchauffait, tu pouvais espérer tenir encore un peu. Mais dès que tu t'es arrêtée, le cylindre s'est bloqué et si tu le forces, tu vas déformer les bielles et tout le moteur sera foutu.

Oyun regarda le vieux nomade comme s'il parlait un dialecte inconnu.

L'homme comprit son désarroi.

— J'ai bien entendu que tu forçais trop ce moteur bancal. J'aurais pu me cacher pour ne pas te faire prendre le risque de t'arrêter, et te suivre de loin au cas où ton moteur serait venu à casser quand même. Mais tu avais encore un peu trop de route alors je me suis dit : laissons faire les esprits.

— Comment sais-tu où je vais ?

— Il n'y a que le poste militaire dans cette direction, et tu suis les traces de l'autochenille...

Mais il affichait un sourire trop malicieux pour que ce soit la seule raison.

— Et... ?

— ... et je comprends que tu sois pressée de rejoindre ton bel amant.

— Mon amant ? Comment...

— Petite sœur, tu croyais pouvoir faire l'amour au cœur de la steppe dans ton Toyota sans que personne s'en émeuve ?

— Quoi ? Tu m'as...

— Bien sûr, petite sœur, reprit le vieux nomade en sortant de son deel un étui en cuir noir dont il tira une longue-vue télescopique de fabrication russe. Vingt par cinquante, elle grossit vingt fois. Nous avons tout vu de toi, petite sœur.

— Comment ça, nous ?

— Moi et les autres cavaliers.

— Vous étiez plusieurs ?

— J'étais seul, mais il y a toujours partout dans la steppe des cavaliers immobiles qui regardent passer les étrangers depuis les crêtes. Sans compter les fauconniers qui chassent. Je connais au moins quatre familles qui parlent encore de toi. Il faut dire que tu es bigrement fougueuse pour une citadine. D'ailleurs nos femmes te remercient en secret d'avoir ainsi émoustillé leurs hommes, et chacune d'elles a sûrement préparé pour toi le même petit pot de graisse d'ours que voici pour effacer les cicatrices de tes blessures.

Il avait plongé la main dans la poche intérieure de son deel et en avait tiré un petit pot de verre qu'il tendit à Oyun. Soudain émue, toute colère disparue, elle l'accepta sans hésitation. Elle se souvint aussitôt des soins que Solongo avait prodigués à Saraa avec cette même graisse pour la guérir d'horribles brûlures. Et du pot qu'elle avait fait venir de sa province pour soigner sur son propre corps les cicatrices laissées par ses violeurs.

— Comment se fait-il que tu portes ce pot sur toi, grand-père. Comment pouvais-tu savoir que je reviendrais ?

— Parce que tu es toujours amoureuse de ton beau militaire. Parce que l'enquête sur ta petite pile de cadavres n'avance pas. Parce qu'il se passe ici des choses que tu cherches à comprendre.

Il lui tendit les rênes de l'autre cheval, et Oyun se hissa sur le dos de l'animal avec aisance.

— Au moins tu sais monter, la taquina le vieux.

Ils laissèrent la motoneige là où elle était. Un autre

cavalier, à des kilomètres de là, devait déjà se charger de prévenir nomades et chasseurs qu'elle appartenait à la jeune femme qui accompagnait le vieux nomade chez le beau militaire. La jeune femme de l'amour dans la Toyota.

Ils chevauchèrent au petit trop en plaisantant. La force des nomades, si réservés face aux étrangers, est de se livrer sans retenue à ceux qu'ils accueillent parmi eux. Il fit beaucoup rire Oyun par ses allusions grivoises et ses taquineries tendancieuses. Au point que bientôt elle lui avoua qu'elle avait acheté des lingeries coquines. Leurs éclats de rire claquèrent dans l'air glacé et leurs plaisanteries partirent en bouffées de buée qui dansèrent au-dessus de leurs têtes encapuchonnées de fourrure.

— Tu sais, les citadins et les étrangers nous prennent pour des sorciers. Toutes ces histoires de chamanes, ces pouvoirs surnaturels, ce lien avec les esprits… Tout ça n'est que foutaise. Tu sais quelle est notre seule force ? C'est celle de prendre le temps d'être là, dans la steppe, immobiles. Il suffit d'écouter et de regarder pour avoir l'air d'un sage. Tu sais d'où je viens ? Je viens de la colline turquoise, de Oyu Tolgoï, la grande mine de cuivre dans le Gobi. Quand le gouvernement a exigé plus de redevances du groupe australien Rio Tinto qui gère la mine, ces derniers ont entamé un bras de fer pour ne rien lâcher. Ils ont menacé de licencier plus de mille sept cents ouvriers. Je suis ingénieur en mécanique de formation. Je suis diplômé de l'ETH de Zurich, en Suisse, la dixième meilleure école d'ingénierie au monde. À Oyu Tolgoï, j'étais l'ingénieur mécanique en chef de tout le site. J'avais un salaire indécent et beaucoup d'économies. Je suis parti un jour sur un coup de tête, écœuré par cette guerre de vautours pour la carcasse de nos terres, et j'ai tout quitté. J'étais redevenu célibataire. J'ai acheté une yourte et un petit troupeau, et je me suis installé ici.

— Alors tu n'es ni nomade ni éleveur ?

— Non. J'ai ce qui me reste de vie pour essayer de le devenir. Je suis ce qu'on appelle aujourd'hui un Bono, un bourgeois nomade. Mais tu aurais pu t'en apercevoir. Regarde mes mains, dit-il en lâchant ses rênes pour tendre ses paumes vers elle, ce ne sont pas des mains d'éleveur. Pas assez de corne à l'intérieur. Pas assez de corne sur le côté du pouce là où frottent les cordes et les longes. Ma position sur le cheval non plus n'est pas encore celle d'un cavalier des steppes. Tu aurais pu remarquer tout ça plutôt que de refuser de croire que j'étais une sorte de chamane.

— J'aurais surtout dû me douter qu'il n'y avait qu'un citadin pervers pour épier les couples qui font l'amour dans leur voiture au milieu de la steppe.

— Il n'y a surtout que des citadins pervers pour faire l'amour dans ces conditions. Moi je le fais dans la chaleur feutrée de ma yourte, et je plante ma lance à lasso bien droite sur le côté de la porte pour que tout le monde le sache.

— Je te croyais célibataire ?

— Et les amours nomades, alors ?

Ils chevauchèrent quelques instants en silence dans le froid aveuglant. Les sabots de leurs montures claquaient sur la glace.

— Mon beau militaire, comme tu l'appelles, est

mécano lui aussi. Il dit qu'il a démonté et remonté pièce par pièce son autochenille.

— Je n'en crois pas un mot. Je le connais un peu. Tu te souviens de ceux qu'il a embarqués pour monter la yourte autour de la pile de cadavres ?

— Oui. Je me souviens qu'ils nous regardaient comme s'ils avaient deviné que nous étions devenus amants pendant la nuit.

— Ça crevait les yeux !

— Tu en étais ?

— Oui, j'étais dans cette benne. Et si j'avais été choisi pour rester à décongeler tes cadavres, je serais peut-être mort à cette heure.

— Tu te serais saoulé toi aussi ?

— Pourquoi, c'est ce qu'il t'a dit ? Tu crois que ce pauvre bougre est mort dans un accident d'ivrogne ?

— Gourian m'a dit qu'il avait dû mettre le feu par accident tellement il était ivre et que tout avait explosé quand le fioul…

Le dernier mot déclencha soudain dans la mémoire d'Oyun une connexion avec le souvenir d'une conversation entre deux inspecteurs, dans le service, quand Yeruldelgger leur avait rapporté que le chalet de l'Arménien avait été incendié. Le premier prétendait que l'accélérateur utilisé dans l'incendie criminel devait être du fioul. Le second s'était moqué de lui. Le fioul liquide ne brûle que pulvérisé et mélangé à de l'air. L'inspecteur avait même prétendu que jeter un briquet dans un seau rempli de fioul ne ferait qu'éteindre le briquet, et surtout pas s'enflammer le fioul.

— Je sais à quoi tu penses tout à coup, sourit le vieux cavalier, et je suis d'accord avec ça. Même au chalumeau tu n'enflammerais pas du fioul liquide par moins vingt. Tu sais quel est le plus grand risque d'explosion avec ce carburant ? C'est quand tu nettoies une cuve vide en plein été. Les vapeurs de fioul à l'intérieur et l'air chaud à plus de cinquante degrés, alors ça oui, ça explose. Crois-moi, il a fallu plus d'une bouteille de vodka pour déclencher un tel incendie. Je croyais que tu le savais déjà et que tu revenais aussi pour vérifier ça.

— Non, avoua Oyun. Je viens juste de m'en rendre compte.

— Alors pourquoi es-tu venue ?

— Tu as déjà vu s'effondrer une yourte ? demanda-t-elle après un long silence.

— La mienne, plusieurs fois au début, quand j'ai pensé pouvoir la monter moi-même sous prétexte que j'avais été ingénieur.

— Moi j'ai renversé le squelette d'un modèle réduit qu'une jeune nomade assemblait dans le hall d'un grand hôtel d'Oulan-Bator. Les piliers étaient tombés sur la porte et le toono avait roulé au-delà.

— Ça semble logique. Les deux grands piliers centraux sont les pièces les plus instables. Ils ne sont maintenus debout que par les perches qui relient le toono au treillis des murs. Ils sont posés au centre de la tente sur une ligne parallèle au pas de la porte et solidarisés en haut par le toono. Si quelque chose ne va pas, ils ne peuvent tomber que dans l'axe de la porte. En avant ou en arrière, mais dans l'axe de la porte.

— Et s'ils tombent par-devant, ils écrasent la porte, n'est-ce pas ?

— Ils la renversent, oui, et le toono, rond comme une roue, va finir sa course plus loin.

— C'est pour ça que je suis venue, dit-elle alors en tirant de sa parka une photo de l'incendie.

L'homme ne regarda le cliché qu'un court instant avant de le lui rendre.

— Je me demandais quand quelqu'un s'en apercevrait.

— Tu le savais ?

— Oh, rassure-toi, pas de magie chamanique là-dedans non plus. Juste de l'observation et de la déduction. Deux choses sont sûres. L'incendie n'était pas accidentel, et ce ne sont pas les flammes qui ont fait s'effondrer la yourte. Quelqu'un est entré par la porte, a attaché une corde aux pieds des piliers, et a tiré de l'extérieur à travers la porte ouverte pour faire s'effondrer l'ensemble avant d'y mettre le feu.

— Avec le pauvre nomade en dessous.

— Oui. Déjà mort, j'espère.

Leurs chevaux exhalaient des jets de buée que le froid givrait aussitôt dans les poils raides de leurs naseaux. Ils continuèrent en silence avant d'oser tirer les conclusions de ce qu'ils venaient de se dire.

— Tu penses que c'est lui ?

— Attends ! ordonna-t-il à voix basse en la retenant par le bras. Regarde là-bas.

Oyun aperçut devant eux un renard blanc en maraude dans la neige. Son museau pointu frôlait les cristaux brillants comme s'il pistait en zigzag une proie invisible et ivre. Soudain, les oreilles dressées, il se figea face à un petit tas de pierres enrobé d'une croûte de glace. Immobile, il s'était fondu dans le paysage immaculé. Puis en trois bonds il avait surpris le pika des steppes qui s'était aventuré hors de son petit nid de foin entre les pierres. Maintenant le lièvre crieur nain bondissait dans la neige sans aucun espoir d'échapper au renard. Dans cette étendue moirée jusqu'à l'horizon, la scène bouleversa Oyun par sa beauté et sa cruauté à la fois. Mais comme le renard s'apprêtait à bondir pour briser l'échine du frêle rongeur, un appel criard stria l'azur et un faucon chasseur s'abattit sur le renard pour lui déchirer la gorge entre ses serres.

Oyun avait sursauté en entendant le rapace surgir au-dessus d'eux. Maintenant le renard agonisait entre les serres de l'oiseau, la neige rougie par son sang, et le pika hystérique bondissait dans tous les sens par peur du faucon. Ils devinèrent aussitôt le galop de deux chevaux sur la glace et deux cavaliers les dépassèrent à bride abattue. Le chasseur ganté de cuir et son fils qui se ruaient pour empêcher l'oiseau de déchiqueter la précieuse fourrure.

— Il en est souvent ainsi, dit le vieil homme, le regard sur l'horizon. Le lièvre crieur est sauvé parce que le renard ne voit pas le faucon fondre sur lui. Il avait vu que nous n'étions pas des chasseurs, mais il n'avait pas vu les chasseurs que tu n'avais pas vus non plus. Il n'aurait pas pu attraper le pika si celui-ci était resté à proximité des pierres, et le faucon revient bredouille de trois attaques sur cinq. Les choses ne sont jamais ce qu'elles sont vraiment si tu les regardes de trop près, petite sœur. La steppe est immense, mais ton regard doit l'envelopper et la parcourir d'en haut comme le vent. Comme la vie. Pour le cheval, ne t'en fais pas, c'est un cheval mongol, il sait rentrer tout seul. Tu te souviens de cette histoire de l'armée du Khan perdue en plein hiver et que les chevaux sauvèrent en retrouvant d'eux-mêmes le chemin qu'ils avaient parcouru au printemps ? Les chevaux mongols sont comme ça.

Il la regarda d'abord en silence, puis éclata de rire pour se moquer de son air sentencieux. *Tchuu, tchuu,* siffla-t-il entre ses dents en laissant son cheval impatient rejoindre au galop ceux des deux autres chasseurs.

67

... ou morte, ça dépend de toi.

Oyun rejoignit le poste militaire par l'arrière. Elle attacha son cheval à la carcasse d'un tracteur rouillé et contourna le baraquement pour revenir vers la porte. Elle posa sa main sur la poignée, dégaina son arme, et ouvrit d'un coup d'épaule pour surprendre Gourian. La chaleur de l'intérieur la suffoqua, comme si elle respirait soudain du coton tiède. Elle pointa d'abord son arme vers la pièce qui servait de bureau et de cuisine. Quand elle perçut un mouvement de l'autre côté, elle se retourna vivement vers la porte de la chambre et Slava était là, l'arme pointée sur elle, occupé à embrasser goulûment Gourian nu que son autre main tenait plaqué contre son torse dépoitraillé. Des pensées contradictoires se télescopèrent aussitôt dans la tête de la jeune femme, lui faisant perdre tout l'avantage de la surprise. Gourian contre Slava, ses vêtements en désordre à ses pieds. Le corps de Slava beau aussi. Maigre et musclé comme celui de Gourian. Son regard vengeur, cruel et triomphant à la fois. Sa main armée qui ne tremblait pas. La surprise et la terreur dans le regard de l'homme contre laquelle elle avait été nue. Tout cogna soudain dans le cœur d'Oyun.

Elle n'avait pas eu le temps de braquer son arme assez haut pour être une menace pour Slava.

— Allons, je ne voudrais pas avoir à te tuer déjà. J'ai tant de plaisir à voir ta surprise, ma pauvre fille.

— Baisse ton arme, Oyun, supplia Gourian.

Slava le fit taire aussitôt en glissant sa langue dans sa bouche pour l'embrasser sans quitter Oyun des yeux.

— Il a raison, ce beau mec, tu sais ? Je vais finir par te tuer...

Oyun était encore incapable de réagir. Elle avait planté son regard dans celui de Gourian et reçut le choc de toute cette terreur qui le poussait à la supplier. Slava en profita pour pivoter face à elle en s'abritant derrière Gourian. Il la braquait toujours de son arme par-dessus l'épaule de son amant qu'il ceinturait d'un bras contre son ventre.

— Eh oui, le bel éphèbe est pédéraste, ma pauvre ! Crois-tu qu'il lui en a fallu, de l'abnégation, pour se forcer à bander contre ton sexe en creux, tes mamelles de mammifère et jusque dans ta croupe d'enfanteuse, alors que tout ce qu'il aime, lui, c'est l'amour viril des mecs ? N'est-ce pas, mon bel homo ? Dis-lui comme tu aimes la défonce !

Gourian ne répondit pas, son regard vissé dans celui d'Oyun comme une supplique. Pour lui, pas pour elle. Terrorisé qu'il était à l'idée de mourir.

— Je t'en prie, Oyun, il est capable de te tuer !

— Bien sûr que j'en suis capable ! Même toi, je

suis capable de te tuer, susurra Slava à son oreille en posant le canon de son arme sur sa tempe.

Oyun vit le corps de Gourian s'avachir sur lui-même et sa bouche se tordre dans une longue plainte obscène. Il ne bandait plus et se pissa de peur sur les pieds. Slava le jeta au sol en braquant toujours son arme sur Oyun.

— Sale petite lopette, c'est ça l'image que tu veux donner des homos ? Des poules mouillées qui se pissent dessus de trouille ? Nous sommes deux fois mec, Gourian. Deux fois, sans honte et sans remords.

Oyun essaya de se ressaisir et de rassembler ses idées. Il n'avait pas poussé Gourian de côté par hasard. Elle pouvait encore espérer le surprendre quand ils étaient dans la même ligne de tir. Maintenant elle devait surveiller deux angles. Il allait falloir que quelqu'un commette une faute.

— Bon, alors qu'est-ce qu'on fait maintenant ?

— Je te l'ai dit, tu baisses ton arme.

— Ce n'est pas à toi que je parle. Gourian, qu'est-ce qu'on fait ?

— Gourian, ma poule, cette femelle est plus testostéronée que toi, on dirait. Allez, réponds-lui !

— Oyun, obéis-lui, je t'en supplie.

— Ah ! soupira Slava moqueur, je hais ces pédés geignards et plaintifs ! Si tu n'étais pas le meilleur coup au nord du Gobi, j'exploserais ton joli cul à coups de flingue pour te laisser te vider de ton sang de navet.

— Slava, je t'en supplie…

— Arrête de le supplier, commanda Oyun, garde un peu de dignité. Tu ne vois pas que ta déchéance le fait bander ?

— C'est vrai, concéda Slava. Tout me fait bander chez ce type. J'en suis raide dingue. Tu ne peux pas t'imaginer à quel point le jeter entre tes cuisses m'a fait souffrir. J'ai été jaloux à en mourir de chacune de vos caresses. Pas une seule fois, tu m'entends, pas une seule fois je ne l'ai laissé, après que vous aviez fait l'amour, sans venir aussitôt le baiser avec rage. Ce petit trou du cul est à moi, tu comprends, et toi tu as cru qu'il t'aimait ? Il est cent pour cent à moi.

— Qu'est-ce que tu veux ?

— Ton arme.

— Ça je sais, tu te répètes, mais après ?

— Après on parle, et puis nous, on s'en va.

— Et moi je reste ?

— Oui, tu restes.

— Vivante ?

— Ou morte, ça dépend de toi.

68

... les larmes aux yeux et le cœur défait.

Elle s'était pourtant jurée que plus jamais ça n'arriverait et voilà qu'elle se réveillait nue, le crâne meurtri, attachée par du ruban adhésif sur une chaise au centre de la chambre du poste militaire. Elle remarqua aussitôt que le poêle avait disparu. De la suie souillait le parquet, mouillée par de la neige fondue. Ils avaient dû démonter le tuyau qui reliait le poêle à la cheminée et transporter le poêle à l'extérieur. Elle avait déjà vu des nomades le faire pour évacuer une yourte prise dans la tempête. Deux hommes avec deux barres de fer suffisaient.

— Et tu croyais vraiment qu'il t'aimait et prenait du plaisir avec toi ?

Elle se retourna et la douleur la fit défaillir. Elle vacilla sur sa chaise avant de reprendre ses esprits. Elle se souvint du coup qui l'avait assommée. C'est Gourian qui l'avait porté par surprise avec l'arme qu'elle avait posée à terre.

— Moi j'en ai pris beaucoup avec lui, en tout cas. C'est un bon coup, tu as raison.

— Tss ! Tss ! Ne joue pas à ce jeu avec moi. C'est

très mauvais d'exciter ma jalousie. Je ne suis pas très prêteur comme amant.

— C'est toi qui as abordé le sujet, mais si tu veux on en change : ça rime à quoi tout ce cirque ?

— Tu dois commencer à t'en douter, puisque tu es venue jusqu'ici.

— J'ai compris que Gourian me mentait pour l'incendie de la yourte et je venais lui demander des explications. Je ne pensais pas tomber sur toi.

— Là où il y a Gourian, il y a Slava, fanfaronna-t-il.

— Alors, explique-moi ?

— C'est tout bête : on envoie Gourian dans ce poste où des bidasses imbéciles ont fait trop de conneries, mais quelqu'un vous prévient et tu débarques avant qu'il ait eu le temps de faire le grand ménage.

— Quelles conneries ?

— Peu importe, mais pendant que tu étais là, ton acolyte, le gros ninja ténébreux, a commencé à fourrer son nez dans une autre affaire qui nous intéresse. Alors on a donné l'ordre à Gourian de faire ce qu'il fallait pour se coller à toi.

— Tu veux dire qu'il ne m'a baisée que pour être informé de ce que faisait Yeruldelgger ?

— Oui, sa mission était de te marquer à la culotte, si on peut vraiment parler de culotte dans ton cas. Jamais nous n'aurions espéré tomber sur une frustrée qui se laisserait sauter dès le premier soir.

— Le point commun, ce sont les hélicos, n'est-ce pas ?

— Il y a de ça, concéda Slava.

— Donc les militaires.

— Tu finis enfin par comprendre.

— Bon, et maintenant ?

— Eh bien maintenant toi, nous t'avons, et il ne nous manque plus que Yeruldelgger.

— Quoi ? Tu veux que je te donne Yeruldelgger ?

— Oui, et je pense que tu vas le faire.

— Ça m'étonnerait, le provoqua Oyun, parce que je ne sais même pas où il est. Personne ne le sait. Aux dernières nouvelles il n'était même plus en Mongolie.

— Oui, ça nous le savons. Il était à Krasnokamensk, en Sibérie. Puis ton bel amant nous a appris qu'il t'avait téléphoné de Choybalsan pour te confier qu'il se rendait à Mardaï.

— L'espèce d'…

— Ne dis pas enculé, Gourian le prendrait comme un compliment.

— Si vous savez où il est, encore une fois, je te demande à quoi rime tout ce cirque ?

— Eh bien il se trouve que nos plans pour lui à Mardaï ont été un peu contrariés. Je vais vraiment finir par croire à sa légende de ninja et à tous ces bobards de Septième Monastère. Imagine-toi que cet enfant de salaud nous a échappé en laissant sur le carreau trois de nos commandos et un hélico de combat. Et depuis il a disparu.

— Dommage pour toi : quand il disparaît comme ça, ses retours sont très violents pour ceux qui le traquaient.

— C'est bien pour ça que nous voulons nous y préparer.

— Ne compte pas sur moi. Je ne sais pas où il est.

— Je ne te crois pas, dit Slava en se levant. Mais tu vas parler. Quand le froid te mordra les pieds et te brûlera le bout des seins, quand il raidira ta nuque, quand il gèlera tes reins, quand tu te pisseras dessus, tu parleras. Le froid, c'est pire que la brûlure. Ça prend son temps et ça fait souffrir longtemps.

Slava attrapa un des vêtements défaits d'Oyun sur le lit et se dirigea vers la fenêtre. Elle le suivit du regard. Le jour faiblissait. La lumière irisait les longues stalactites de glace qui pendaient du toit. Dehors la température allait baisser jusqu'à moins trente. Il sortit son arme et regarda Oyun qui soutint son regard malgré les frissons dans ses épaules, enroula le vêtement autour son poing armé pour ne pas se blesser, et brisa la vitre en plusieurs coups de crosse. L'hiver se glissa aussitôt dans la pièce comme un fluide glacé.

— Je ne parlerai qu'à Gourian, dit-elle pour gagner du temps.

— Gourian n'est pas là. Il est parti brûler et détruire ce qui restait de la yourte et des cadavres. Si tu ne parles pas, tu seras morte à son retour. Appelle-moi quand tu seras prête, dit-il en sortant de la chambre. Et ne te fais pas trop d'illusions, j'ai réparé la porte de la chambre et elle ferme très bien maintenant.

Un spasme secoua le ventre d'Oyun. Le froid gagnait déjà l'intérieur de ses cuisses. Elle essaya de réfléchir. Il fallait survivre. Quelque chose allait se produire, forcément. Elle ne pouvait pas mourir comme ça, nue, ficelée sur une chaise dans un baraquement militaire. Il fallait ne pas se laisser engourdir, contracter ses muscles régulièrement, faire chauffer la machine, et trouver une solution. Elle regarda autour d'elle. Ses vêtements étaient posés sur le lit. Elle pourrait s'y traîner avec sa chaise, mais sûrement pas se couvrir assez pour se réchauffer. De toute façon la température à l'intérieur de la pièce n'excéderait jamais le froid extérieur que d'une dizaine de degrés. Moins trente ou moins vingt, quelques vêtements ne feraient pas longtemps la différence. Elle regarda la fenêtre. Son seul espoir était là. Slava avait cassé la vitre à plusieurs reprises, rejetant le verre brisé à l'extérieur, mais quelques éclats étaient restés fichés dans les montants.

— Slava !

Elle avait appelé d'une voix plaintive, pour sembler plus faible qu'elle ne l'était vraiment.

Quand il ouvrit la porte, sans entrer dans la pièce, elle était recroquevillée sur sa chaise, tous les muscles contractés et la mâchoire tremblante.

— Slava, je t'en prie. Je te jure que je ne sais pas où il est…

— Ce n'est pas ce que je veux entendre et tu le sais. Tu vois dans quel état tu es après un quart d'heure seulement ? Pense à ce qui t'attend et réfléchis bien avant de me rappeler.

Il referma la porte. Elle venait de gagner un peu de temps, mais le froid était un ennemi plus cruel que Slava. Elle était déjà secouée de tremblements et par réflexe son corps pulsait son sang à grande vitesse pour réchauffer sa peau. Elle ne maîtrisait plus sa respiration qui s'accélérait pour activer la pompe de son cœur. Elle connaissait ces symptômes. Sa température avait déjà dû descendre de quelques degrés, mais pas encore en dessous de trente-deux. Elle connaissait chaque étape des réactions du corps aux températures extrêmes. L'incapacité à réfléchir et à réagir qui allait sournoisement figer son cerveau. Elle se rapprocha de la fenêtre en glissant sa chaise sur le côté, sans faire de bruit. Le froid lui glaça l'épaule et le cou quand elle y parvint. Elle avait le visage juste à hauteur de la fenêtre. Elle observa un à un les éclats de verre restés pris dans le mastic durci du vantail. Ceux d'en bas étaient trop petits. Du petit bois d'en haut pointait un bel éclat en forme de lame trapue, mais il lui était impossible de se lever pour l'atteindre. Le seul assez conséquent et à sa portée tenait encore à un des montants verticaux. Oyun se rapprocha encore du mur et se tordit le cou de côté pour passer la tête à travers la fenêtre brisée, face à l'éclat de verre qu'elle convoitait. À chaque spasme, sa carotide gonflée par l'effort et la douleur frôlait le tranchant des petits éclats de verre en dents de scie. Quand elle pensa être dans la bonne position, elle tira la langue pour repérer la pointe qu'elle ne pouvait pas voir, puis avança la tête avec une extrême précaution pour glisser sa bouche grande ouverte autour du verre, lèvres écartées, le plus près possible du bois de la fenêtre. Puis elle referma sa mâchoire avec précaution, saisit l'éclat entre ses incisives malgré les tressaillements de ses muscles, et essaya de le desceller. Ses dents ripèrent plusieurs fois sur le verre sans qu'elle parvienne à le tirer hors du bois. Les mouvements de sa tête devenaient de moins en moins contrôlables. L'hypertonie la gagnait petit à petit, décomposant ses mouvements par à-coups, comme entraînés par des engrenages édentés.

Elle allait bientôt perdre ses capacités de raisonnement et de concentration. Elle devait faire plus vite. Elle ferma les yeux, posa ses dents au plus près du bois, la lame de verre frôlant sa langue, la pointe presque dans sa gorge, et d'un mouvement sec de la nuque le cassa dans sa bouche. Un bord entailla sa lèvre et elle leva la tête pour éviter que le sang ne goutte par terre. Elle ne voulait pas prendre le risque d'avaler les brisures qu'elle devinait sur sa langue, mais elle savait qu'elle ne retiendrait pas longtemps le réflexe de déglutition de la salive qui s'accumulait.

Elle glissa la chaise pour revenir au centre de la pièce et recracha le bout de verre par terre entre ses pieds avec autant de brisures qu'elle put. Elle ressentait déjà les premiers troubles de conscience. Elle allait bientôt glisser dans la confusion, renoncer à agir pour s'abandonner, sans douleur, et se regarder couler dans un malheur douillet qui l'attirerait vers des profondeurs fœtales. Elle n'avait plus beaucoup de temps pour forcer son corps à lui obéir. Elle cambra les reins et d'un geste brusque de la tête et des épaules se jeta en arrière pour faire basculer la chaise, espérant ne pas se briser la nuque ou le dos. Les muscles de son dos, pétrifiés et anesthésiés par le froid, ne lui provoquèrent aucune douleur en s'écrasant contre le dossier de la chaise.

Slava ouvrit la porte, attiré par le bruit, et s'amusa de sa position.

— D'une façon générale on peut dire que la mort

est obscène, je le reconnais, mais la tienne, ma pauvre fille, va vraiment l'être au sens premier du terme. Franchement, tu devrais parler. Tu n'as pas idée à quel point une eau tiède peut brûler un corps à moitié gelé. Tu cloques aussitôt en surface, et en même temps ton sang gelé reflue vers l'intérieur et te glace les tripes. C'est un chaud-froid qui va te faire hurler de douleur, crois-moi.

— Fous-moi la paix, connard, bredouilla Oyun d'une voix faible et tremblante. Retourne baiser ton gigolo, et laisse-moi mourir comme je veux.

— Personne ne veut mourir comme ça, Oyun, personne, je te le garantis. Mais si tu veux te geler le con encore un peu, je reviendrai plus tard.

C'est ce qu'elle attendait. Qu'il la croie plus faible qu'elle n'était. Dès qu'il eut disparu, elle joua des épaules pour bouger la chaise et chercher des mains l'éclat de verre sous son dos. Le sang de sa lèvre coulait dans sa gorge, délicieusement chaud et onctueux. Dès qu'elle eut repéré à tâtons la courte lame de verre elle s'en saisit sans se soucier des bords tranchants qui lui entaillèrent la paume, et elle entreprit de déchirer le ruban qui tenait ses poignets. Ses forces l'abandonnaient déjà. Sa tension chutait et chaque respiration pesait dans sa poitrine.

Elle allait entrer dans la zone comateuse et devait faire vite. Dès qu'elle réussit à dégager ses mains, un regain de force physique et morale la dopa. Elle se libéra des autres liens et se releva trop vite, cherchant soudain l'équilibre sur ses jambes engourdies marbrées de bleu par le froid. Elle attrapa sa culotte déchirée qui traînait au pied du lit et appela Slava, l'implorant de mettre fin à sa torture, gémissant que tout son corps la brûlait, qu'elle était prête à tout dire. Il entra tranquillement dans la chambre le sourire aux lèvres, mais dégaina son arme dès qu'il aperçut la chaise vide renversée sur le sol. Il pensa d'abord qu'elle avait fui par la fenêtre en voyant les glaçons brisés à l'extérieur. Le temps qu'il comprenne que c'était suicidaire et qu'il se retourne pour braquer son arme derrière la porte, Oyun lui plantait la stalactite de glace dans la carotide. Le sang gicla sur elle, brûlant, et Slava lâcha son pistolet pour porter les mains à son cou. Oyun retira le glaçon pointu qu'elle tenait comme un poignard, enveloppé dans sa culotte pour qu'il ne lui glisse pas des mains. Elle laissa le sang gicler de plus belle avant de planter son pieu de fortune au creux de la gorge cette fois, perforant la trachée. Slava s'affaissa sur le plancher. La dernière vision qu'il eut de ce monde fut le sexe d'Oyun tout en haut de ses jambes cyanosées, et ses yeux, loin au-dessus, qui le regardaient perdre la vie sans aucune expression. Il mourut dans des borborygmes obscènes, son sang se mêlant à la neige fondue, noircie. Sombre et sale comme son âme, pensa Oyun en récupérant aussitôt ses vêtements. Elle sortit de la chambre en repoussant le cadavre pour pouvoir refermer la porte et se dirigea vers la baignoire. Ce n'était pas une bonne idée, elle le savait, mais elle en avait besoin. Elle fit couler l'eau en commençant par la froide, et la réchauffa peu à peu jusqu'à ce que la température lui paraisse à peine tiède. Elle savait que sa peau anesthésiée par le froid pouvait la trahir et que même tempérée, l'eau pouvait devenir brûlante pour son organisme déréglé. Quand la baignoire fut pleine, elle s'y glissa avec précaution, attentive au moindre signe de brûlure, l'arme de Slava posée dans le porte-savon. Puis elle s'abandonna à la caresse enveloppante de l'eau, et la laissa réchauffer petit à petit son corps meurtri.

Quand Gourian poussa la porte du pied, un quart d'heure plus tard, une spirale d'air glacé s'enroula dans l'entrée, mais Oyun avait déjà repris un peu de forces. Debout sous la douche, derrière le rideau, elle laissait maintenant l'eau ruisseler sur son corps qui lui revenait doucement. Quand elle l'entendit entrer, elle se saisit de l'arme dans le porte-savon. Lui aussi était transi de froid et l'idée de partager l'eau chaude ruisselant sur le corps nu de son cruel amant le fit sourire.

— Slava, je peux te rejoindre ? demanda-t-il en commençant à se déshabiller.

— Ça c'est sûr, que tu vas le rejoindre, répondit Oyun en coupant l'eau.

Elle tira le rideau, l'arme à la main et il se figea dans une position ridicule.

— Je te l'avais dit, Gourian. Le tout premier soir, quand tu as défait le premier bouton de ta chemise, quand j'avais le canon de mon arme contre ton front. Ici même, tu t'en souviens ? Je t'ai prévenu que je m'étais promis de tuer tous ceux qui toucheraient désormais mon corps sans amour, alors je tiens ma promesse.

Et elle vida l'arme de Slava dans la poitrine de Gourian, et regarda s'affaisser ce corps sans vie qu'elle avait aimé, les larmes aux yeux et le cœur défait.

69

Le trappeur et la bête avaient disparu.

Quand l'hélico se posa dans la clairière, le trappeur habillé de peaux de bêtes et chaussé de bottes de cuir souple à lacets était déjà debout, l'arme à la main, devant sa cabane. Il regarda descendre un gradé en tenue et deux soldats en combinaison de combat blanche, tous armés de Kalachnikov.

— Où est-il ?

— Parti.

— On va vérifier ça, dit le militaire en ordonnant d'un geste aux soldats d'avancer vers la cabane.

— Si tu veux goûter du plomb de mon Baïkal…

— Tu ne te sens pas un peu seul avec ta pétoire pour tenir tête à un général et deux officiers armés de Kalachnikov ?

— On n'est jamais seul, dans la forêt.

D'un signe du poing le gradé ordonna à ses hommes de s'arrêter, le temps d'inspecter du regard l'orée de la clairière. Quand ils virent le loup, les deux soldats se figèrent sur place, rattrapés par les vieilles peurs ancestrales. Pas le général.

— Chacune de nos Kalach tire jusqu'à dix balles

à la seconde, grand-père. C'est un peu beaucoup pour un loup solitaire.

— Solitaire, ou éclaireur ?

— Tu cherches à gagner du temps et le mien est compté, répondit le gradé en armant son fusil d'assaut.

— Mon général ?

Il devina la frayeur qui éraillait la voix du soldat. Quand il vit les loups sortir du bois à leur tour et se disperser dans la clairière, il comprit pourquoi.

Jamais il n'avait vu une meute si nombreuse. Une centaine de bêtes au moins s'avançaient à découvert. Et il en devina encore plus rôdant nerveusement dans les sous-bois. En bon militaire, il chercha à évaluer leurs chances dans un engagement contre un tel nombre, mais un détail suffit à l'en dissuader. Le plus grand, le premier à s'être montré, traversa toute la clairière d'un pas lent et sûr, sans le quitter des yeux, et vint s'asseoir à côté du trappeur comme un chien fidèle. Le temps que les trois militaires suivent cette étrange soumission, le reste de la meute les avait encerclés, ne leur laissant pour seule issue que la retraite vers leur hélico.

D'un nouveau geste, le général signifia en silence qu'ils se repliaient et dégageaient. Il tourna le dos à la meute par bravade, protégé par ses deux hommes qui marchaient à reculons, l'arme balayant la clairière.

L'hélico décolla aussitôt et bascula sur le côté dès qu'il eut dépassé les cimes pointues des mélèzes noirs. Mais au lieu de disparaître vers le contre-jour de l'horizon, il continua sa boucle au ras des arbres pour revenir sur la clairière. Cramponné à la porte ouverte de l'engin, le général ne chercha pas à mitrailler la meute. Il ne visa que le trappeur et le grand loup qui s'était jeté sur lui pour le protéger. Quand il ordonna au pilote de décrocher, les loups s'étaient dispersés et il ne restait dans la clairière que les corps du vieil homme et de la bête, souillant la neige de leur sang mêlé. Mais dans la courbe inclinée de l'appareil qui s'éloignait cette fois, le général jeta un dernier coup d'œil à la clairière. La colère et la peur cognèrent ensemble dans sa poitrine. Le trappeur et la bête avaient disparu.

... une poignée de pépites pour lui.

— Chine, Mongolie, Russie, Pologne, énuméra Zarza. Tu retrouves toujours les quatre mêmes pays...

Ils avaient récupéré tous les dossiers de la Mongolian Shipping Company et les épluchaient un à un depuis des heures. Par chance, toute la partie administrative et douanière était rédigée en français. Ils trouvèrent aussi de nombreux courriers en anglais, en allemand ou en russe, et quelques notes en mongol que Zarza demandait à Gantulga de traduire.

— Joli petit business, confirma Soulniz. De toute évidence Batgirl expédiait vers l'Asie à travers la Mongolian la marchandise volée qu'officiellement elle achetait à des sociétés bidons qu'elle créait à mesure de ses besoins.

— Tu as remarqué, depuis 2010, toutes ses expéditions se font vers la Chine alors qu'avant c'était plutôt vers la Russie et la Mongolie.

— Tu es sûr de ça, depuis 2010 ? intervint Zarza.

— Oui, j'ai vérifié. Pourquoi, ça change quelque chose ?

— Peut-être. Ça correspond à un truc que j'ai dans la documentation de la ferroviaire.

Zarza connecta son AirBook à un moteur de recherche et pianota quelques mots clés : Chine + France + fret + train + direct…

— Voilà : en 2008 la France a entamé des contacts commerciaux à très haut niveau pour faire rouler des trains de fret directs entre la France et la Chine. Le problème c'est qu'il fallait passer par la Russie qui exigeait sa dîme au prétexte qu'on utilisait ses infrastructures. Mais ça a été réglé. La Russie touche un droit de passage sur le fret scellé entre la France et la Chine, même si pour l'instant la seule vraie ligne directe, c'est une ligne Pologne-Chine, mais la Pologne étant dans l'Europe, c'est tout comme.

— Et qu'est-ce que ça change ?

— Je ne sais pas encore, mais pourquoi Batgirl a-t-elle changé la destination de la marchandise volée dès que ça a été possible ?

— Un nouveau marché ?

— Je n'y crois pas. Le trafic avec la Chine se fait plutôt par le sud. Toutes les voies maritimes, les ports, les zones franches, les nouveaux riches, tout se trouve au sud ou sur la côte. Ça doit trafiquer par cargos entiers dans ces coins-là. Pourquoi se casser la tête à organiser une filière ferroviaire par le nord ? Douze mille kilomètres en deux semaines, au moins cinq frontières, pour acheminer un wagon de cosmétiques. Je crois plutôt qu'on a affaire à un trafic de niche. Un bon petit trafic local bien huilé, bien pépère, et probablement pas avec la Chine.

— Mais si c'est pour le marché noir mongol, à quoi ça sert d'affréter des wagons pour la Chine ?

— Qui te dit que la marchandise y arrive ?

— Dans ce cas pourquoi ne pas continuer à l'expédier officiellement en Mongolie ? La marchandise est propre, elle a été blanchie par les fausses factures des sociétés bidon de Batgirl. Tous ces tours de passe-passe ne servent à rien.

— Je sais, admit Zarza, mais je sens que quelque chose nous échappe dans ce trafic.

'Cause this is thriller, thriller night, and no one's gonna save you from the beast about to strike. You know it's thriller, thriller night, you're fighting for your life inside a killer, thriller tonight... La voix de Michael Jackson en sonnerie du portable de Soulniz réveilla Gantulga qui s'était assoupi dans le sofa.

— Soulniz. Oui, ne quitte pas, je te le passe, dit-il en tendant l'appareil à Zarza. C'est le flic de la BAC.

— Alors, tu as trouvé quelque chose ?

— Oui, j'ai épluché le dossier du MacDo et je suis remonté jusqu'à un des inspecteurs de l'époque. À un moment, ils ont cru identifier la victime de l'enlèvement. Quelqu'un avait lu l'histoire dans le journal et avait signalé la disparition d'un locataire asiatique. Après vérification, le type qui s'était évanoui dans la nature n'avait rien à voir avec la victime du MacDo. Une tête et vingt kilos de moins, et un passeport chinois. Le seul point commun : lui aussi avait déposé une demande de droit d'asile, mais « comme tous les chinetoques qui débarquent ici », a conclu le flic de l'époque.

— Pourquoi tu m'en parles, alors ?

— Parce que si le type enlevé au McDo est bien mort en Mongolie des suites de sa détention, je me dis que le second cadavre de la gravière est peut-être celui du locataire disparu.

— Et ?

— Et que le grand-père qui avait signalé la disparition de son Asiatique habite toujours à la même adresse.

— Bien joué, on y va ! lâcha Zarza. Dis-moi où tu es et je te rejoins.

— Ah ça, ça m'étonnerait beaucoup. Là je suis dans mon lit avec ma femme qui est déjà furieuse que le collègue nous ait réveillés. Pour ta gouverne, il est quand même deux heures du mat, Zarza. C'est une heure où les braves gens, même flics, ont le droit de dormir. On voit ça demain.

Il raccrocha et Zarza resta quelques instants interdit.

— Il est vraiment deux heures du mat ?

— Oh merde ! s'exclama Soulniz. Tu peux dormir sur le sofa si tu veux. Et demain il faut que tu t'occupes du gamin.

— Comment ça ?

— Il ne peut pas rester comme ça, sans statut, sans papiers, à la fois suspect et complice. Tous les services vont nous tomber dessus : les flics, les services sociaux, ceux de l'immigration, les douanes, l'OCRIEST... Et puis ce môme, maintenant qu'il va mieux, il peut nous dire d'où il vient. Il doit bien avoir une famille là-bas, des gens qui s'inquiètent pour lui. Demain il faut qu'on lâche un peu l'enquête et qu'on s'occupe de lui.

— D'accord, promit Zarza en remontant la couverture sur les épaules de Gantulga qui s'était rendormi. Demain c'est promis !

Bien plus tard, son instinct de flic le tira du demi-sommeil où il courait après des trains chinois dans une steppe sans horizon. Quelqu'un d'autre ne dormait pas. Il se leva en laissant Soulniz ronfler par saccades dans sa chambre, et trouva Gantulga assis par terre contre un meuble dans la cuisine.

— Et alors, partenaire, tu ne dors pas ? s'étonnat-il en russe.

Le gamin ne répondit pas, mais Zarza comprit qu'il pleurait en silence en retenant ses sanglots. Il s'accroupit à son côté et lui ébouriffa les cheveux. Le gosse cacha aussitôt son visage entre ses genoux relevés.

— Allez, ne t'en fais pas. C'est normal de pleurer après tout ce que tu as encaissé. Il n'y a pas de honte. Et puis tout va s'arranger, tu verras. Demain j'ai promis à Daniel que je m'occuperais de toi. Attends, ne bouge pas…

Zarza se releva et fouilla un à un les placards de la cuisine à la lueur de son portable. Il trouva un bâton de sucre de pomme, quelques sablés d'Asnelles au beurre doux et un sachet entamé de caramels au beurre salé Barnier. Il rassembla le tout dans une assiette et revint s'asseoir dans le noir, par terre, à côté de Gantulga.

— Tiens, le sucre c'est ce qu'il y a de mieux contre le coup de mou.

Ils se collèrent chacun les dents au caramel, et Zarza réussit à lui arracher un sourire à force de grands mâchouillages guignolesques.

Après un long moment de silence, il osa une question et Gantulga se mit à parler doucement dans son russe boiteux. Comment il avait tenu, dans le container, en économisant le moindre souffle, en calmant son cœur et plus tard en buvant sa propre urine, surmontant sa peur et son dégoût comme lui avait appris à le faire l'enseignement du Septième Monastère. Comment les autres étaient morts en s'endormant sans se réveiller. Comment il avait tenu Ganshü dans ses bras pour l'aider à s'endormir sans peur, et comment il s'était résolu à s'endormir lui aussi en pensant à tous ceux qu'il aimait. Zarza entendit pour la première fois les noms d'Oyun, de Yeruldelgger, de Solongo, de Saraa et comprit qu'il ne fallait pas interrompre Gantulga pour savoir de qui il s'agissait.

Puis le gamin lui expliqua l'obsession de Ganshü d'aller voir ailleurs de quoi le monde facile était fait. Comment le Touva et le Bouriate, du côté du monument du Grand Bouddha, lui faisaient miroiter chaque jour, en jouant, qu'il suffisait de se décider pour y aller. Et comment Ganshü s'était décidé et les avait suivis, et comment lui s'était porté volontaire à son tour pour retrouver son ami. Krasnokamensk, la ville où ils s'étaient retrouvés de l'autre côté de la frontière avec d'autres gosses d'un peu partout. L'apprentissage du vol comme des jeux d'école, puis le long train jusqu'à Moscou. Les adultes méfiants qui les surveillaient tout le temps et les femmes qui faisaient semblant d'être leurs mères ou leurs grandes sœurs. Les passeports et les visas, aussitôt confisqués. Les copains abandonnés à la police ou à la vindicte des passants dans les quartiers d'étape où on les poussait à voler mieux et plus vite. Le passage en Pologne, la peur des contrôles, le regard des hommes en armes qui hésitent, celui des fausses mères qui menacent, et le car qui passe finalement, et aussitôt le train pour la France avec, sans voir Paris, la camionnette qui attend et les emmène, bringuebalés dans le noir, jusqu'à l'entrepôt et le container qui leur servait de dortoir. Et dès le lendemain matin la camionnette à nouveau pour aller voler dans les petites villes, en se glissant par les soupiraux ou les vasistas, sous les barrières, entre les portes des entrepôts. Tous les jours, sans qu'autour d'eux les gens trop occupés à défendre leurs petits bonheurs se doutent de rien et voient en eux autre chose que des petits Chinois qui traînent.

Soudain Gantulga fouilla dans sa poche et en sortit un petit objet qu'il tendit à deux mains à Zarza.

— Qu'est-ce que c'est ?

— Une tabatière. Chez nous on offre toujours quelque chose aux amis.

— Du tabac ?

— C'est le cadeau préféré des hommes. Tu dois prendre une pincée de tabac et partager.

— Avec toi ? Tu prises à ton âge ?

— Qu'est-ce que tu crois, je suis un homme moi aussi.

— Écoute, Gantulga, chez nous on offre des bonbons aux gamins. Et encore, c'est pas terrible pour les dents. Je prends une pincée de ton tabac en signe d'amitié, mais ne m'en veux pas si je ne le sniffe pas.

— Ne t'en fais pas. L'important, c'est que tu le prennes.

Zarza regarda ce petit bonhomme qu'il devinait à peine dans la pénombre. Si tout ce qu'il lui disait avoir vécu était vrai, avec ce qu'il était sûr que le gosse avait vécu ici, ce gamin avait déjà plusieurs vies derrière lui.

— Pourquoi tu as suivi Ganshü ? demanda Zarza en croquant un sablé.

— Pour le protéger. C'était mon ami.

— Tu ne pouvais pas, partenaire. Tu n'as rien à te reprocher. Et maintenant il faut penser à retrouver tes parents. Ils doivent être morts d'inquiétude.

— Je ne vis plus avec mes parents. Je vis avec des amis.

— Alors il faut les prévenir que tu vas bien et qu'on va te renvoyer là-bas. Tu sais qui prévenir ?

— Je crois qu'il vaudrait mieux prévenir Yeruldelgger d'abord.

— Pourquoi ? C'est qui pour toi, ce Yeruldelgger ?

— C'est un flic, comme toi. C'est le meilleur flic de Mongolie. Je suis sûr qu'il est à ma recherche. Si ça se trouve, il est même déjà en France. Il est trop fort !

— Hey, vas-y mollo, partenaire, je vais finir par être jaloux !

— Je te promets, si je te raconte l'enquête pendant laquelle je l'ai connu, tu ne voudras même pas me croire.

— Eh bien vas-y, partenaire, raconte ! dit Zarza en lui tendant le bâton de sucre de pomme et en sortant de sa poche une poignée de pépites pour lui.

71

Il faut que je voie mon oncle.

— Ça va ? s'inquiéta Soulniz.

— C'est la chifoine d'hier qui m'a chifoiné.

— Tu veux une aspirine ?

— Intolérance sévère. J'y touche et je ne suis plus que cloques et pustules !

— Et Gantulga ?

— Écoute, ce que ce gosse m'a raconté cette nuit, tu l'écris dans un bouquin et ça finit en blockbuster à Hollywood. Ce que ce gosse a vécu… Tu te rends compte qu'il a reçu l'enseignement d'un monastère Shaolin, c'est dingue, non ?

Soulniz ne répondit pas. Il les avait trouvés endormis l'un contre l'autre dans la cuisine et en avait profité pour descendre acheter quelques viennoiseries au Viennois, justement, rue Dauphin, avec un ballotin de palets de chocolats fourrés à la ganache de café de chez Marianik, juste à côté.

Maintenant ils étaient garés face à la mer sur le parking du Petit Vazouyard, un restaurant encore fermé à cette heure, et ils regardaient le gosse immobile face à la mer.

— Il vit dans la steppe immense, et l'étendue de la mer l'impressionne, philosopha Soulniz.

— Probablement parce que ça doit être moins pratique de galoper sur les vagues que dans les herbes, répliqua Zarza.

— Ne me dis pas que tu n'aimes pas la mer.

— J'ai horreur de ça. Ce ventre mou me fout la trouille. Toutes ces profondeurs, ces abîmes mouvants…

— Moi c'est de ça dont j'ai horreur, répondit Soulniz en levant son gobelet de thé.

— Eh bien ne lui montre pas. Il a pris tant de plaisir à nous le préparer !

— Oui mais quand même, saler mon Népal Knagchenjunga et le saupoudrer de farine, avoue que c'est dur à avaler.

— C'est sans doute parce que ton beurre n'était pas assez rance. Alors bois sans te plaindre. Aujourd'hui c'est son jour. Il regarde la mer et après il appelle Yeruldelgger, celui qui lui sert de père.

Il baissa la vitre et appela Gantulga pour qu'il les rejoigne à l'intérieur de la voiture.

— Reviens, partenaire, tu vas prendre froid. Ça serait idiot d'être enroué pour appeler ton vieux !

Gantulga courut les rejoindre, frigorifié, mais refusa le gobelet de thé fumant que lui tendit Soulniz.

— Non, il est dégueulasse. Il fallait du thé noir en brique et du beurre de yack rance. Ça, c'est n'importe quoi !

— Qu'est-ce qu'il dit ?

— Il dit que ça, c'est pour nous, mais que lui aimerait goûter quelque chose de plus français, traduisit Zarza.

— Parfait, j'ai ce qu'il lui faut. Juste derrière, un bon chocolat chaud à la crème fouettée d'Isigny au Manoir des Impressionnistes.

Soulniz démarra aussitôt et remonta sur deux cents mètres l'allée de graviers qui menait jusqu'au manoir. De toute évidence il était connu là aussi, et ils furent reçus en amis de la maison. Pierre, le maître d'hôtel, leur dressa une belle table pour le petit déjeuner près de la porte-fenêtre, avec vue sur la pelouse en pente douce jusqu'à l'ancien petit phare, l'immense plage abandonnée par la marée, et tout au bout un ruban de mer grise en aluminium qui miroitait sous le ciel d'hiver argenté. Soulniz commanda un vrai thé, Zarza un double café avec une larme de lait Nestlé si possible, et un chocolat chaud à la viennoise pour Gantulga. Ils s'amusèrent de voir le gamin écarquiller les yeux en silence devant les services en argenterie, les porcelaines délicates, et les meubles Louis quelque chose. Soulniz lui fit expliquer par Zarza que les tommettes, au sol, étaient d'origine et dataient du treizième siècle et qu'à cette époque Gengis Khan commençait à peine à marcher vers l'Occident. Une ombre fronça pourtant le regard du garçon et Soulniz crut l'avoir vexé. Gantulga se renfrogna. Quand le maître d'hôtel lui apporta fièrement sa tasse en pot de chambre fumante d'un épais chocolat noir coiffé de crème d'Isigny et saupoudré de chocolat en poudre, il ne répondit pas aux plaisanteries gourmandes de Zarza.

— Ça ne va pas, partenaire, tu n'aimes pas ça ?

— Non, répondit le gosse soudain suspicieux, c'est la maison…

— Quoi, qu'est-ce qu'elle a, la maison ?

— Elle me fait peur, elle est mal habitée.

— Qu'est-ce qu'il dit ? s'inquiéta Soulniz à voir l'air étonné de Zarza.

— Qu'est-ce qu'il parle ? s'informa le maître d'hôtel.

— Il dit que la maison est mal habitée, et il le dit en russe.

— Ah, encore un Russe, c'est bien ce que je me disais. Il n'y a que ça, en ce moment. Je suppose que nos petits hivers ne sont que des climats printaniers pour eux.

— Vous en avez beaucoup ?

— Oui, pas mal. Tiens, la semaine dernière, un type comme le gamin, tout bridé. Au début j'ai cru qu'il était chinois ou un truc comme ça, mais en fait le barman m'a dit qu'il l'avait entendu téléphoner en russe. Ils ont beaucoup de bridés là-bas, en Russie ?

Les maîtres d'hôtel sont souvent plus beauf et moins élégants que ne le laisse supposer leur tenue soignée, pensa Soulniz. Zarza, lui, fut aussitôt alerté.

— Un type grand, plutôt balèze, habillé d'un manteau de cuir noir ?

— Oui, c'est ça.

— Vous vous souvenez de la fusillade, l'autre jour au port, vous en avez entendu parler ?

— Bien sûr, j'ai lu ça dans le *Havre Libre*.

— C'était ce soir-là ? Je veux dire : vous l'avez vu ce soir-là ?

— Oui, c'était ce soir-là. Il a réglé sa note en début

de soirée. Si je me souviens bien il n'a pas dîné au Manoir. Il a demandé quelques adresses en ville.

— Et vous ne l'avez pas revu depuis, c'est bien ça ?

— C'est bien ça.

— Putain, jura Soulniz, ce salaud était là, juste sous notre nez !

— Que se passe-t-il ? demanda Gantulga qui sentait monter la tension.

Zarza lui expliqua qu'un Mongol qui avait failli le tuer quelques jours plus tôt avait séjourné dans ce même manoir.

— Alors c'est lui que je sens, murmura Gantulga. Son esprit habite encore ici et il est noir et mauvais.

— Laisse tomber, petit bouddha, personne ne croit aux esprits ici. Et ne t'inquiète pas, ce type est parti et je ne crois pas qu'il revienne, même si on ne sait pas vraiment qui il est.

— Moi je le sais, dit Gantulga d'un ton soudain très adulte pour le gosse qu'il était. Je connais cet esprit-là, je connais cette puanteur de malheurs qu'il traîne derrière lui. C'est Erdenbat.

— Quoi ? Le Erdenbat dont tu m'as parlé cette nuit ?

— Oui, c'est lui, j'en suis sûr…

Zarza fit signe au maître d'hôtel qu'il pouvait disposer et attendit qu'il s'éloigne pour traduire ce qu'avait dit Gantulga.

— Tu crois vraiment que le gosse sent les esprits ?

— Je n'en sais rien. Si tu avais entendu ce qu'il m'a raconté cette nuit… En tout cas, il est secoué. Et si ce qu'il m'a dit sur cet Erdenbat est vrai, je le comprends.

— Et tu ne trouves pas curieux que ce type qu'il connaît d'Oulan-Bator se retrouve justement au Havre où lui-même a failli mourir ?

— Bien sûr ! Si cet Erdenbat est l'assassin de Batgirl, alors c'est lui aussi qui cherche à remuer l'affaire du MacDo. Il est notre lien entre les deux affaires et avec la Mongolie. Mais le plus intrigant, c'est son lien avec ce Yeruldelgger : Gantulga est comme son fils adoptif, et Ganshü, un des gamins morts dans le container, était le fils adoptif d'une connaissance de ce même Yeruldelgger.

— Heulà ! murmura Soulniz. Un fil qui relie deux affaires séparées de dix ans, un autre fil reliant la Mongolie à la France, et un troisième reliant un mafieux à un flic. Ça commence à sentir le sac de nœuds.

— Au contraire, réfléchit Zarza. Si tu ne prends pas ça comme des fils mais comme des pièces d'un puzzle, je trouve même que ça commence à prendre forme. D'une part on a un double trafic avec une filière humaine dans un sens qui importe des voleurs pour alimenter un trafic de marchandises volées dans l'autre sens. Et par ailleurs on a un sociopathe mafieux qu'on retrouve aux deux extrémités du trafic de mômes.

— Eh bien je continue à penser que c'est un sac de nœuds plus qu'autre chose.

— Pas moi. Ce qu'il faut que nous comprenions, c'est pourquoi Erdenbat est venu remuer la merde ici et en quoi ce Yeruldelgger est impliqué dans ce merdier.

— Et comment tu vas t'y prendre ?

— Il faut que je voie mon oncle.

72

De toute façon,
il doit y avoir prescription.

Monsieur Langlois était un pur Normand, fuyant et indécis à chaque réponse comme de la loche de rivière. Pendant que Soulniz essayait de lui rappeler le souvenir de son locataire disparu, Zarza inspectait du regard l'intérieur du minuscule pavillon de la rue Henri-Becquerel dans le quartier Sanvic. Buffet à trois corps, horloge à caisse, coffre à demi-pilastre, table à tirette, l'endroit était confit dans le bois et l'histoire. L'homme avait sorti une bouteille de Calvados Domfrontais qu'il avait servi dans de minuscules verres à goutte posés sur des napperons au crochet. Plus pour gagner du temps et chercher à savoir ce qu'on lui voulait que par souci d'hospitalité. Zarza se leva et monsieur Langlois s'en inquiéta aussitôt d'un regard bas qui glissa jusqu'à lui sur la toile cirée.

— C'est une jolie collection, dit l'Arménien en désignant une ribambelle de bibelots dans une vitrine. Souvenirs de voyages ?

— Ça se peut...

— Vous avez beaucoup voyagé ?

— Ça m'est arrivé...

461

— Et ça, ça vient d'où ? s'intéressa Zarza en pointant deux boules de cuir durci reliées par un cordon. D'Argentine, non ?

— Peut-être bien...

Il se pencha pour mieux voir, inspectant un à un les gris-gris africains, les bracelets brésiliens ou les porte-bonheur chinois.

— Vous êtes allé dans tous ces pays-là ?

— Des fois oui, des fois non...

— Et ça, c'est mongol ou chinois ? demanda brusquement Zarza en faisant face à Langlois, une petite tabatière à la main.

— Peut-être chinois, peut-être mongol, je ne sais pas trop...

— Belle collection en tout cas, admira le flic en revenant s'asseoir à côté de Soulniz.

Il tenait toujours la tabatière et la faisait jouer entre ses doigts.

— Ce locataire, il a bien disparu du jour au lendemain, n'est-ce pas ?

— Il a disparu, confirma Langlois comme si répondre par oui ou non lui était impossible.

— Il avait tout prévu pour vous arnaquer et il a vidé sa chambre avant de partir ?

— Pas vraiment...

— Donc il a disparu en laissant tout chez vous.

— On peut dire ça comme ça.

— Et si vous arrêtiez de jouer au con avec nous, vous devriez pouvoir nous sortir toutes ses affaires que vous avez récupérées. Comme cette tabatière par exemple. Typiquement mongol, ça, n'est-ce pas ?

462

Langlois ne répondit pas et regarda longuement Zarza sans bouger.

— Maintenant, client. Tout de suite. Avant la baffe.

Cette fois Langlois se leva et sortit de la pièce en traînant les pieds. Quand il revint, il portait une valise. Une imitation de marque de luxe de mauvaise qualité. Il la posa sur la table et retourna s'asseoir sans rien dire. Zarza se leva, coucha la valise sur la table et l'ouvrit sans difficulté. Quelqu'un avait déjà forcé le cadenas. Soulniz se leva à son tour et ils vidèrent un à un les vêtements, les livres et les quelques objets sans valeur qu'ils trouvèrent à l'intérieur. Rien de particulier, Langlois était passé par là. Mais Zarza connaissait les émigrés et les clandestins bien mieux que lui. Il palpa attentivement tout l'intérieur de la valise vide et trouva ce qu'il cherchait. Une poche trafiquée dans la doublure, dont l'ouverture était masquée par un galon recollé par-dessus. Il trouva le passeport du locataire disparu et quelques billets de cent dollars qui écarquillèrent les yeux de Langlois. Le passeport était mongol, au nom d'un certain Alagh.

— Voilà, dit Zarza en s'adressant à Soulniz. Une poignée de pépites que ce disparu-là n'est autre que le cadavre de la gravière. Il disparaît la même semaine où l'autre Mongol se fait enlever, et grosso modo à l'époque probable de l'immersion du premier cadavre. Décidément, il ne faisait pas bon être mongol au Havre à l'époque !

— Et ça nous avance à quoi ?

— Pour l'instant à rien, mais j'ai l'impression que maintenant nous avons toutes les pièces du puzzle en main.

— La belle affaire !

Zarza se leva et fit signe à Soulniz qu'ils avaient fini et qu'ils partaient. Langlois les vit se lever, sidéré et outré de voir Zarza empocher les dollars.

— Et mes billets ?

— Et une bonne paire de baffes ?

Langlois retomba assis sur sa chaise et les regarda sortir sans un mot. Dehors, quand ils se furent un peu éloignés du pavillon, Soulniz retint Zarza par le bras.

— Comment tu as deviné pour la valise ?

— Tu as vu sa maison ? Ce type ne lâche rien. Ce n'est pas un collectionneur, c'est un stockeur, un amasseur. Ça a fait tilt quand j'ai repéré la tabatière. Gantulga m'en a parlé. Une tradition de chez lui.

Il fit quelques pas puis se retourna vers Soulniz.

— Tiens, moite-moite, dit-il en lui tendant trois billets de cent dollars.

— Hey, c'est pas illégal ça, pour un flic ?

— Et alors, t'es flic, toi ? Et puis moi, je suis plutôt barbouze, non ? De toute façon, il doit y avoir prescription.

73

... il faut que j'aille en Mongolie.

— Qu'est-ce que vous foutez chez moi ? demanda Soulniz.

L'homme était assis dans la pénombre, au fond de son fauteuil préféré, dans le contre-jour de la terrasse. Il n'avait repéré aucune effraction et cela exacerbait encore plus sa colère de trouver un inconnu chez lui.

— J'avais besoin de voir Armen.

— Armen ?

— Armen Zarzavadjian, répondit l'inconnu.

— Tu le connais ? s'étonna Soulniz en se tournant vers Zarza.

— C'est Hervé de Vilgruy, mon oncle, soupira Zarza comme pour s'en excuser.

— Je ne suis pas ton oncle, répliqua l'inconnu avec une pointe d'exaspération dans la voix.

Zarza prit Soulniz à témoin :

— Comment appelles-tu le meilleur ami de ton père quand il devient le meilleur amant de ta mère ?

— Je ne suis pas l'amant de ta mère, je suis son mari. Et je l'ai épousée plus de trois ans après la mort de ton père, précisa De Vilgruy.

— Écoutez, oncle ou pas, ça ne vous autorise pas à entrer chez les gens comme ça, s'énerva Soulniz.

— Non, ce qui l'autorise à se jouer de ta vie privée et des lois en général, c'est que mon oncle fait dans les services secrets. En fait c'était mon supérieur, avant qu'il ne me mute dans la ferroviaire pour me punir.

— Te punir de quoi ?

— Zarza vous expliquera ça un autre jour, coupa De Vilgruy. Aujourd'hui c'est moi qui pose les questions. Et la première, c'est : pourquoi ressortez-vous l'affaire du Havre ?

— Celle du MacDo en 2003 ?

— Celle-là.

— Pour savoir ce qui s'est passé ce jour-là, expliqua Zarza. Et si cela peut avoir un lien avec un macchabée vieux de dix ans retrouvé dans une gravière, sept mômes morts de soif dans un container, une tenancière mongole balancée dans la même gravière, et un colosse à la chinoise qui a canardé tout le centre-ville de Honfleur pour me dézinguer. Mais tu sais peut-être quelque chose sur tout ce bordel, mon oncle ?

De Vilgruy ne répondit pas tout de suite, comme s'il soupesait ce qu'il pouvait lâcher à Zarza, et ce qu'il espérait en tirer en retour.

— Cette histoire, c'est du Rocambole mâtiné de John Le Carré, continua De Vilgruy. Ça implique les chancelleries allemande et anglaise, le MI6, le BND… Une planche à savon pour nos services. Le premier épisode, Soulniz le connaît déjà et a dû t'affranchir. En 2003, quatre barbouzes mongoles enlèvent un réfugié politique à la sauvage et emmènent leur victime d'une traite jusqu'à Berlin. Le lendemain, ils embarquent pour Oulan-Bator à bord d'un vol charterisé de leur compagnie nationale et, le temps que nous l'apprenions, le kidnappé était déjà traité comme il se doit dans une prison spéciale.

— Et pourquoi cette affaire vous fait sortir du bois aujourd'hui ? demanda Zarza.

— À cause de la carrière du meneur de ce commando. Ça, Soulniz ne te l'a pas dit, parce que ça s'est passé pendant ce qu'il appelle son escapade. Ce type a eu un parcours professionnel très particulier. Officiellement Premier secrétaire de l'ambassade de Mongolie à Budapest quand il monte le commando, il rentre chez lui en héros en 2003, même si son prisonnier meurt très vite des suites des sévices qu'il lui a fait endurer. Peu de temps après, il devient chef des services secrets de son pays. En 2010 il débarque à Londres, invité par le MI6, mais à la douane à Heathrow, Scotland Yard court-circuite les espions de Sa Gracieuse Majesté et lui passe les menottes. Il était toujours sous le coup d'un mandat d'arrêt international européen émis par Berlin pour l'enlèvement du type du MacDo.

— Pourquoi par Berlin ?

— Parce que c'est par Berlin que la victime a été exfiltrée d'Europe vers la Mongolie.

— Donc il est arrêté en Angleterre…

— Oui, arrêté, jugé, condamné et emprisonné.

— Ce type est en taule en Angleterre ? s'étonna Soulniz.

De Vilgruy soupira à nouveau, comme s'il redoutait qu'ils ne le croient pas.

— Il l'a été, puis l'Allemagne a réclamé son transfert et l'a obtenu en février 2011. On l'a enfermé du côté de Berlin, le temps de négocier le premier voyage officiel d'un chancelier allemand en Mongolie. Une chancelière, du coup. Huit jours avant le voyage de Merkel en octobre 2011, les Allemands le libèrent. Il rentre chez lui et récupère immédiatement ses attributions, avec un statut de héros en prime, et c'est lui qui supervise la sécurité de Merkel. Dans la foulée il se pose en Monsieur Propre, fait le ménage politique, monte un dossier contre l'ancien Président qui se représente aux élections et le fait tomber. Dans ces pays-là, les services osent des choses que nous n'imaginerions même pas. Un des chefs d'inculpation contre l'ancien Président, c'était la dissimulation des droits d'auteur de l'adaptation en coréen d'un bouquin qu'il avait écrit et vendu en Corée à huit exemplaires ! Des artistes. Sauvages, mais artistes.

— Bon, si tu pouvais faire court, mon oncle. Il est quoi ce type aujourd'hui, et pourquoi tu nous ressors cette histoire ?

— Il est l'homme fort du pays, l'homme de l'ombre, et je ne vois pas comment, si quelqu'un fait remonter toute cette merde à la surface, il pourrait ne pas être impliqué d'une façon ou d'une autre.

— Et ? demanda Soulniz.

— Et pour nous avoir humiliés de la sorte sur notre propre terrain, nous lui avons toujours gardé un chien de notre chienne. Le moment est peut-être venu d'ouvrir la niche.

— Ne me dis pas que tu penses à moi pour jouer les Rintintin !

— Si, Armen. Tu lâches la ferroviaire. Tu es réaffecté au service et tu nous tires ça au clair. Tu as déjà fait du bon boulot en identifiant ce Alagh.

— Ça n'aurait pas dû être très compliqué de le faire à l'époque.

— À l'époque, nous avions un type qui déclarait la disparition d'un locataire chinois, et un Mongol avec des papiers chinois qui se faisait embarquer par des compatriotes et qui réapparaissait en Mongolie. Merdeux comme nous étions dans cette affaire, nous n'avions aucune raison de chercher plus loin. Aujourd'hui ton deuxième cadavre change la donne. Alors, tu réintègres le service.

Zarza réfléchit un court instant avant de répondre.

— Est-ce que ce type est responsable de la mort des gosses ?

— S'il a fait tuer la femme, oui.

— Tu crois qu'il l'a fait ?

— Je n'en sais rien. Il était ici en 2003, il est en poste là-bas aujourd'hui.

— Tu le connais ?

— Fabius s'est rendu en Mongolie en 2013 avec un groupe d'industriels de l'agroalimentaire pour visiter une ferme modèle qui importe des vaches montbéliardes. J'ai tenu à superviser la sécurité du groupe parce qu'à l'époque on parlait de possibles camps d'entraînement d'Al-Qaïda dans les provinces musulmanes de l'ouest. C'était utile de nouer des contacts personnels avec leurs services.

— Et tu n'as pas lâché tes chiens ?

— Non. Il faut savoir être pragmatique. Et patient.

— Alors pourquoi maintenant ?

— Parce qu'en échange de sa libération, Merkel a signé de gros contrats miniers et industriels, et que certains pensent chez nous qu'il est temps de réclamer notre part du gâteau. Si cet homme de l'ombre favorise trop les contrats allemands, nous allons le bousculer un peu en ressortant l'affaire du MacDo. S'il est disposé à nous faciliter de nouveaux contrats, nous l'aiderons à l'oublier.

— Ah, tu me rassures, mon oncle. Rien d'humanitaire dans cette mission. Rien à voir avec les mômes du container. Pas de justice courageuse, pas de justice tout court. Pas de principes. Rien ! J'ai eu peur un instant que le service ait changé de ligne morale pendant mon stage à la ferroviaire.

— Tu me rassures, aussi, Armen. Tu n'as pas changé. La même insolence qui te vaudra un jour au mieux une autre ferroviaire, au pire une balle perdue.

— Oh, est-ce que je peux noter celle-là ? Puis-je vous citer, monsieur mon oncle ?

— Fermez votre gueule, Soulniz, coupa sèchement De Vilgruy, et ne faites pas le mariole. Vous devriez savoir plus que tout autre que les absences ne nous cachent rien.

— Espèce de fils de…

— C'est quoi cette histoire d'escapade ? demanda Zarza.

— Un trou dans mon emploi du temps. Un gros. Rien qui te regarde.

— Alors, Armen ? s'impatienta De Vilgruy.

— C'est bon, c'est d'accord, mon oncle, mais ça va te coûter cher.

— Pourquoi ?

— Parce qu'il faut que j'aille en Mongolie.

74

Tu fais comme t'a dit Zarza.

— Tiens tes chiens ! cria Gantulga en respectant la tradition.

Solongo se retourna et Zarza la découvrit aussi belle et douce que Gantulga la lui avait décrite. Quand le gamin courut vers elle pour se jeter dans ses bras, elle le bloqua par les épaules avant qu'il ne puisse l'enlacer.

— Où étais-tu passé ? Tout le monde s'est inquiété. Yeruldelgger est parti à ta recherche jusqu'en Sibérie !

Mais elle ne put résister longtemps et l'attira soudain contre elle pour l'étouffer d'une longue étreinte soulagée. Zarza vit des larmes perler dans ses jolis yeux en même temps qu'elle s'aperçut de sa présence.

— Qui est-ce ?

— C'est Zarza. C'est un flic secret qui m'a sauvé là-bas. C'est lui qui m'a ramené ici.

— Un flic secret ?

— Oui, un genre d'espion, il faut que je te raconte tout. Hey, tu sais qu'on a voyagé en business sur la Korean ? Il y avait la télé et des jeux vidéo partout.

Solongo repoussa gentiment Gantulga par les

épaules et se releva sans quitter Zarza des yeux. Dans le contre-jour de la porte, il n'était qu'une silhouette engoncée dans une parka matelassée, et elle devina son étonnement à découvrir l'intérieur de la yourte.

— Entre, entre ! lui dit Gantulga en joignant le geste à la parole. Et fais bien attention à tout ce que je t'ai dit. Tu t'en souviens ?

Zarza fit un pas à l'intérieur de la grande tente en prenant bien soin d'enjamber le pas de la porte du pied droit et se dirigea vers la gauche pour attendre que Solongo vienne à sa rencontre. Gantulga lui fit un clin d'œil pour l'encourager, et Zarza tira de sa poche un petit paquet qu'il offrit à Solongo en le tenant à deux mains. Solongo le prit de la même façon en le remerciant et lui fit signe d'entrer plus loin à l'intérieur. Elle lui désigna le lit, dans le fond à gauche, presque face à la porte, où elle l'invita à s'asseoir. C'était une marque de respect réservée aux invités d'honneur, comme le lui avait expliqué Gantulga.

Il s'assit sur le lit, prenant bien garde de ne pas pointer les pieds vers le feu, et admira la décoration de la grande yourte pendant que Solongo préparait l'eau, le lait, le beurre et la farine pour le thé. Elle demanda au gamin de sortir les gâteaux de lait séchés et les biscuits de lait caillé.

— Je t'ai prévenu, se moqua Gantulga, le plus dur reste à venir pour toi. Mange de tout et fais bonne figure. Dis-toi que pour nous, c'est comme tes becs de Flers !

Zarza croqua à pleines dents plusieurs biscuits. Il avait dû manger et avaler bien pire pour ses exercices de survie pendant ses stages commando.

Gantulga et Solongo parlaient mongol, mais il devina que Gantulga demandait avec empressement après Oyun. Au ton précautionneux de la femme et au regard soudain inquiet du gamin, il comprit que quelque chose clochait.

— Que se passe-t-il ? demanda-t-il en russe.

— Il paraît qu'Oyun a failli mourir de froid. Elle est à l'hôpital en observation. Ne te déshabille pas, on va aller la voir tout de suite. Tant pis pour le thé.

Pendant le trajet, Gantulga, assis à l'avant, expliqua d'abord à Solongo son périple pour retrouver Ganshü et ne pas l'abandonner. Krasnokamensk, la filière jusqu'à Moscou, les faux visas polonais, et le camp de la Mongolian au Havre. Solongo conduisait en secouant la tête de temps en temps, comme si elle ne voulait pas croire ce qu'elle entendait. Puis Gantulga se tut, et en se tournant vers lui pour attendre la suite, elle s'aperçut qu'il pleurait en silence. Zarza, assis à l'arrière, lui demanda alors si elle comprenait l'anglais. Elle hocha la tête en cherchant son regard dans le rétroviseur et il lui raconta la découverte des gamins dans le container du port du Havre et comment il avait retrouvé Gantulga, seul survivant, tenant Ganshü dans ses bras. Il n'aborda aucun autre point de l'enquête, mais pour détourner son attention de l'image macabre des petits cadavres dans leur caveau métallique, il lui expliqua un peu qui il était. Comment il avait pris Gantulga en charge pour lui éviter d'être inquiété pour les vols en bande organisée, comment il l'avait sorti de l'hôpital et hébergé chez un ami journaliste, et comment il lui avait obtenu des services secrets des papiers pour le sortir de France et le ramener en Mongolie. Quand il eut fini, Solongo pleurait doucement elle aussi. Elle attira la tête de Gantulga sur ses genoux, et il resta blotti contre elle en silence jusqu'à leur arrivée à l'hôpital.

Pendant quelques minutes Zarza s'abîma dans la contemplation désabusée de cette ville post-soviétique qui défilait derrière les vitres, semblable à toutes celles que ces utopistes totalitaires avaient imposées, pour leur bonheur matérialiste, aux populations asservies.

Nul doute que le cœur d'une autre ville battait quelque part derrière ces immeubles délabrés par l'hiver et le temps. Une capitale renaissante d'avant l'érosion culturelle soviétique, ou une cité déjà en fuite vers un avenir débridé et tout aussi matérialiste. Les villes soviétiques étaient faites pour assurer le bonheur immédiat minimum des peuples, et bien des familles avaient survécu grâce à elles. Mais le propre du confort quotidien minimum est de pousser ceux qui y accèdent à des aspirations plus utopiques. Et jamais les utopies socialistes, qui s'étaient obstinées à remplacer les églises par des gymnases, les temples par des squares, les monastères par des cantines, n'avaient réussi à combler ce désir de rêves. Dans la lumière froide d'un ciel d'hiver pris par la glace, dans l'air clair d'une journée sans pollution sous un vent acéré, Oulan-Bator était encore ce jour-là une ville soviétique.

Ils trouvèrent Oyun dans une chambre de l'hôpital où travaillait Solongo. Elle avait remué ciel et terre pour qu'elle y soit admise.

Gantulga courut à travers la chambre et se jeta sur le lit pour enlacer Oyun.

— Hey, salut partenaire ! soupira-t-elle, soulagée, en le serrant dans ses bras à lui tordre les côtes. Où étais-tu passé ?

— Toi d'abord, répondit le gamin en s'adossant à son oreiller à côté d'elle.

— Rien de grave. Le type que j'aimais comme une folle a voulu me tuer, et j'ai fini avec des engelures au pied.

Elle sortit sa jambe de sous le drap, sans pudeur pour Zarza, et montra son pied à Gantulga qui ne remarqua rien de particulier.

— Je suis resté longtemps pieds nus par moins vingt sur un sol gelé et mouillé. Solongo dit que c'est un stade 1, mais que toutes les engelures commencent par des stades 1. Ça peut prendre des semaines avant qu'on ne s'aperçoive que ça a évolué en stade 2 ou 3.

— C'est quoi le stade 3 ?

— C'est quand on te coupe l'orteil pour éviter d'avoir à te couper le pied. Ou la jambe. Ou…

Zarza l'interrompit en russe et tous se tournèrent vers lui. Puis Solongo se retourna vers Gantulga pour lui demander de traduire.

— Il dit que les médecins lui ont probablement prescrit des vasolateurs…

— Vasodilatateurs, corrigea Solongo sans quitter Zarza des yeux.

— Oui, et des inhibiteurs calcifiques…

— Calciques.

— Oui, calciques, peut-être, mais que le mieux c'est un bain de pied toutes les quatre heures dans une décoction de céleri-rave. Un kilo pour quatre litres d'eau froide à porter à ébullition et à laisser bouillir une heure. Après chaque bain, sécher immédiatement et complètement et envelopper dans un lainage, de préférence en cachemire.

— C'est qui ce sorcier ? demanda Oyun.

Gantulga bondit du lit pour présenter fièrement Zarza.

— Inspecteur Zarzavadjian. C'est un flic français. Il est aussi bon que Yeruldelgger !

— Ma grand-mère utilisait ce remède, dit Solongo. C'est vrai qu'il est efficace. Ou bien de l'huile de millepertuis qu'on préparait à partir de fleurs fraîches cueillies en été.

— Ça marche aussi très bien, admit Zarza quand Gantulga eut traduit, comme les décoctions de fleurs de noyer.

— Hey, les apothicaires, on peut revenir à qui est ce type ?

Gantulga expliqua à nouveau sa rencontre avec Zarza puis demanda des nouvelles de Yeruldelgger.

— La dernière fois que j'ai parlé avec Yeruldelgger, dit Oyun, il était à Choybalsan et partait pour Mardaï enquêter sur un trafic humain dont il avait eu connaissance à Krasnokamensk en Russie. Il était sur ta trace, partenaire, et sur celle d'Erdenbat qu'il soupçonnait d'être à la tête de ce trafic.

— Erdenbat ? Je l'ai senti dans le manoir, là-bas en France. Zarza dit que si c'est lui, il a tué la femme qui nous enfermait dans le container chaque soir. C'est parce qu'elle était morte que personne ne pouvait nous ouvrir. Il pense aussi qu'Erdenbat était là-bas pour une vieille histoire de kidnapping. Il a failli le tuer. Ils se sont tirés dessus en pleine ville, comme dans un jeu vidéo !

— Qu'est-ce que c'est que cette histoire ? demanda Oyun à Zarza comme s'il pouvait la comprendre.

— On peut en parler ailleurs ? répondit-il quand Gantulga eut traduit la question. Elle n'a pas besoin de rester à l'hôpital pour une engelure. Avec mon remède, elle sera guérie dans trois jours.

— Il a raison, je m'habille. Solongo, on peut aller chez toi parler de tout ça en attendant des nouvelles de Yeruldelgger ?

La légiste approuva et lui fit signe qu'elle allait l'aider à s'habiller. Mais Oyun voulut aller trop vite et quand elle posa le pied à terre, un poinçon de douleur lui perfora l'orteil et elle perdit l'équilibre. En se retenant à la table de chevet, elle fit tomber deux dossiers qui résumaient ses enquêtes. Elle les avait fait porter par un bleu du service en pensant rester à l'hôpital plusieurs jours. Zarza devança tout le monde pour la retenir, puis s'agenouilla pour ramasser les feuilles et les photos éparpillées. Quand il retourna une des photos par réflexe, il resta immobile un instant. C'était une des photos du corps du professeur Agop Boyadjian dans la neige, sur la scène de crime de l'incendie dans l'Otgontenger.

— Cet homme était arménien ? demanda-t-il.

— Oui, répondit Oyun étonnée à Gantulga. Comment le sait-il ?

— Il dit qu'il a écrit quelque chose dans la neige et que c'est de l'arménien.

— De l'arménien ? Où ça ?

Zarza pointa des traces dans la neige, à côté du

corps. Maintenant que Zarza lui disait que c'était une écriture, une certaine construction dans leur dessin lui sautait aux yeux. Elle avait cru à de simples traces. Peut-être dues à des mouvements réflexes, ou à des contractions de douleur. Ou même les traces d'une bestiole curieuse venue inspecter l'étrange cadavre. En fait elle n'avait rien cru du tout et elle n'avait jamais pensé à leur donner un sens. D'autant que c'était l'enquête de Yeruldelgger, pas la sienne, et que ce salopard avait disparu depuis longtemps en lui laissant tout sur les bras.

— Qu'est-ce que ça veut dire ?

— Ça se prononce *zinvour* et ça veut dire « soldats ». Ça a un sens pour vous ?

Oyun lui arracha la photo des mains et l'examina comme si elle la découvrait soudain.

— Oh que oui, ça a un sens pour moi. Putain que oui ! Sortez que je m'habille et on y va.

Zarza sortit dans le couloir avec Gantulga pendant que Solongo aidait Oyun à s'habiller.

— Elle est canon ma partenaire, non ?

— Ouais…, approuva Zarza pensif en regardant par la fenêtre.

Dehors deux berlines noires venaient de s'arrêter dans la cour sans vraiment chercher à se garer. Deux hommes descendirent de chaque véhicule et il reconnut aussitôt leur comportement. Cette façon de se positionner aussitôt en losange, de scanner la cour en 3D du regard, de bouger ou de s'arrêter à l'unisson sur un seul geste. Trop disciplinés pour être des flics. Berlines trop luxueuses. Plutôt services secrets. Spéciaux, même. Il avait identifié le même type d'hommes cherchant à lui tomber dessus à Vienne, à Odessa, au Caire ou à Ryad. Et si une chose était sûre, c'est qu'ils étaient ici, à Oulan-Bator, pour lui et pour personne d'autre.

— Gantulga, tu rentres dans la chambre avec les filles et tu n'es jamais sorti du pays, d'accord ? Tu étais chez elles. Toujours. Tu n'as jamais été en France, ni à Krasnokamensk, ni à Moscou ni nulle part, d'accord ? Tu es resté ici, tout le temps.

— Mais pourquoi ?

— Fais-moi confiance, et va leur dire.

Gantulga entra dans la chambre et aperçut les cicatrices sur les seins d'Oyun qui enfilait un maillot. Elle voulut le faire ressortir vite fait, mais il la coupa en lui répétant ce que venait de lui dire Zarza. Elle passa son maillot et se précipita vers la porte en boitant. Zarza avait disparu. Il n'était plus dans le couloir. Elle entendit s'ouvrir les portes de l'ascenseur et aperçut deux hommes qui en sortaient pendant que deux autres débouchaient des escaliers. Ils se dirigèrent vers elle sans hésitation et Oyun reconnut Bathbaatar à leur tête.

Elle rentra dans la chambre.

— Gantulga, tu fais exactement comme t'a dit, comment s'appelle-t-il déjà ?

— Zarza.

— Tu fais comme t'a dit Zarza.

75

Mettre la main sur Yeruldelgger, et vite !

— Où est-il ?

— Je n'en sais rien.

— Plusieurs témoins l'ont vu à l'hôpital, à cet étage.

— Quelqu'un l'a vu dans ma chambre ?

— Écoute, Oyun, on sait que ce type est entré en Mongolie, et on sait qu'il a ramené le gamin.

Le ton de Bathbaatar était conciliant, même s'il était entré dans la chambre sans frapper accompagné d'un de ses hommes. Un autre était resté dans le couloir à garder la porte et le dernier avait reçu pour consigne d'isoler Solongo et Gantulga dans une autre chambre.

— Gantulga n'est jamais sorti du pays.

— Nous avons les photos de l'aéroport le montrant y entrer.

— Tu as les photos d'un mec que je ne connais pas, qui est peut-être entré dans le pays avec un gamin qui n'est pas Gantulga.

— C'était Gantulga, regarde les photos.

— Pas la peine. Gantulga n'est jamais parti d'ici. C'est un gamin qui lui ressemble. Comment s'appelle ton gamin sur la fiche d'entrée, Gantulga peut-être ?

— Non, mais celui-là s'appelle bien Gantulga, dit Bathbaatar en tournant son iPad vers Oyun.

Elle y découvrit le fac-similé d'un journal étranger avec en première page une photo d'horreur : des policiers et des secouristes, choqués, devant sept petits cadavres avachis dans un container métallique, et en médaillon la photo de Gantulga. Elle comprit que le journal était français et que la légende disait que l'enfant du médaillon était le seul rescapé.

— Dis-moi où il est, insista Bathbaatar. Je ne m'intéresse qu'à ce Français, pas à Gantulga. Ne me force pas à faire parler le gamin.

— Faire parler un moinillon du Septième Monastère ? N'y pense même pas.

— Gantulga suit l'enseignement du Monastère ?

— Oui, et c'est ma version officielle et définitive. Gantulga n'a jamais quitté le pays. Il était en retraite au monastère auprès du Nerguii sur les recommandations de Yeruldelgger. Tu n'as aucune trace de sa sortie du pays, et aucune trace de son entrée, sinon des photos qui éventuellement lui ressemblent un peu.

— Oyun, Oyun, Oyun ! soupira Bathbaatar, c'est bien mal me récompenser pour t'avoir sauvé la mise.

— Quelle mise ?

— Tu crois vraiment que les bonos existent ? Que des types abandonnent des boulots surpayés dans les mines pour se retirer dans des yourtes à jouer les nomades au milieu de nulle part ? Le cavalier qui t'a dépannée dans la steppe est un homme à moi.

Le sang d'Oyun ne fit qu'un tour.

— Tu veux dire celui qui m'a laissée me jeter dans la gueule du loup où j'ai failli mourir torturée, ce qui va peut-être me coûter un bout de mon pied ? Ne me dis pas que ce type savait ce qui m'attendait !

— Il était là au cas où et serait intervenu si cela avait mal tourné pour toi.

— Ça a mal tourné pour moi, putain ! J'ai tué deux hommes pour m'en sortir !

— Ça a surtout mal tourné pour eux. De toute façon il les aurait tués lui aussi s'il l'avait fallu.

— Il n'est jamais venu.

— Il t'a laissé le cheval. C'est bien lui qui t'a ramenée à sa yourte, non ?

— Écoute-moi bien, dit-elle en pointant un doigt rageur vers lui. Je ne sais pas qui est ce Français dont tu me parles. Mais s'il peut te créer le moindre emmerdement, le moindre ennui, alors là je te garantis qu'il peut désormais compter sur moi pour l'aider à te pourrir la vie.

— Bon, puisque tu le prends comme ça, je t'arrête pour le meurtre des deux soldats. Passe-lui les bracelets, commanda-t-il à l'homme qui l'accompagnait.

Oyun fut plus rapide à dégainer. Elle braqua son arme sur Bathbaatar. Elle et lui savaient qu'il aurait été suicidaire qu'elle tire sur le chef des services secrets. Le sbire, lui, se retrouvait avec la vie de son chef entre les mains.

— Passe-les-lui plutôt, dit-elle en désignant les menottes d'un geste du menton.

— Ne bouge pas, c'est un ordre. Elle ne tirera pas. Nous sommes dans un hôpital, il y a trop de monde.

Oyun saisit alors l'oreiller de son lit et le plaqua sur la nuque de Bathbaatar.

— Non seulement je vais le faire, mais je vais le faire en silence.

— C'est bon, ne tire pas, ne tire surtout pas, dit l'homme en parlant fort pour alerter celui qui était resté dans le couloir.

— Tu lui mets un des bracelets, tu passes la chaîne entre les barreaux du lit, et tu lui mets le second de l'autre côté. Et tu fais pareil pour toi avec les bracelets qu'il a sous sa veste à sa ceinture.

— Oyun, je suis le chef de la Sûreté nationale, et il y a deux de mes hommes dans le couloir.

— Un emmerdement à la fois, si tu permets.

— Tu te rends compte de ce que tu fais ?

— Oui. Je sauve ma peau. Je suis de plus en plus convaincue que ma survie là-bas n'avait aucune importance pour toi et que ton type attendait que Slava ou Gourian me tue pour les arrêter ou faire le ménage derrière.

— Et pourquoi j'aurais fait ça ? Mon homme aurait pu te tuer dans ce cas, au lieu de te récupérer.

— Je n'en sais encore rien, mais tu es le chef des coups tordus et des opérations secrètes, c'est une raison suffisante pour ne pas avoir confiance en toi. Assis par terre !

Quand ils furent assis, Oyun noua entre eux leurs quatre lacets pour les entraver davantage et déchira des bouts de drap qu'elle leur enfonça dans la bouche. Puis elle les fouilla pour prendre leurs armes qu'elle glissa dans sa ceinture, et s'approcha de la porte. L'homme n'était pas derrière la porte, mais elle devina une présence un peu plus loin dans le couloir. Elle se glissa vivement hors de la chambre en braquant son arme.

— Hey ! murmura Solongo en plaquant Gantulga contre elle. C'est nous.

Oyun ne remarqua personne d'autre dans le couloir.

— Où sont les gardes ?

— Je n'en sais rien. Celui qui nous gardait nous a ordonné de rester tranquilles avant de sortir il y a un quart d'heure et il n'est jamais revenu.

— Et l'autre, celui de la porte ?

— Pas vu.

— Bon, alors on y va, l'air de rien, par les escaliers, et on dégage vite fait.

— Qu'est-ce que tu as fait ? demanda Gantulga en cherchant à ouvrir la porte de la chambre.

— Il vaut mieux pour vous que vous n'en sachiez rien, répondit Oyun en l'empêchant de le faire.

— Et qu'est-ce que tu vas faire ? dit Solongo d'un ton un peu plus provocant qu'elle ne l'aurait voulu.

— Mettre la main sur Yeruldelgger, et vite !

À 99, il chercherait le bon endroit.

Quitter l'hôpital ne fut pas un problème. Se sortir de situations de ce genre était ce à quoi il avait été entraîné. Sauf qu'aujourd'hui il était sans existence, même officieuse, sans planque, sans support logistique, et que sa gueule d'Arménien n'allait pas l'aider à se fondre dans la population locale. Il lui fallait du temps pour réfléchir et quelqu'un pour le renseigner. Il se dirigea vers la première des deux berlines garées sur le parking et s'installa au volant avec autorité et sans empressement. Puis il plongea la tête sous le tableau de bord, comme on cherche quelque chose dans un vide-poches, et trouva les fils qui lui permirent de démarrer. Il manœuvra jusqu'à la sortie de parking puis s'engagea sur la droite pour remonter vers une grande artère. Son entraînement et ses missions avaient développé sa mémoire visuelle. Il n'avait eu aucune difficulté à mémoriser le plan de la ville dans le magazine de bord de l'avion. Il rejoignit Peace Avenue et décida de sortir de la ville par l'est, laissant derrière lui la voiture audacieuse des vitres-miroirs bleues du Blue Sky. Il vérifia d'un coup d'œil la jauge et le compteur kilométrique. 13 849 km. À 99, il chercherait le bon endroit.

Bien sûr. Nous avons un ami commun...

Le chauffeur repéra la voiture bien avant l'autre agent qui continuait à surveiller le traceur sur l'écran de sa tablette. Elle était garée n'importe comment loin devant, dans la neige sur la gauche de la piste, la portière du chauffeur grande ouverte. Bathbaatar se pencha entre les deux hommes depuis le siège arrière pour mieux voir et aperçut de petits nuages de fumée blanche effilochés par les gaz qui sortaient du pot d'échappement. Arrêt d'urgence. Moteur en marche.

— Ce con s'est arrêté pour pisser ! rigola le chauffeur.

La voiture du Français se trouvait à hauteur d'un petit bois, tout en bas d'une longue route en légère pente. Bathbaatar ordonna au chauffeur de passer au point mort, de couper le moteur, et de laisser glisser la voiture en silence jusqu'à l'autre véhicule.

— Il est en plein milieu de nulle part, pourquoi ne pisse-t-il pas à côté de sa caisse ? demanda l'autre agent.

— Grosse commission dans les bois, expliqua le chauffeur. Le lait de jument fermenté et les gâteaux aigres de fromage séché, ça ne réussit pas toujours aux touristes.

Ils s'arrêtèrent deux mètres derrière la voiture de Zarza et descendirent en silence.

Formidable, fooormidable. Tu étais formidable, j'étais fort minable, nous étions formidables, formidable. Tu étais formidable, j'étais fort minable. Nous étions formidables...

— Ce con chante en chiant ! se moqua un des hommes en entendant la voix qui venait du bois.

Bathbaatar sortit son arme et le fusilla du regard pour qu'il se taise. Puis il leur ordonna par gestes de contourner le chanteur en s'écartant de cinq mètres chacun avant de s'enfoncer entre les arbres. Lui resterait près du véhicule pour couper toute retraite. Le chauffeur regarda l'autre agent s'engager dans les taillis puis y pénétra à son tour. Après quelques minutes il sauta dans un buisson pour surprendre le Français cul à l'air en mauvaise position et ne trouva qu'un iPhone qui débitait sa ritournelle. Il prévint aussitôt son collègue et ils se précipitèrent pour ressortir du bois. Quand ils jaillirent des bosquets, ils aperçurent Bathbaatar, assis à l'arrière de la voiture du Français, qui les regardait à travers la vitre fumée. Le temps qu'ils interprètent son regard et qu'ils comprennent qu'il était menotté à la poignée intérieure au-dessus de la portière, Zarza était derrière eux. Il les braquait avec les armes volées aux gardes qu'il avait assommés à l'hôpital et les obligea à jeter les leurs devant eux, ainsi que leurs portables. Il éjecta les chargeurs et les batteries qu'il jeta aussi loin qu'il put dans les taillis et il les fit s'allonger à plat ventre dans la neige après avoir récupéré son iPhone. Puis il monta dans la voiture en les tenant en respect, claqua la portière, et démarra pour faire demi-tour. En repassant devant leur voiture, il baissa la vitre côté passager et tira dans les pneus. Il en déchira trois sur quatre.

Il roula ensuite en silence pendant deux kilomètres jusqu'à une yourte qu'il avait remarquée à l'aller, un peu en retrait sur l'autre côté de la piste sous trois grands mélèzes. Il s'arrêta et klaxonna pour en faire sortir un petit vieux qui lui sourit malgré son inquiétude évidente. D'une commande sur sa portière, Zarza baissa la vitre arrière du côté de Bathbaatar.

— Dis-lui que tu as deux hommes à toi à deux kilomètres d'ici. Ils ont besoin d'aide pour ne pas mourir de froid, dit-il en anglais. Tu parles l'anglais, n'est-ce pas ?

— Tu ne comprends pas le mongol, n'est-ce pas ? Qui te dit que je ne vais pas lui dire de prévenir les autorités pour qu'ils nous interceptent un peu plus loin ?

— Parce que tu n'as pas envie de mourir dans une fusillade au beau milieu de la steppe. Ce n'est pas une mort pour quelqu'un comme toi, ça.

— Tu sais qui je suis ? s'inquiéta Bathbaatar en le jaugeant du regard dans le rétroviseur.

— Bien sûr. Nous avons un ami commun…

La Batguerel du MacDo, tu te souviens ?

— Tu étais sous la voiture, n'est-ce pas ?

— Oui.

— C'était risqué, j'aurais pu voir tes traces dans la neige.

— Je me suis glissé dessous par l'avant. Dans neuf cas sur dix ceux qui repèrent une voiture à l'arrêt se garent derrière. C'est psychologique. J'ai fait l'aller-retour dans les bois pour vous marquer le chemin, puis je me suis glissé en dessous en passant par le capot.

— Tu savais qu'on était après toi.

— Les voitures de tous les services du monde sont identifiées par un traceur, non ? Je savais que vous me repéreriez.

— Donc tu nous attendais.

— J'avais besoin de temps pour réfléchir et pour vous laisser venir à moi. J'ai pensé que cinquante kilomètres feraient l'affaire, et ce petit bois au bout d'une longue ligne droite était parfait.

— Je continue à croire que c'était risqué.

— Ça a marché, conclut Zarza comme une évidence.

— Et notre ami commun ? demanda Bathbaatar.

— De Vilgruy, mon patron, celui des services français. C'est grâce à lui que je t'ai reconnu à l'hôpital. Et je suppose que si tu as débarqué là-bas, c'est qu'il t'a aussi briefé sur moi.

— Il m'a prévenu de ton arrivée, tout en me laissant entendre que ce n'était pas tout à fait une mission officielle, sans m'en dire beaucoup plus. J'avais prévu de t'intercepter à l'aéroport demain, mais je suppose que tu es arrivé avec un jour d'avance et un autre jeu de passeport.

— Oui. Précaution élémentaire quand on travaille pour De Vilgruy. Vous vous connaissez personnellement ?

— Nous nous sommes rencontrés quand a été évoquée l'existence possible de camps djihadistes dans les provinces kazakhs de l'ouest. Le temps de démontrer que ce n'était qu'une légende urbaine et de monter un petit protocole de surveillance quand même, au cas où.

— Il a évoqué l'épisode du MacDo du Havre ?

— Non, il s'est montré plus fair-play que les British, je dois l'avouer. Mais les Français sont bien plus pragmatiques que les Anglais dans ces domaines-là.

— Tu connais un endroit pour manger quelque chose sur cette piste ? coupa Zarza.

— Il y a quelques campements pour touristes, mais ils sont fermés en hiver, et le village de Gachuurt est encore à vingt bons kilomètres, mais n'importe quelle yourte fera l'affaire, hospitalité mongole oblige.

— Alors voilà ce que je te propose : tu choisis la tente et on s'arrête. Je t'enlève les menottes, je te rends ton téléphone, je garde ton arme et on mange quelque chose en échangeant nos informations sans entourloupe.

— C'est tentant pour le repas, car tout ce que cuisinent les nomades est délicieux, mais quelles infos pourrait-on bien échanger ?

— Je suis sûr que tu as beaucoup de choses à me dire sur un certain Erdenbat par exemple, et moi j'ai pas mal de choses à te dire aussi.

— Ah oui, et de quoi pourrais-tu bien me parler ? s'étonna Bathbaatar, une pointe d'arrogance dans la voix pour se donner bonne contenance.

— D'un vieux cadavre dans une gravière sous le pont de Normandie, de sept gamins morts de soif dans un container, d'une certaine Batgirl qui s'est fait flinguer. La Batguerel du MacDo, tu te souviens ?

79

... si tu veux retrouver Erdenbat.

— Tu dois le manger. Ce serait une honte pour eux si tu le refusais ou si tu l'avalais sans le croquer.

Bathbaatar se pencha vers la tête de chèvre bouillie et déboîta l'œil cuit de son orbite pour le tendre à Zarza. La petite vieille au visage froissé comme un fruit sec lui fit signe avec fierté de prendre l'autre pour lui. Il accepta en adressant à la femme des gestes de politesse et de respect, et, sans la quitter des yeux, s'adressa à Zarza.

— Comme moi, dit-il en glissant l'œil dans son sourire et en montrant au vieux couple comment il le croquait bien. À grand renfort de jeux de mandibules, de hochements de tête satisfaits, et d'écarquillements d'yeux gourmands.

Zarza fit tout pareil au grand contentement des petits vieux et au grand étonnement de Bathbaatar.

— Dommage que les chèvres n'en aient que deux !

Bathbaatar traduisit, les petits vieux éclatèrent de rire, et chacun se mit à piocher le crâne à la pointe de son couteau pour détacher les chairs bouillies. Le repas fut copieux. Les nomades avaient cuisiné la chèvre et bien d'autres gourmandises mongoles à l'occasion du retour annoncé de leur fils, mais ils avaient tout servi à leurs invités inattendus.

Bathbaatar expliqua à Zarza comment ce code de l'hospitalité conduisait souvent les nomades à se priver de tout pour un hôte de passage.

— J'ai connu un couple d'Anglais qui s'est installé dans la steppe chez des nomades pendant un mois entier pour étudier leurs coutumes et les chants diphoniques. Les pauvres gens avaient un enfant et à peine de quoi assurer un repas par jour et par personne. Ils ont nourri les deux Anglais pendant un mois et se sont partagés à trois le repas qui restait, donnant la plus grosse part à l'enfant. Ces nomades, c'étaient mes parents, et le gosse c'était moi. Ce pays a toujours souffert de ça. Être perdant dans l'échange. Pour l'uranium comme pour le repas quotidien.

Bathbaatar força Zarza à sacrifier encore un peu aux rites de l'hospitalité et de la politesse, puis demanda à leurs hôtes de les excuser s'ils continuaient la conversation en anglais. Le vieux couple s'assit un peu à l'écart en souriant et les écouta parler en silence.

— Pourquoi es-tu venu ici ?

— Pour éviter à un gamin des ennuis chez moi et le ramener chez lui. Et aussi parce que toute cette histoire semble commencer avec toi, en 2003, sur le parking du McDonald's du Havre. Tu y étais, n'est-ce pas ?

— Tu le sais déjà, je menais ce commando.

— Alors pourquoi tout ressort aujourd'hui ?

— Comment ça ?

Zarza lui raconta ce qui s'était passé en France.

Batguerel, son cadavre dans la gravière, l'autre cadavre…

— L'autre cadavre ?

— Le corps d'un homme, mongol lui aussi, probablement dans la gravière depuis la même époque que celle de tes exploits sur le parking du MacDo. Sûrement pas un hasard si quelqu'un a tout fait pour qu'on le retrouve dans le même trou que celui où il avait jeté le cadavre de Batguerel. C'était qui, ce Alagh ?

— Je ne peux pas te le dire…

— Comme tu veux. Par contre pour ce qui est de celui qui est derrière tout ça, je pense que nous avons tous les deux une petite idée, non ?

— Erdenbat ?

— Oui, Erdenbat. La question est : pourquoi ? Ou plutôt : pour qui ? Parce que aujourd'hui, si j'avais une hypothèse à émettre, je dirais : pour toi. Mais tu as déjà payé pour ce que tu as fait, si j'ai bien lu ton dossier ?

— Oui, répondit Bathbaatar en le regardant droit dans les yeux. Mais pas pour tout…

Zarza comprit qu'il n'en dirait pas plus pour l'instant, mais que leur conversation n'était pas terminée pour autant. Bathbaatar remercia chaleureusement les petits vieux et Zarza devina qu'il leur demandait une petite liste en mongol. Quand ils se dirigèrent vers la voiture, Bathbaatar lui expliqua qu'il n'avait pas voulu remercier le couple avec de l'argent qu'ils se seraient empressés de distribuer aux moines des alentours ou de coincer entre les cailloux du premier petit monticule de pierres sacré. Les ovoos étaient devenus de véritables aimants à offrandes. Il avait préféré leur

demander ce qui leur manquait le plus et il s'arrange-
rait pour le leur faire porter. Bathbaatar ouvrait la portière arrière quand Zarza lui fit signe de monter devant
et de prendre le volant.

— On va où ?

— Mettre la main sur ce salaud, ça me plairait bien.

— Alors on doit d'abord passer chez moi, si tu
veux retrouver Erdenbat.

... si Yeruldelgger consultait sa messagerie...

— Oh merde ! jura Billy entre ses lèvres gercées par le froid.

À un kilomètre de là, le gros hélico virait lourdement de bord pour faire demi-tour et se dirigeait maintenant droit dans sa direction, à dix mètres à peine du sol.

Les coordonnées que le jeune soldat avait écrites dans la paume d'Oyun correspondaient à celles de l'aiguillage identifié sur les photos du briquet. Billy avait été envoyé planquer dans la steppe et il s'était installé tant bien que mal avec des équipements de survie. Il avait placé la voiture juste derrière une ligne de crête à deux bons kilomètres au sud de l'aiguillage, pour le surveiller à l'abri. Il l'avait recouverte d'une toile blanche pour la camoufler à distance. Seul un espace libre sur la moitié du pare-brise permettait la capture vidéo des éventuels mouvements à partir d'une caméra posée sur le tableau de bord. Et le jeudi à l'aube, il avait vu apparaître l'hélico. Il était venu du nord pour se poser près des wagons.

Ce n'étaient pas les mêmes que sur les photos. Des hommes commencèrent aussitôt à transférer la marchandise des wagons à l'hélico. Deux heures plus tard, l'hélico redécollait vers l'est avant de faire demi-tour. Il fut sur lui en quelques secondes. Les pâles brassèrent aussitôt la neige et les tourbillons arrachèrent la toile blanche qui camouflait le 4 × 4. La tente de survie claqua comme une voile dans la tempête puis céda soudain pour voltiger dans les airs en éparpillant les affaires de Billy. Malgré la panique, il cherchait à comprendre ce qui lui arrivait. Un de ces abrutis de militaires avait dû apercevoir un furtif reflet de soleil sur le pare-brise, et maintenant ils étaient là pour lui.

Il tomba à genoux dans la neige, la tête entre les bras pour se protéger des cristaux de glace qui lui lacéraient le visage. Il ne vit pas le militaire se laisser glisser jusqu'à lui le long d'une corde. Il sentit juste la piqûre dans son cou et son corps qui l'abandonnait. Mais pas sa conscience. Il tomba sans force à la renverse sur le dos. Vit son assassin masqué façon commando qu'on hissait à bord de l'hélico, puis le lourd frelon d'acier bascula mollement sur le côté et quitta son champ de vision. Il ne vit plus alors que le ciel blanc. Il se demanda si ses agresseurs avaient récupéré sa caméra et pensa qu'il avait bien fait de programmer une sauvegarde toutes les heures. Et un transfert automatique vers l'ordinateur de Yeruldelgger. Personne n'allait avoir le temps de venir à son secours. Il allait mourir. Mais au moins ils sauraient. Enfin, si Yeruldelgger consultait sa messagerie…

81

Eh bien, j'ai mieux cherché que vous...

— Quelqu'un sait où est Yeruldelgger ? demanda Oyun à la ronde.

— Quelqu'un sait si Dieu existe ? se moqua un inspecteur.

— Il partait pour Mardaï il y a trois jours et il n'a plus donné de nouvelles depuis, alors arrête tes plaisanteries à la con et trouve-moi où il est.

— Comment veux-tu que je le sache ? Tout le monde le cherche. Sa messagerie n'arrête pas de sonner et ça commence à...

— Tu as vérifié ?

— Quoi, sa messagerie ? Consulter la messagerie de Yeruldelgger, non mais tu plaisantes ou quoi ? Et puis je n'ai pas son code.

— Comme si Yeruldelgger s'emmerdait avec des codes. Il ne passe pas son temps sur les sites de poker, lui.

Elle secoua la souris pour réveiller l'écran de veille. L'icône de sa messagerie affichait en coin le chiffre cent treize. Dès qu'elle vit les mails, Oyun remarqua ceux adressés par Billy.

— Putain, Billy, je l'avais complètement oublié…

Il avait posté des vidéos toutes les heures depuis quatre jours. Elle cliqua sur le dernier message et lança la vidéo. Un gros hélico de l'armée venait droit sur la caméra dans un paysage de steppe glacée. Puis tout sembla s'envoler au milieu d'un tourbillon de neige et elle comprit que l'appareil volait en stationnaire juste au-dessus de la caméra. Une seconde avant que l'image ne disparaisse, elle aperçut une main gantée se saisir de l'objectif pour arracher la caméra.

— Tout le monde ici, hurla Oyun aux autres inspecteurs qui se regroupèrent aussitôt autour d'elle. Vous vous répartissez les vidéos en remontant dans le temps et vous reconstituez ce qui s'est passé. Et que quelqu'un se bouge le cul pour envoyer des secours à Billy !

— Et toi, tu vas où ?

— On a des résultats pour les empreintes trouvées dans l'ascenseur du Mongolia.

— Je croyais qu'on n'avait rien trouvé.

— Eh bien, j'ai mieux cherché que vous…

82

... alors il ne me reste plus qu'Erdenbat.

Le regard des deux apprentis terrorisés dans l'atelier l'avait alertée. Elle leur fit comprendre en silence qu'elle était flic, et ils lui indiquèrent d'un signe de la tête que ça se passait dans un bureau, tout au fond. Elle les fit déguerpir et dégaina son arme. Elle avait remonté la piste du type de la maintenance qui avait piégé Yeruldelgger le jour du meurtre de Colette, mais ne s'attendait pas à du grabuge sur place. Avec toutes les enquêtes en cours, Yeruldelgger dans la nature et Billy loin dans la steppe, elle avait pris le risque de venir seule. Elle se dirigea vers le bureau à travers un chaos bordélique d'outils et de machines, prenant bien garde à ne pas faire le moindre bruit. Elle s'approcha jusqu'à la porte pour essayer d'entendre ce qui se disait à l'intérieur.

— Allez vas-y, tire, ou alors va te faire foutre, maugréait une voix d'homme.

Elle cala son arme à deux mains et fracassa la porte d'un coup de pied. L'homme lui fit face aussitôt, l'arme braquée sur elle. Elle ne le reconnut qu'à la seconde où elle pressait la détente et dévia son tir de justesse.

— Putain ! Yeruldelgger, mais qu'est-ce que tu fais là ? J'ai failli te tuer !

— C'est Sergueï, le bricoleur de l'ascenseur du Mongolia. Je suis venu discuter avec lui.

— Un flingue à la main ?

— Comme toi, Oyun, comme toi.

Elle rangea son arme en secouant la tête pour bien lui montrer qu'elle en avait marre de lui.

— Et toi, qu'est-ce que tu fais là ? demanda Yeruldelgger.

— D'après toi ? Mon boulot de flic. On a remonté sa piste et trouvé son adresse après l'avoir identifié à partir de ses empreintes, comme de bons enquêteurs.

— Je croyais qu'il n'en avait pas laissées.

— Lui aussi devait le croire. Les empreintes étaient à l'intérieur de la plaque qui habille les boutons. Il a fallu qu'il la démonte pour bidouiller les branchements, mais pour la remettre, il a fallu aussi qu'il la tienne entre ses doigts. Une fois tout revissé en place, il a bien tout effacé, sauf celles qui étaient à l'intérieur.

— Bien vu, admit Yeruldelgger. Tu es seule, Billy n'est pas avec toi ?

— Je préférerais être avec lui. J'ai peur qu'il ait des ennuis là-bas dans la steppe avec ses wagons. Et toi, comment es-tu arrivé jusqu'ici ?

— J'ai fait plonger un de ses complices, dit-il en attrapant soudain Sergueï par les cheveux.

Il le tira hors du bureau en bousculant Oyun et le poussa jusque dans un coin de l'atelier, près d'une grosse bétonneuse.

— Hey, qu'est-ce que tu fais ? hurla Oyun.

— Je veux les noms de toute sa bande.

— Pas comme ça !

Mais Yeruldelgger ne l'écoutait pas. Il lâcha les cheveux de Sergueï qui se redressa pour se défendre, mais le cassa aussitôt en deux d'un crochet au foie. L'autre perdit l'équilibre en suffoquant et le flic en profita pour le pousser tête en avant dans le tambour. Puis il saisit ses jambes dans ses deux bras et les força à l'intérieur de la machine. Sergueï était coincé de telle sorte qu'il ne pouvait plus sortir seul.

— Yeruldelgger, arrête ! cria Oyun.

— Je veux ces noms ! répondit-il en frappant du poing sur l'interrupteur qui commandait l'engin.

Un moteur électrique enclencha aussitôt le mouvement du tambour, roulant à l'intérieur l'homme cul par-dessus tête. Puis Yeruldelgger repéra un tuyau branché sur une arrivée d'eau et braqua le jet à l'intérieur de la bétonneuse. L'eau glacée ajouta à la panique de Sergueï.

— Arrête ça, espèce de fils de…

— Les noms, donne-moi les noms !

Oyun frappa du côté du poing sur l'interrupteur et le tambour s'arrêta net. Yeruldelgger coinça le tuyau d'arrosage entre les jambes de Sergueï qui continuait de hurler des injures, et le temps qu'elle coure couper l'eau, il avait jeté à l'intérieur du tambour une pelletée de ciment et remis la machine en marche.

— Je veux le nom de chacun de tes complices.

— Arrête, Yeruldelgger, arrête ! Comment veux-tu qu'il parle ?

Oyun appuya à nouveau sur l'interrupteur. La machine s'arrêta quelques secondes, le temps que

Yeruldelgger jette dedans une autre pelletée de ciment qui se dispersa comme un nuage et leur asséchait la gorge. Une quinte de toux fit suffoquer Oyun et il en profita pour remettre la bétonneuse en marche.

Le coup de feu résonna dans le hangar et la machine s'arrêta à nouveau. Elle avait tiré dans l'interrupteur et fixait Yeruldelgger d'un regard sans équivoque.

— Quoi, tu me descends si je recommence ?

— Je ne te laisserai pas tuer ce type.

— Qu'est-ce que tu crois ? Je ne l'aurais jamais tué. J'ai besoin de lui pour faire tomber toute la bande.

— Je croyais que tu en avais déjà arrêté un.

— Je n'ai jamais dit ça. J'ai dit que je l'avais fait plonger.

— Qu'est-ce que tu as encore fait ?

— Rien. Il s'est noyé. La glace a cédé, le poids de sa culpabilité sans doute.

— Putain, Yeruldelgger, mais qu'est-ce que tu es devenu ? Regarde-toi ! Que de la haine, que de la colère, que de la violence. Je ne te reconnais plus, tu es devenu comme lui.

— Quoi, comme ce type qui a aidé Erdenbat à faire égorger Colette ?

— Non, comme lui, comme Erdenbat.

Il ne répondit pas tout de suite, aidant sans ménagement Sergueï trempé et transi à s'extraire de la bétonneuse.

— Tu as raison, mais c'est sans doute le prix à payer. Tu sais comment on arrête un incendie dans la taïga ? En brûlant une partie de la taïga loin devant la ligne de feu. Feu contre feu. C'est le prix pour arrêter Erdenbat, Oyun. L'addition est pour moi et je suis prêt à payer.

— Eh bien sans moi. Je trouve de quoi mettre ce type au sec et je l'embarque. C'est moi le flic ici. Toi je ne sais plus ce que tu es, alors tu fais ce que tu veux.

— Ça tombe bien, j'ai à faire justement. Je pars.

— Où ?

— En France, chercher Gantulga, dit-il en s'éloignant déjà.

— Pas la peine de courir jusqu'en France, il est rentré.

— Gantulga est à Oulan-Bator ? Il va bien ?

— Il a été plus mal. Il se remet. C'est un flic français qui l'a ramené.

Elle espéra un instant que la nouvelle allait l'arrêter, qu'il allait revenir vers elle, qu'ils allaient repartir ensemble coffrer Sergueï puis retrouver Gantulga. Mais elle connaissait trop bien Yeruldelgger.

— Parfait, dit-il en quittant le hangar, alors il ne me reste plus qu'Erdenbat.

83

... *Oyun est en train de faire*
une grosse connerie !

— Je vais avoir besoin de mon arme, dit Bathbaatar.

— C'est beaucoup demander. Une raison particulière ?

— L'homme chargé de la sécurité n'est pas à son poste devant chez moi.

Bathbaatar habitait une rue au sud du quartier des ambassades. Un appartement contemporain au rez-de-chaussée d'un grand complexe de standing dans Unesco Street.

— Alors disons que tu es sous ma protection, répondit Zarza en sortant son arme. Ne t'arrête pas. Fais le tour du bloc et on revient. Parking ?

— Oui, la rampe est à gauche de l'entrée.

— Bien.

— D'autres accès ?

— Évidemment.

— Parfait.

Zarza se fit expliquer comment rejoindre l'appartement à partir du parking et prit le volant. Pendant ce temps Bathbaatar fit le tour par une autre entrée de la résidence. Son appartement donnait sur un jardin privatif où il avait installé une yourte traditionnelle. Il sauta par-dessus la palissade et contourna la tente pour entrer dans l'appartement par une large porte-fenêtre qui s'ouvrait grâce à un digicode.

Ils étaient convenus d'entrer chez Bathbaatar par les deux accès opposés. Dès qu'il pensa avoir laissé assez de temps au Mongol pour entrer côté jardin, il se glissa à l'intérieur par la porte principale, l'arme à la main, et explora une à une chaque pièce. Mais l'appartement était vide et tout semblait normal. Sauf que Bathbaatar ne le rejoignait pas. Il se dirigea alors vers le jardin et la porte-fenêtre ouverte mit aussitôt tous ses sens en alerte. La porte de la yourte aussi était ouverte, mais l'intérieur plongé dans l'obscurité. Il bondit de côté pour ne pas rester dans la ligne de mire d'un éventuel tireur embusqué.

— Il y a un méchant là-dedans ? demanda-t-il en anglais.

De l'intérieur une voix lui donna un ordre en mongol.

— Il te dit de poser ton arme avant d'entrer, traduit en anglais la voix de Bathbaatar.

— Ça ce n'est pas gagné, client. Question de survie !

— Question de tradition, répliqua la voix dans un bon anglais. On n'entre pas dans une yourte avec une arme.

— Alors dis-moi pourquoi j'ai comme l'impression que tu n'es pas les mains vides, toi non plus ?

— Qui es-tu ?

— Mon nom est Zarzavadjian, mais tu peux m'appeler Zarza. Et toi ?

— Yeruldelgger. Appelle-moi Yeruldelgger.

— D'accord, c'est cool, Yerul, et on fait quoi maintenant ?

— Tu poses ton arme et tu entres…

— Hors de question, c'est noir comme ton âme là-dedans. Pas envie d'y trébucher contre un flingue. Tu ne me chercherais quand même pas la guerre, Delgger ?

Tout en parlant, Zarza marchait autour de la yourte en accélérant le pas de temps en temps. À l'approche de la porte, il rebroussa chemin. Il n'avait aucun plan et ne bénéficiait plus de la surprise.

— Écoute, Yerul, si on rangeait l'artillerie. On est du bon côté de l'embrouille tous les deux, non ?

— Pas sûr que ce soit si simple. La vie, tu vois, c'est plutôt comme une yourte : tout rond et sans côtés. Ni bons, ni mauvais. Tu es dedans, ou tu es dehors, c'est tout.

— Et merde ! jura Zarza. C'est bien ma chance, un costaud qui se la joue philo. Et si au lieu de chercher à se fumer, on se faisait un petit calumet ? J'ai un cadeau de paix pour toi, je t'ai ramené Gantulga.

— Gantulga est avec toi ?

— Non, mais il est à Oulan-Bator, chez Solongo.

— Tu connais Solongo ?

— Jolie personne. Nous nous sommes rencontrés.

— Que s'est-il passé avec Gantulga ?

— Je l'ai sorti de sa tombe, je l'ai sorti de l'hosto, et je l'ai sorti de France.

— Tu viens de là-bas ? demanda la voix de Yeruldelgger en français.

— D'après toi, avec un accent anglais comme ça, d'où veux-tu que je vienne ?

Il y eut un instant de silence, puis l'intérieur de la yourte s'éclaira, découpant soudain un tapis de lumière sur la neige devant la porte. Zarza comprit le message. Bras en l'air mais l'arme toujours à la main, il entra dans la yourte en prenant garde d'enjamber le seuil du bon pied et de se diriger vers la gauche. Bathbaatar était assis sur un lit de bois décoré, au fond à gauche de la yourte. Mais il était seul.

— Décidément, mauvaise journée pour le chef de la sécurité ! se moqua Zarza en cherchant Yeruldelgger des yeux.

— Ça risque d'être une mauvaise journée pour toi aussi, si tu ne poses pas cette arme, dit Yeruldelgger derrière lui.

Il n'avait jamais été à l'intérieur de la yourte. Il l'avait entendu venir, ou il avait compris qu'il viendrait de la maison. Il avait tourné autour de la yourte en même temps que lui, et maintenant il était dans son dos. Comment avait-il fait pour ne pas voir ses pas dans la neige ?

— Mes pas dans les tiens, dit Yeruldelgger.

— Aussi vite et dans les deux sens ? Gantulga n'avait pas tort. Il m'a dit que tu étais une sorte de ninja. Est-ce que tu miaules comme Bruce Lee quand tu attaques ?

Zarza voulait juste l'énerver. Provoquer le moindre tressaillement qui lui laisserait le temps de réagir. Il ne lui fallait qu'une petite seconde d'hésitation pour le désarmer et le maîtriser. Mais sans le voir, il devina que l'autre restait impassible dans son dos. Il sentit même son regard peser sur sa nuque plus sûrement que le canon d'une arme.

— Bon, okay, Yerul, t'es le king du Shaolin et je m'incline, dit-il en posant son arme à terre. Et maintenant, tu vas nous tenir en respect depuis l'extérieur, ou tu vas entrer armé dans la yourte ? demanda Zarza en allant s'asseoir à côté de Bathbaatar.

— J'ai un peu perdu le sens de l'honneur et des traditions ces derniers temps, répondit Yeruldelgger en entrant à son tour.

— Très bien, s'énerva Bathbaatar en mongol, maintenant que les présentations sont faites, tu peux m'expliquer ce que nous faisons ici tous les trois ?

— Hey, est-ce que nous pouvons tous parler la même langue, que tout le monde se comprenne ? coupa Zarza.

— Je suis là, dit Yeruldelgger en anglais, parce que dans une très sale affaire où une amie à moi est morte, et où deux gosses ont disparu, tout mène à toi, Bathbaatar.

— Ce n'est pas ce que tu penses. Demande au Français.

Zarza expliqua à Yeruldelgger ce qu'il avait rapporté un peu plus tôt à Bathbaatar. Les recruteurs, le trafic humain depuis Krasnokamensk, la filière française, les petits voleurs, le butin qui revient par train vers la Mongolie. Restaient deux points à éclaircir : la destination finale du butin, et l'assassinat de Batguerel.

— Tu te souviens de notre première rencontre à propos de ton enquête sur le mort de l'Otgontenger ? demanda Bathbaatar à Yeruldelgger. C'était un de mes hommes infiltré chez les militaires. Ça fait un bout de temps que nous soupçonnons une partie de l'état-major de s'enrichir illégalement. Si tu voyais les villas que ces militaires ont réussi à s'offrir dans le quartier de Zaïsan ! Nous avons identifié pas mal de mouvements suspects de marchandises au départ de Choybalsan vers la Russie.

— C'est ce que je n'arrivais pas à comprendre, en France, dans ce dossier, coupa Zarza. Les marchandises volées en Europe partaient en fait dans des wagons plombés sous douane pour la Chine. Mais la ligne directe pour la Chine ne passe pas par Choybalsan, n'est-ce pas ?

— Non, répondit Yeruldelgger, mais sur l'homme de l'Otgontenger, nous avons trouvé une clé USB avec des photos de quelques wagons isolés sur un embranchement désaffecté de la voie ferrée qui va en Chine.

— Alors ça coïncide, dit Bathbaatar. Les wagons sous douane pour la Chine, en provenance d'Europe, sont discrètement isolés en Mongolie. C'est là que nos militaires interviennent. Ils récupèrent la marchandise et la transportent jusqu'à Choybalsan où elle remonte en train vers la Sibérie. C'est en faisant payer ce transfert qu'ils s'enrichissent. Personne ne pense à contrôler les vols militaires.

— Mais pourquoi ce détour par la Mongolie ?

— Parce que si la marchandise remonte par Choybalsan ça veut dire que le trafic est entre les mains de la pègre de Sibérie. Irkoutsk, probablement. L'astuce des wagons scellés sous douane pour la Chine leur permet deux choses : échapper aux corruptions douanières russes et mongoles, et surtout échapper aux autres pègres de Russie occidentale.

— C'est quand même sacrément compliqué pour un trafic si marginal, nota Bathbaatar. Et puis il faut sûrement arroser des officiels tout au long du chemin. Ne serait-ce que pour justifier la substitution des wagons auprès de la douane chinoise par exemple. C'est beaucoup de tracas pour pas grand-chose.

— Détrompe-toi, répondit Zarza, j'ai eu l'occasion d'étudier l'aspect financier de ce trafic. Les enquêteurs, chez nous, ont estimé que la bande du Havre, à elle seule, expédiait pour environ deux cent cinquante mille euros de marchandise volée par mois. Ça fait trois millions d'euros par an. Et on a découvert une autre bande en Touraine, une autre région de France. Comme il n'y a aucune raison de penser que seule la France est impliquée, imaginons qu'une dizaine d'équipes fonctionnent en Europe. Ça fait un trafic de trente millions d'euros par an. Si tu appliques la règle mafieuse des trois tiers : un tiers pour les pots-de-vin, un tiers pour la logistique, et un tiers pour les profits, ça fait de quoi arroser beaucoup de monde, et offrir de belles villas à vos militaires.

— En tout cas, ça expliquerait leur détermination, murmura Yeruldelgger.

— Que veux-tu dire ?

Il leur raconta l'attaque de leur hélico par un engin de l'armée à son retour de Mardaï, et les commandos lancés à sa poursuite dans les bois. Zarza apprit alors à Yeruldelgger qu'il avait repéré sur une photo de la scène de crime du chalet du professeur le mot « soldats » dessiné en arménien dans la neige.

— Je crois qu'ils ne maîtrisent plus rien, murmura

Bathbaatar, et ce sont des militaires. Quand ils partent en vrille, ils ne savent réagir que par la force…

— Et pour l'autre question, coupa Zarza, pour le meurtre de Batguerel ?

— Ce meurtre ne peut viser qu'une seule personne, confessa Bathbaatar. Moi !

Mais il ne put en dire plus. Son portable sonna et dès qu'il eut raccroché, il regarda Yeruldelgger quelques secondes droit dans les yeux en silence avant de parler.

— Je crois qu'Oyun est en train de faire une grosse connerie !

84

... peu à peu, en toute conscience.

— Je veux en croquer aussi, dit Oyun en plantant son regard dans celui du général.

L'homme la regarda sans répondre. Elle l'avait appelé et il l'avait invitée à le rejoindre dans sa magnifique villa de Zaïsan. De l'autre côté de la bibliothèque à l'anglaise où il la recevait, la piscine intérieure passait sous une baie vitrée pour se prolonger à l'extérieur dans le jardin enneigé. Une jeune femme au corps magnifique nageait doucement dans l'eau effilochée de fumerolles.

— Je veux un peu de tout ça, vous comprenez ?

— Je ne vois pas de quoi tu parles, petite sœur.

— Évite ce ton condescendant avec moi, général, tu n'as rien du bon grand-père.

— Tu m'en veux encore pour l'épisode de la cagoule ?

— Je ne t'en veux pas. Je veux ce que tu as. Une part en tout cas.

— Pour quelqu'un qui a déjà le sang d'au moins deux de nos hommes sur les mains, je te trouve bien arrogante.

— Ils étaient là pour me tuer. Sur tes ordres probablement. Comme les autres d'ailleurs.

— Encore une fois je ne vois pas...

— Le mort de l'Otgontenger, j'ai la preuve que c'est vous. Le trafic de marchandises grâce aux hélicos de l'armée, j'en ai la preuve aussi. L'élimination d'un de mes hommes par des membres des forces armées sur un des lieux de transfert, j'en ai la preuve aussi. Et en vidéo. Tu vois un peu mieux maintenant ?

— Je vois... Et donc tu veux quoi ?

— En être.

— Mais tu n'es même pas militaire.

— Je suis flic, c'est tout comme, non ?

— Rien à voir. Vois-tu, jeune fille, tout ceci n'est pas le racket que tu crois. C'est une affaire d'honneur. Notre honneur. Sais-tu que ce pays qui fut le plus grand empire militaire de toute l'histoire de l'humanité est sur le point de renoncer à son armée ?

— Bien sûr que j'en ai entendu parler, mais reconnais qu'avec la Chine ou la Russie comme seuls ennemis potentiels, on peut honnêtement se demander à quoi vous serviriez en cas de conflit.

— Il ne s'agit pas de conflits ou d'ennemis. Il s'agit du mépris de la nation pour ceux qui se sont dévoués à sa construction et à sa défense. Des élus civils qui proposent la dissolution de l'armée et la démilitarisation du pays, voilà de quoi il s'agit. Alors nous nous payons avant d'être jetés. Nous prenons notre dû, c'est aussi simple que cela.

— Ça ne change rien à ma demande. Combien prenez-vous par an ? Un million, deux millions de dollars ?

— Nous prenons ce qui nous semble la juste rémunération que la nation nous doit.

— Un million, deux millions de dollars ? répéta Oyun.

— Tu n'y es pas, nous ne sommes pas des voleurs. Nous partageons une enveloppe de cinq millions de dollars entre un certain nombre d'officiers supérieurs pour nous garantir un avenir correct en cas de démilitarisation. Dans un pays où huit des dix plus grosses fortunes sont détenues par des élus politiques, je pense que nous n'avons de leçons de morale à recevoir de personne.

— Peut-être de la famille de l'officier des renseignements que vous avez assassiné dans l'Otgontenger, tu ne crois pas ?

— Nous sommes des militaires. Nous n'assassinons pas. Nous éliminons des cibles qui constituent des dangers.

— En les laissant mourir paralysées par une piqûre de penthotal ? De toute façon ce n'est pas la question. J'oublie ce que je sais en échange d'une part du gâteau. Et d'ailleurs, qui vous paye ?

— Il va falloir choisir, Oyun. Tu veux une part, ou tu veux savoir ?

— Je veux savoir d'où viendra ma part.

— De moi, et ça s'arrête là. Mais pour ça je veux que tu mettes fin aux deux enquêtes nous concernant en éliminant Yeruldelgger. Cet enragé va finir par remonter jusqu'à nous et il n'est pas aussi cupide que toi. Il l'a montré par le passé, cet imbécile est prêt à tout pour défendre sa morale. Tu dois l'éliminer. Après tout, tu t'es bien débarrassée de Slava et Gourian, non ? Alors fais de même avec lui et tu auras mérité ta part.

— Pourquoi ne vous chargez-vous pas vous-même de Yeruldelgger ?

— Nous avons essayé.

— Le meurtre de la fille pour le piéger au Mongolia, c'était vous ?

— Non. Nous n'avons rien à voir là-dedans. Nous avons essayé de l'intercepter du côté de Mardaï, mais...

Oyun devina une certaine agitation du côté de la piscine. La jeune femme sortit de l'eau à l'extérieur de la villa et un homme vint l'envelopper dans un drap de bain pour l'entraîner vers le jardin en surveillant Oyun du coin de l'œil. Un autre homme entra dans la bibliothèque et s'approcha du général en bravant son regard courroucé. Il murmura quelques mots à son oreille et Oyun aperçut l'éclair de fureur dans le regard du gradé. Il se leva de son fauteuil, sortit une arme de sa poche et la braqua sur elle en l'injuriant.

Oyun chercha à sortir celle qu'elle dissimulait dans son dos, mais deux hommes qu'elle n'avait pas entendus entrer la saisirent par-derrière et l'immobilisèrent. Le général sortit alors une sorte de plumier en bois précieux d'un tiroir de la table basse et en tira une seringue qu'il vint planter dans le cou de la jeune femme. Elle sombra aussitôt dans un état nauséeux et sentit son corps l'abandonner, peu à peu, en toute conscience.

... pour sauver l'inspecteur Oyun.

Tout le monde vit le général s'approcher la seringue à la main, puis l'image s'agita, ne montrant plus que des fragments de son torse et un éclat de son regard fou. Soudain la neige envahit les écrans en grésillant, et tout Oulan-Bator resta sidérée par la violence de ce qui venait d'être diffusé en direct.

La rumeur s'était répandue dans toute la ville à partir d'une retransmission en direct sur le Net. Une à une les chaînes de télévision s'étaient branchées dessus et, des gargotes du marché aux voitures aux salles de gym huppées d'Olympic Street, des condominiums du quartier des ambassades aux yourtes parabolées des quartiers nord, tout le monde était resté éberlué par ce qui se disait à l'écran. Quand l'image disparut, personne n'osa bouger, chacun se demandant si ce qu'il venait de voir et d'entendre était bien réel. Quand l'image revint, le doute ne fut plus possible. À l'écran apparurent les visages d'un jeune couple à bord d'une voiture bardée d'appareils électroniques. L'homme inquiet démarra trop brusquement et la voiture rebondit contre le bord d'un trottoir avant de prendre de la vitesse. À ses côtés, la jeune femme se retint d'une paume au plafond en tentant de garder son micro à portée de bouche de l'autre. La caméra qui la filmait devait être fixée sur le tableau de bord.

— Ici Saraa et Steeve, de Chanel Ovooïd. Ce que vous venez de voir est une confession enregistrée en caméra cachée par l'inspecteur Oyun en mission d'infiltration chez un général de nos forces armées. Je vous en prie, prévenez la police et les forces de l'ordre d'intervenir au plus vite pour sauver l'inspecteur Oyun.

86

Incontrôlable, et de nouveau introuvable.

Bathbaatar, Yeruldelgger et Zarzavadjian arrivèrent sur les lieux juste après les premières forces de police locale. Le chef des services secrets s'identifia et fit repousser tout le monde, police comprise, dans un rayon de vingt mètres autour de l'appartement du général. Ils découvrirent Oyun immobile à l'intérieur, consciente mais paralysée. Ils trouvèrent la caméra espion écrasée à côté d'elle, et le relais transmetteur un peu plus loin, fracassé lui aussi. Zarza se pencha pour prendre son pouls.

— Ce salaud lui a administré du thiopental, expliqua Yeruldelgger. Ils ont déjà tué au moins deux fois de cette façon : ton homme des services secrets qu'on a retrouvé dans l'Otgontenger, et mon témoin de l'affaire après l'incendie de son musée.

— Le soin chrétien, murmura Zarza en anglais. Les Argentins ont éliminé des milliers de personnes de cette façon en les balançant de nuit, paralysés mais conscients, depuis des avions militaires dans le Río de la Plata. Les quelques médecins qu'on a jugés pour ces injections fatales se sont défendus en arguant que les piqûres n'avaient tué personne, comme leur foi chrétienne le leur interdisait.

— Comment tu sais ça, toi ?

— L'armée française l'a utilisé pendant la guerre d'Algérie comme moyen de torture. C'est nous qui avons formé les forces spéciales uruguayennes, qui ont ensuite formé les tortionnaires argentins. Et il m'est arrivé de l'utiliser en mission. En intraveineuse, le thiopental sodique agit en quarante secondes, mais les effets se dispersent assez rapidement au bout de quelques heures. J'ai peur qu'ils n'aient pas pris le soin de viser une veine. S'ils ont piqué une artère, les complications sont aussi dangereuses que douloureuses. Il faut absolument envoyer Oyun à l'hôpital.

— J'ai déjà demandé les secours, précisa Bathbaatar pendant que plusieurs de ses hommes entraient dans l'appartement.

Il en renvoya aussitôt deux dehors. Il avait identifié la caméra comme un modèle de la Shenzen FXT Technology, un gadget d'amateur à moins de cinquante dollars sur Internet. Une portée sans fil de cent mètres maximum sans obstacle. Pas plus de quelques dizaines à travers les murs d'un appartement. Pour récupérer les signaux audio et vidéo et les amplifier sur place avant de les diffuser à travers le Net, Saraa et Steeve ne devaient pas être loin.

— Je veux ses complices. Quant à elle, elle va à l'hosto sous escorte et au secret. Elle est en état d'arrestation pour corruption active et conspiration contre l'État tant que je n'ai pas éclairci tout ça.

— Qu'est-ce que c'est que ces conneries, de quel droit tu fais ça ? protesta Zarza quand Yeruldelgger lui eut traduit.

— Toi, tu es un agent étranger entré officieusement sur notre territoire, alors tu n'es pas vraiment en position de me donner des leçons de droit. Tu es en état d'arrestation pour espionnage toi aussi, continua Bathbaatar en sortant l'arme que lui avait rendue Yeruldelgger en partant de son appartement.

— Et moi ? demanda Yeruldelgger.

— Pareil. On t'accuse de plusieurs meurtres de l'autre côté de la frontière ainsi que d'avoir tué plusieurs soldats de ce côté-ci. Et puis tu as vu la vidéo comme moi. C'est ta fille et son mec qui ont aidé Oyun à monter tout ce bordel. Ça fait beaucoup d'impliqués qui ont un lien direct avec toi, tu ne trouves pas ?

Deux agents armés en civil s'approchèrent pour s'emparer de Zarza.

— Tu ne crois pas que nous devrions d'abord chercher ton général corrompu et ses acolytes ?

— Mes hommes s'en occupent. Apparemment ils ne nous ont pas attendus. Ils ont levé le camp en vidant deux coffres et en abandonnant sur place femmes et enfants.

— Ce sont des militaires, expliqua Yeruldelgger. Ils devaient avoir un plan de repli très organisé et ils ont des moyens logistiques importants. Il faut surveiller tous les vols militaires.

— Tu la fermes, Yeruldelgger. Tu es en état d'arrestation. Ce n'est plus ton enquête.

Soudain Zarza se mit à tituber. Le temps d'un instant il devint un poids mort pour les deux agents qui le maîtrisaient.

— Dis-leur que j'ai besoin d'un médicament, murmura-t-il à Yeruldelgger qui traduisit aussitôt, il est dans ma poche.

Les hommes interrogèrent Bathbaatar du regard. Il s'avança pour fouiller Zarza et sortit un tube qu'il tendit sous son nez en écarquillant les yeux pour lui demander s'il s'agissait bien de ça. Zarza hocha la tête et un des hommes lui libéra un bras pour qu'il avale le cachet. Mais ses jambes le trahirent à nouveau et les deux agents durent le retenir. Il tremblait maintenant et s'adressa à Yeruldelgger en bredouillant.

— Qu'est-ce qu'il dit ?

— Il dit qu'il faut l'amener à l'hosto le plus vite possible.

Yeruldelgger n'avait pas tout traduit mais Bathbaatar n'eut pas le temps de s'en inquiéter.

— Oh putain, regardez son visage, il devient tout rouge !

— Il est couvert de pustules ! hurla l'autre agent en lâchant Zarza qui s'effondra en convulsant.

— J'espère que ce n'est pas contagieux, sa saloperie.

— La vache, il bave partout !

— Bathbaatar, on a l'ambulance pour la fille, qu'est-ce qu'on fait ?

— On les met tous les deux dedans et on les embarque à l'hosto. Et toi tu restes avec eux.

— Attends, je ne m'enferme pas dans une ambulance avec ce type sans savoir si c'est contagieux.

— Si c'est contagieux t'es déjà contaminé, imbécile, ça fait dix minutes que tu es contre lui !

— Putain, c'est pas vrai, il ne peut pas nous dire ce qu'il a, ce con-là, qu'on sache au moins ?

— Yeruldelgger ? demanda Bathbaatar en se retournant, demande-lui…

Mais Yeruldelgger n'était plus là.

Bathbaatar fulminait. Un instant il avait bien cru tout maîtriser. Il avait neutralisé ce fouille-merde de Yeruldelgger, et Oyun lui apportait sur un plateau le démantèlement du réseau mafieux de militaires sur lequel il travaillait depuis des mois. Il avait été à deux doigts de réussir. Les élections présidentielles approchaient. Il avait été le bras vengeur de la nouvelle République avec l'enlèvement en France de l'assassin d'un leader prometteur, il avait été le justicier de la précédente élection en envoyant un ancien Président en prison pour corruption, et il faisait tomber aujourd'hui tout un pan de l'armée impliqué dans un scandale de trafics cupides. Un court instant il avait pu croire tenir dans ses mains les rênes qui le conduiraient au pouvoir. Le candidat populaire par excellence. Dévoué envers son pays jusqu'à mettre sa vie en péril et faire de la prison pour lui, fier de sa mission au point de n'avoir peur d'aucun puissant, et courageux jusqu'à s'attaquer à l'armée. D'autres ailleurs, sortis de la même ombre, avaient connu le même parcours avec bonheur. Il voulait être le Poutine de la Mongolie pour reprendre le pays d'une main forte et il ne voyait plus qu'un seul obstacle à cette ambition. De son poste de chef de la Sûreté nationale, il pouvait tout gérer. Les enquêtes, les preuves, les polices. Il suffisait qu'Oyun meure pour qu'il s'attribue la chute des militaires. Il lui serait facile d'expliquer la manipulation de ses complices. Le Français allait être une excellente monnaie d'échange pour que les services de De Vilgruy mettent l'étouffoir sur l'affaire du MacDo. Restait Yeruldelgger. Incontrôlable, et de nouveau introuvable.

... rester près d'elle pour la rassurer.

L'ambulance remonta Zaïsan Street puis Chinggis Avenue vers le nord toutes sirènes hurlantes, paniquant le trafic des éclats affolés de ses gyrophares. Elle fila sur Peace Bridge et vira à droite sur Peace Avenue sans s'inquiéter ni des feux, ni des bus lancés à travers le carrefour. Puis elle enfila toute l'avenue vers l'est, passant le Sogondo Hospital sur sa droite, puis le Lonsoi Hospital, le First Maternity Hospital, la State Polyclinic n° 2 sur la gauche, l'hôpital derrière la Russian School, l'hôpital de district de Bayanzurkh, et au passage du rond-point du Lion de Bankhar, au confluent de Peace Avenue et de Narnii Road, elle éteignit soudain sirène et gyrophares et fit plusieurs fois le tour du rond-point pour s'assurer de ne pas avoir été suivie avant de continuer vers la sortie de la ville.

Un kilomètre plus loin Zarza s'arrêta sur le bas-côté, le long d'un immense terrain vague planté de transformateurs électriques. Il descendit les corps des ambulanciers et du flic assommés et les attacha au grillage de protection d'un des transformateurs. Puis il programma en cyrillique dans le navigateur de l'ambulance l'adresse de Solongo et rejoignit la yourte. Gantulga éclata de rire en voyant son visage boursouflé de pustules, mais Solongo s'en inquiéta.

— Intolérance aiguë mais pas sévère à l'aspirine, expliqua-t-il en russe à Gantulga pour qu'il traduise à la jeune femme. Un peu de cortisone fera l'affaire. Mais c'est plus grave pour Oyun.

Avant même de voir le visage de Gantulga se décomposer, Solongo avait deviné le nom d'Oyun et se précipita vers l'arrière de l'ambulance.

— Thiopental sodique, annonça Zarza, mais je ne connais pas la dose. Piqûre dans le cou. Pas dans l'artère j'espère.

Solongo prit aussitôt les choses en main. La savoir consciente et impuissante à la fois, entièrement livrée aux autres sans rien pouvoir communiquer, lui donnait une idée de l'angoisse qui devait étreindre Oyun. Elle la fit porter dans la yourte, l'allongea sur son lit, la couvrit de couvertures, et expliqua à Gantulga l'état dans lequel elle se trouvait. Elle serait de retour dans une heure avec ce qu'il fallait pour la soigner. Il devait impérativement rester près d'elle pour la rassurer.

88

Autant par peur que par pitié.

Plusieurs 4 × 4 de luxe convergèrent dans la nuit vers Peace Avenue et Narnii Road pour sortir de la ville en panique par l'est. Des officiers et des gradés abandonnant dans la seconde des amis au cœur d'une fête joyeuse, une maîtresse essoufflée dans des draps défaits, une femme en pleurs retenant les enfants terrorisés. Le code avait vibré sur leur portable. C'était la fuite ou la honte. La disgrâce, la prison, l'humiliation. Ils fuyaient comme des militaires, selon le plan et en bon ordre, sans états d'âme pour tous ceux qui n'étaient pas sur la liste et qui allaient trinquer pour eux. Ils abandonnaient en quelques secondes honneur, famille, carrière, pour embarquer à bord d'un transport de troupe silencieux et muet vers un avenir obscur.

Ils se retrouvèrent dans la nuit glacée sur l'ancienne et fantomatique base aérienne soviétique de Nalayh, isolée à quarante kilomètres à l'est de la capitale. Une de ces bases qui avaient fait la force de l'armée aux temps de la coopération fraternelle soviétique, et que la démocratie nouvelle laissait se déliter dans l'oubli et l'abandon. Au carrefour avec la route, avant de piquer sur la droite vers les pistes à un kilomètre de là, un soldat dévoué au service du général attendait pour leur indiquer l'aire de stationnement de l'hélico et s'assurer qu'ils feraient le dernier kilomètre tous feux éteints. Chaque homme en arrivant abandonnait, portière ouverte, la luxueuse berline européenne ou le 4 × 4 japonais qui avait fait sa fierté et celle de sa famille et se dirigeait en silence vers la carlingue sombre et sinistre de l'hélico. Un soldat silencieux les aidait à y grimper. Ils y pénétraient résignés comme on entre dans la gueule béante d'un monstre pour y être englouti. Tous s'asseyaient alors à l'intérieur, le long de la carlingue, l'air lugubre. Certains fixaient les autres droit dans les yeux, avec l'arrogance de la colère, mais la plupart perdaient leur regard dans le vide qu'allait devenir leur vie dans les heures à venir. Chacun gardait à portée de main une sacoche ou une mallette dans laquelle il avait entassé ce qu'il espérait encore pouvoir sauver, en plus de sa vie.

La base de Nalayh offrait aux MiG soviétiques de l'époque deux pistes parallèles de deux kilomètres. Son réaménagement avait même été envisagé pour en faire le nouvel aéroport de la capitale. Mais les spéculateurs avaient misé sur un autre projet à l'ouest de la ville, plus rentable pour les entrepreneurs qu'ils manipulaient. L'hélico était parqué à l'extrémité orientale de la piste sud, le nez déjà pointé vers les anciennes mines de Baganur qu'ils allaient devoir survoler, à soixante-dix kilomètres de là, avant d'espérer atteindre Mardaï, quatre cents kilomètres plus loin.

En pleine nuit, tous feux éteints, le lourd bourdon blindé s'arracha du tarmac sans attendre le dernier retardataire qui jaillit une minute trop tard de sa Mercedes dernier modèle. L'homme courut sur la piste comme s'il espérait rattraper l'appareil, puis sortit son arme et tira de rage sur l'hélico avant d'être abattu par une sentinelle affolée. L'appareil se dirigea alors vers l'est en frôlant les reliefs pour voler sous la couverture des radars. Quatre heures plus tard, constatant une perte de pression dans un système de commande, le pilote se posait en catastrophe dans une clairière des contreforts orientaux du Khentii, au sud de la rivière Oron, à cent kilomètres de son objectif. Malgré l'arme de service du général sur sa nuque, il refusa de redécoller, arguant de la certitude d'un crash. La panique gagna aussitôt les fugitifs. La plupart avaient été surpris par la débâcle encore habillés en civil. Très peu étaient équipés pour survivre à une nuit d'hiver dans la montagne.

Deux jours plus tard, alertées par un trappeur bouriate, les forces de sécurité survolèrent la clairière et découvrirent le massacre. Douze cadavres à moitié nus, plus le pilote une balle dans la nuque. La logique de la scène s'imposa à eux dans toute son horreur militaire. Certaines victimes avaient été exécutées. Aucune n'était armée, et quelques mallettes ouvertes laissaient deviner qu'elles avaient été pillées. Ils n'eurent aucun mal à reconstituer le drame. L'atterrissage en panique en pleine forêt, dans la nuit et le blizzard. La peur de certains, l'entêtement suicidaire des autres, les insultes, les menaces, la panique, et dès que le premier sort une arme, une première fusillade. Puis les deux clans. Ceux partisans d'avertir les secours et de se rendre, et les autres, déterminés dans leur logique militaire. Sacrifier pour survivre. Ceux-là prennent aussitôt le dessus, car ils avaient eu le réflexe de partir de chez eux armés, et les autres deviennent aussitôt à leurs yeux des traîtres à la cause, des traîtres au groupe. Des déserteurs. Ils sont regroupés et exécutés, puis dépouillés de tout ce qui peut servir à la survie du groupe. Vêtements et richesses.

Plus tard, les secours repérèrent leurs traces. Elles sortaient de la clairière vers le sud-est, probablement dans l'espoir de rallier Mardaï. L'officier en charge appela son quartier général à Oulan-Bator pour joindre Bathbaatar de toute urgence. On lui fit savoir qu'il était en mission spéciale, mais il insista et Bathbaatar le rappela directement. Quand il eut une idée claire de la situation, il ordonna à l'officier de préparer un assaut conjoint de la police et des forces de sécurité sur Mardaï. Surtout sans y impliquer les militaires. Il était temps de reprendre ce bastion de non-droit et de montrer à la nation qu'il était bien l'homme providentiel qu'elle attendait pour remettre de l'ordre dans ce pays. Il ordonna aussi aux hommes sur le terrain de traquer tous les fuyards, jusqu'au dernier.

L'officier prit toutes les dispositions par radio puis commanda au pilote de suivre la direction des traces pour repérer les fugitifs. Il ordonna un survol circulaire de la zone pour vérifier si les fuyards n'avaient pas dévié de leur route ou changé de direction. C'est au sud qu'il aperçut les pistes des loups. Trois, de dizaines d'individus chacune. Puis deux autres, au nord, beaucoup plus importantes encore. Jamais il n'avait entendu parler d'une telle meute. Celle-là comptait plusieurs centaines de bêtes.

Deux kilomètres plus loin, ils découvrirent une clairière détrempée de sang et de neige piétinée par quelques hommes et des centaines de bêtes. Des traînées rouges montraient qu'une demi-douzaine de corps avaient été tirés hors de la clairière par la meute. Seul gisait au milieu des traces du carnage le corps déchiqueté du général, veillé par un grand loup assis qui regardait l'hélico se fixer au-dessus de lui en vol stationnaire. Quand il se leva pour regagner la forêt, l'officier vit qu'il marchait avec peine, boitant d'une patte arrière et d'une patte avant, le corps meurtri de blessures encore ouvertes. L'homme l'acheva d'un coup de fusil. Autant par peur que par pitié.

89

Je n'abandonne pas ma partenaire, moi.

— Je vais les paniquer un peu, avait murmuré Zarza en français avant de se couvrir de pustules. Essaye d'en profiter pour t'éclipser. Je m'occupe d'elle.

Il avait suivi son conseil et profité de la confusion pour disparaître par l'arrière de la villa.

— Hey, tout le monde se tire, il y a un truc contagieux dans la baraque, avait-il crié à l'homme qui gardait la porte-fenêtre.

Il avait fait mine de repartir en panique et l'homme s'était précipité à sa suite.

Il était ensuite sorti par les jardins pour revenir se mêler discrètement à la foule, le temps de croiser le regard de Zarza qu'on embarquait dans l'ambulance avec Oyun, et de comprendre que le Français gardait la maîtrise de la situation. La zone devenait de plus en plus chaotique avec l'arrivée sur place des premières télévisions, de tous les services de police et des badauds. Il profita du désordre pour s'approcher de la maison d'un voisin. L'homme et toute sa famille, emmitouflés dans des duvets et des couvertures, observaient la scène depuis le porche de leur villa.

Yeruldelgger sortit sa carte et dit à l'homme qu'il allait devoir réquisitionner une de ses voitures, en montrant de la tête la triple porte du garage.

— La mienne est bloquée au milieu de ce bordel médiatique et je dois absolument aller perquisitionner de toute urgence chez un complice du général.

Comme l'homme hésitait, il insista d'un « Maintenant ! » sans appel et se fit remettre les clés d'un RAV4 Toyota pendant que la porte du garage se soulevait lentement.

Il se dirigea aussitôt vers l'appartement de Saraa et repéra vite les hommes de Bathbaatar en planque dans une voiture au pied de l'immeuble. En signant leur exploit d'un « Channel Ovooïd », Saraa et Steeve s'étaient laissé peu de chances d'échapper à la tempête. Il fit un premier passage sans ralentir et remarqua l'agitation de quelques silhouettes derrière les fenêtres allumées de l'appartement. Il se gara discrètement un peu plus loin et vit plusieurs hommes sortir de l'immeuble chargés d'ordinateurs et de matériel vidéo qu'ils entassèrent dans le coffre de deux voitures banalisées. Après deux autres voyages, les lumières s'éteignirent dans l'appartement, et deux équipes de trois hommes embarquèrent à bord des véhicules et quittèrent le quartier, ne laissant sur place que la première voiture de surveillance que Yeruldelgger avait remarquée en arrivant. Donc Saraa et Steeve n'étaient pas encore revenus à leur appartement et les hommes de Bathbaatar les attendaient. Il réfléchit à la situation. La sécurité devait tout savoir de lui et des siens. Lieux de résidence, téléphones, courriel. Le temps que Bathbaatar gère l'urgence de la situation, et il remonterait vite jusqu'à Solongo. Par ailleurs, si le Français avait bien fait ce qu'il pensait, il ne pouvait amener Oyun que chez Solongo, que ce soit à la yourte ou à l'hôpital, et là encore, Bathbaatar allait leur remettre la main dessus. Au risque de se faire repérer, Yerul-delgger envoya un message sur le portable de Saraa, et quitta le quartier pour aller chez Solongo. En route, il lui laissa le même message qu'à Saraa.

Il passa quand même à la yourte en vérifiant qu'elle n'était pas encore sous surveillance et entra pour retrouver le Français en compagnie d'Oyun et de Gantulga. Il leur expliqua qu'ils devaient partir au plus vite et que Solongo saurait où les rejoindre. Il demanda à Zarza de l'aider à porter Oyun dans l'ambulance et de rester avec elle, puis fit signe à Gantulga de monter à l'avant avec lui. Mais le gamin se détourna pour courir rejoindre Oyun.

— Je n'abandonne pas ma partenaire, moi.

90

... dans l'ambulance qui démarrait déjà.

— Je suis désolé, dit-il, je ne savais pas où aller.

Elle avait tant maigri. Il devinait son corps en transparence dans sa longue chemise de nuit devant la fenêtre. Dehors une lune argentée moirait la neige de reflets satinés. Elle ne se retourna pas. Elle ne se retournait plus. Elle ne parlait plus. Il supposait que dans son âme enivrée de chagrin, elle attendait toujours le retour de Kushi. Elle ne l'espérait pas, elle l'attendait, à la fenêtre toute la nuit, et le matin le sommeil la laissait affalée à même les tapis. Yeruldelgger l'avait tant aimée et il l'aimait encore tant. Mais Uyunga s'était réfugiée loin de lui dans une vie rêvée qui lui échappait. Loin de lui et de tous les autres, seule avec sa petite Kushi qu'elle attendait jour et nuit.

Il referma doucement la porte et rejoignait le salon quand Solongo arriva, bientôt suivie par Saraa et Steeve. Chacun se serra fort dans les bras en silence, puis tous se tournèrent vers Oyun, installée sur un sofa sous de lourdes couvertures. Solongo remarqua les larmes dans les yeux de Yeruldelgger et posa sur son bras une main aimante que chacun fit mine de ne pas voir.

— Comment va-t-elle ? demanda-t-il en détournant le regard.

— Ça va aller, murmura-t-elle. Le corps gère plutôt bien le thiopental. Les effets devraient se dissiper sans séquelles d'ici six à dix heures. Il faut juste l'aider à bien éliminer. Par chance ils l'ont piquée dans la veine, pas dans l'artère. Ça évite les complications.

— Et pour Zarza, demanda Gantulga, tu as quelque chose ?

— Pas besoin. C'est juste une sorte d'allergie. Il sait gérer ça, c'est lui-même qui se l'est provoquée. Ça aura disparu dans quelques heures.

— Écoutez, dit Yeruldelgger, on range les voitures dans le jardin derrière les palissades, et tout le monde reste ici le temps de voir la tournure que prennent les événements. Cette maison appartient à Erdenbat et c'est le dernier endroit où ils viendront nous chercher. Alors personne ne bouge. Même pas toi, Gantulga. Et vous deux, qu'est-ce qui vous a pris de monter cette affaire dans votre coin avec Oyun ? Vous vous rendez compte que c'est une histoire à faire tomber le gouvernement ?

— On l'a fait parce qu'il y avait urgence et qu'encore une fois tu n'étais pas là, répliqua Saraa avec violence, le regardant droit dans les yeux. Oyun est ta partenaire et tu n'étais pas là. Tu n'étais pas là pour elle, tu n'étais pas là pour moi, tu n'étais pas là pour maman, tu n'étais pas là pour Kushi à l'époque…

Saraa se tut soudain, saisie par les regards des autres qui la transpercèrent. Quand elle comprit qu'ils n'étaient pas pour elle, elle se retourna doucement et vit Uyunga, sa pauvre mère, maigre et fantomatique dans l'encadrement de la porte.

— Que faites-vous tous ici ? C'est pour ma petite Kushi ? On a des nouvelles de Kushi ? Vous l'avez retrouvée ? Où est-elle ? Où est Kushi ?

C'était la première fois qu'Uyunga parlait depuis six ans, depuis la mort de Kushi, et elle devint soudain hystérique.

Comme ce jour-là. Comme ce maudit jour-là. Voilà qu'elle reprenait sa vie exactement à l'endroit où un chagrin déchirant l'avait jetée dans la folie. Ils durent se mettre à plusieurs pour la maîtriser et Solongo réussit à lui administrer un sédatif. Yeruldelgger ne laissa à personne d'autre le soin de la porter dans sa chambre.

Il en ressortit une heure plus tard, sans un mot, et s'effondra dans un fauteuil. Saraa avait allumé la télévision en baissant le son au maximum, pour suivre les flashs d'actualité. Toutes les chaînes ne parlaient que de l'affaire des militaires. Les aveux volés du général par Oyun passaient en boucle, entrecoupés par des interventions de politiciens ambitieux et scandalisés, des déclarations de militaires blindés dans leur honneur bafoué, et de quidams écœurés par tout ce cirque. Soudain l'image montra plusieurs corps dans la neige, et le visage du commissaire Akounine apparut en médaillon dans un coin de l'écran. Yeruldelgger se précipita sur la télécommande pour monter le son.

… huit heures ce matin. Vingt-neuf morts au total dont dix membres de différents services de la police de Krasnokamensk, sept agents des services secrets russes, huit figures notoires de la pègre locale et plu-

sieurs civils. Le forcené, Borislav Akounine, était commissaire de police et natif de Krasnokamensk, ce qui pourrait expliquer la précision avec laquelle il a abattu chacune de ses victimes et l'acharnement avec lequel il les a traquées pendant plusieurs heures. Il a été abattu à son tour par les forces spéciales chargées de la surveillance du camp YaG 14/10 venues en renfort alors qu'il sortait du commissariat central dans ce qui ressemble fort à un suicide policier.

Les témoins affirment en effet qu'Akounine est sorti de l'immeuble une arme dans chaque main, sans chercher à se mettre à couvert, en tirant sur les forces spéciales. Selon l'hypothèse avancée par les autorités, le commissaire Akounine n'aurait psychologiquement pas résisté au décès de sa femme, la nuit même, des suites d'une longue maladie.

Certains s'interrogent cependant sur le déroulement de cette tuerie, les victimes, policiers ou truands, ne semblant pas avoir été choisies au hasard...

Yeruldelgger éteignit la télévision et resta longtemps immobile, puis il se leva brusquement, des larmes plein les yeux à nouveau, et quitta la maison. Sans répondre à Solongo soudain inquiète, ni à Saraa qui voulait savoir où il allait encore. Au dernier moment, Zarza bondit le rejoindre dehors et monta à ses côtés dans l'ambulance qui démarrait déjà.

91

Je veux savoir où il est.

— Où es-tu ?

— Je suppose qu'avec tous tes logiciels de sur-veillance tu le sais déjà.

— Oui, je vais le savoir en localisant ton téléphone.

— Je ne me cache pas. Je veux passer un marché.

— Tu n'as rien à vendre qui m'intéresse.

— Alors pourquoi en as-tu après moi et le Français ? Nous n'avons rien à voir avec l'affaire des militaires. Tu sais très bien que j'avais délégué toute l'enquête à Oyun. C'est pour l'affaire du MacDo, c'est ça ?

— Pourquoi dis-tu ça ?

— Parce que c'est le seul point commun entre le Français et moi. Dis-moi ce que tu veux.

— Je veux effacer l'enquête ici comme là-bas.

— Pourquoi ?

— Ça ne te regarde pas. Et toi, que veux-tu ?

— Erdenbat.

— Pourquoi Erdenbat ?

— Ça ne te regarde pas. Mais ça efface le MacDo si tu me le donnes. Je veux savoir où il est.

92

Reste à savoir qui chasse qui,
maintenant...

Le récepteur grésilla avant qu'il n'entende clairement la voix qu'il redoutait.

— Alors tu viens me chercher, Yeruldelgger ?

Il arrêta aussitôt la motoneige et resta assis quelques
instants en fixant l'appareil. Il roulait depuis plus deux
heures dans la steppe. Le dzüüd avait durci la neige
d'une couche de glace qui reflétait la clarté froide du
soleil. Il n'aperçut rien de vivant, quel que soit l'horizon qu'il parcourut du regard. Il était seul à des
dizaines de kilomètres à la ronde. Erdenbat devait
avoir quelqu'un à sa solde parmi les hommes du village. Peut-être même tous.

— ... Tu ne crois pas que c'est un peu présomp-
tueux, mon garçon ?

Yeruldelgger attendit quelques instants avant de
répondre. L'appareil avait une portée d'environ cinq
kilomètres. Avec une bonne paire de jumelles, Erdenbat pouvait l'observer depuis n'importe où.

— Non, et si quelqu'un doit le faire c'est bien moi,
non ?

— Ah, toujours ce sens nomade du devoir. Tu n'auras donc rien appris de tous nos affrontements ?

— J'ai appris que chacun paye un jour pour ses crimes et que ton jour est venu.

— Alors tu arrives comme Begtse le vengeur sur ton beau bombardier jaune...

Yeruldelgger sauta aussitôt de la motoneige. La neige se tassa sous son poids dans un bruit mat quand il roula pour s'abriter derrière l'engin.

Erdenbat connaissait la marque et la couleur de la motoneige. Il le voyait.

— Qui te dit que tu es à l'abri de ce côté-là ?

— ...

— C'est un risque sur deux pour toi, fiston, si j'ai un fusil à lunette.

— ...

— Tu te trompes, comme d'habitude, mon garçon. C'est moi qui te chasse, pas le contraire. J'aurais pu t'attendre au camp, mais j'ai préféré venir à ta rencontre. J'ai toujours fait ce que j'ai voulu avec toi, il faut que tu comprennes ça.

Le coup de feu claqua dans son dos et la balle fracassa les engrenages de la chenille. Il fallait deux secondes à un bon tireur pour recadrer sa cible dans une lunette télescopique. Yeruldelgger bondit de l'autre côté de la motoneige pour se mettre à l'abri.

— Ça va être plus dur pour toi maintenant, à pied, dans la steppe, et dans ma ligne de mire.

Yeruldelgger ne répondit pas. Erdenbat venait de réduire le rayon de sa présence à un kilomètre. Au-delà, un tireur devait se soumettre à un entraînement régulier pour espérer atteindre sa cible. Il lui donnait aussi une direction pour sa position. Mais les dégâts provoqués sur la motoneige l'inquiétaient. Erdenbat tirait avec une arme de précision lourde.

— Tu te dis que je suis à moins d'un kilomètre de ce côté-là et que ça te donne un avantage de le savoir, n'est-ce pas ? Tu te trompes encore.

Le deuxième coup de feu résonna dans la steppe et cette fois la balle brisa net le fusil que Yeruldelgger avait laissé sur la motoneige.

— Et pour l'arme, puisque tu te poses sûrement la question, c'est un Arasaka-Daemon avec des munitions de treize millimètres. Désolé pour ton Baïkal canon superposé, fiston, mais ce n'était de toute façon pas l'arme adaptée au gibier que tu croyais chasser.

Yeruldelgger ignora la provocation. Il se sentait étrangement calme, comme si l'idée de mourir au cœur de la steppe ne l'effrayait plus. Erdenbat ne voulait pas l'abattre. Il aurait pu le faire par surprise, ou déchiqueter la motoneige et l'atteindre à travers sa carcasse. Un Arasaka était conçu pour casser le moteur d'un véhicule à un kilomètre de distance. Il voulait plutôt s'amuser avec lui, encore une fois. Yeruldelgger observa les alentours. Comme souvent la piste longeait ce qui devait être une rivière au printemps. Plus loin sur la droite, à dix mètres de là, le terrain se creusait en suivant son lit et pouvait lui offrir un abri provisoire en le cachant au regard d'Erdenbat. Le temps de se relever, de courir courbé en levant les genoux pour ne pas rester planté dans la neige, engoncé dans sa parka, il lui faudrait bien une dizaine de secondes pour s'y jeter à plat ventre. Il chercha le vent du visage et le sentit dans la bonne direction. Il agrippa d'une main le guidon de la motoneige et le siège de l'autre, bloqua ses pieds contre le patin, et tira pour la faire basculer sur le côté, chenilles du côté d'Erdenbat. Maintenant il était un peu plus protégé par l'engin renversé et avait accès au coffre sous le siège. Il l'ouvrit pour chercher de quoi survivre parmi tout ce qui s'en échappa, et trouva plus qu'il ne l'aurait espéré.

Erdenbat observait la motoneige renversée à travers ses jumelles. Un peu loin pour une vue détaillée de ce que faisait Yeruldelgger. Il ne pouvait le surveiller réellement qu'à travers la lunette de son Arasaka. Il faudrait qu'il se rapproche, parce qu'il avait bien l'intention de le voir mourir les yeux dans les yeux. Mais il avait tout son temps. Il n'était plus armé, sinon d'une arme de poing probablement, d'une portée maximum de cent mètres. Il pouvait même se payer le luxe d'avancer droit vers lui à découvert jusqu'à cette distance. C'est une idée qui lui plut. S'avancer en restant hors de portée de son automatique, alors que son fusil à lui avait une portée d'un kilomètre. Le forcer à fuir loin devant, à s'épuiser…

La fumée le surprit et il attrapa aussitôt ses jumelles. Yeruldelgger avait mis le feu à la motoneige.

Yeruldelgger avait vidé le réservoir et récupéré de l'essence pour en asperger la motoneige. Il voulait éviter que l'engin n'explose et le blesse avant qu'il ait eu le temps de fuir à l'abri. Il avait récupéré dans le coffre plusieurs objets dont une grande bâche blanche en tissu mat et épais. Le chasseur devait s'en servir pour ses affûts ou ses approches en hiver. Quand il eut mis le feu à l'essence et que les flammes s'attaquèrent au caoutchouc des chenilles, un lourd panache de fumée noire se forma au-dessus de l'engin, forçant d'abord droit son passage vers le ciel, avant que le faible vent reprenne le dessus et pousse la fumée dans la bonne direction. Il s'agenouilla et s'enveloppa alors dans la bâche blanche, attendant un des remous réguliers qui ramenaient les volutes noires vers le sol. Quand il devina le prochain rouleau de fumée, il jeta du côté opposé un bidon d'huile enveloppé d'un chiffon rouge trouvé dans le coffre et se précipita de l'autre côté vers la petite dépression qui allait le mettre à l'abri. Le premier coup de feu claqua sec et net dans le ciel.

Erdenbat cherchait à l'apercevoir à travers la fumée. L'imperceptible pente de la steppe qui descendait vers le lit plat de la rivière le plaçait trop loin et trop haut. La fumée gênait sa vision de ce qui se passait en contrebas. Il chercha à repérer Yeruldelgger mais le grossissement de la lunette de visée balayait trop vite la scène. À travers les lourds et noirs rouleaux de fumée, il ne devinait que le blanc de la neige. Un mouvement attira son attention sur la gauche, qu'il essaya de suivre dans son viseur, tirant une première balle au hasard. Le recul chavira l'image dans sa lunette et il lui fallut deux ou trois secondes pour la stabiliser à nouveau. Dès qu'il aperçut le leurre du bidon dans son chiffon rouge, il balaya toute la scène vers le côté opposé. Il tira de nouveau à travers la fumée, mais comprit par instinct que Yeruldelgger venait de lui échapper. Pour l'instant. Il avait laissé sa propre motoneige quelques centaines de mètres plus loin dans un repli du terrain. Il hésita à aller la récupérer, puis se résolut à ce que ce soit désormais quelque chose comme un *mano a mano* entre Yeruldelgger et lui. Maintenant que l'autre n'avait plus son engin, il pouvait très bien le traquer à pied. Il était à un kilomètre et ça donnait à Yeruldelgger vingt bonnes minutes d'avance dans la neige mais sans pouvoir effacer ses traces. Il ne pouvait pas lui échapper. Il se leva, but une gorgée de thé salé au goulot de sa bouteille thermos, passa la courroie de son Arasaka autour de son épaule, et se mit en marche à découvert, droit et confiant. Invisible dans sa combinaison blanche des commandos russes.

Yeruldelgger se jeta au sol et glissa à plat ventre sur la glace au moment où la deuxième balle déchirait la bâche. Lui aussi avait compté qu'il faudrait un gros quart d'heure à Erdenbat pour le rejoindre s'il était à pied. Mais il n'était pas sûr qu'il n'ait pas quelque part en réserve un cheval ou une motoneige. Il tendit l'oreille, puis risqua un œil sans rien apercevoir d'autre qu'un rapide reflet sur la neige. Il supposa qu'Erdenbat était camouflé en blanc mais que quelque chose dans son équipement avait accroché la lumière. Il rassembla ce qu'il avait récupéré pour sa survie et tira à lui la bâche blanche en observant le terrain. Le talus de neige qui le protégeait d'Erdenbat n'était pas assez haut pour qu'il se relève, mais la chance était avec lui. C'était en fait une longue congère que le dzüüd avait tassée en soufflant la neige depuis le lit gelé de la rivière. Le vent avait vitrifié la berge d'une plaque de glace. Il y laisserait moins de traces. Il devait réussir à retarder Erdenbat pour se ménager le temps de réfléchir et trouver le moyen de lui échapper. Quand il se fut décidé, il tira son couteau de sa ceinture et s'entailla la paume de la main gauche.

Erdenbat s'approcha de la carcasse fumante de la motoneige en la contournant par l'arrière. Il savait par expérience que les proies et les fugitifs, dans l'urgence et la panique, d'instinct, continuaient toujours dans le sens de leur fuite. Une fois de l'autre côté de l'engin, il observa à la jumelle les marques dans la neige et comprit que Yeruldelgger avait cédé au même réflexe. Les traces se dirigeaient à l'abri d'un talus. Il les suivit et remarqua aussitôt la petite tache de sang dans la neige. Il s'en approcha avec précaution et compta trois gouttes, mais en aperçut aussitôt d'autres un peu plus loin. Yeruldelgger saignait et l'idée qu'il soit blessé l'amusa. Mais quelque chose l'alerta dans la disposition des traces dans la neige. Elles ne trahissaient aucun mouvement logique de celui qui saignait. Et la neige avait été brassée. Yeruldelgger l'avait tassée à la main, juste avant une tache plus importante que les autres.

— Bien essayé, mon garçon, dit-il dans l'émetteur, mais le piège est un peu grossier pour un chasseur comme moi. Je connais cette motoneige. Je connais aussi le trappeur qui te l'a louée. Qu'as-tu trouvé dans le coffre, fiston, un piège à loups ?

Pendant qu'il parlait, Erdenbat continuait d'observer la neige pour comprendre. Yeruldelgger voulait l'attirer vers la tache de sang pour l'observer. Il avait sûrement armé les mâchoires dentées du piège un mètre en avant sous la neige. Mais ce qui l'intriguait, c'étaient les traces de pas. Elles contournaient le piège pour disparaître quelques mètres plus loin.

— J'avais juste besoin de te retarder, Erdenbat. Le temps de fuir loin devant sans laisser de traces sur la glace. Ou de contourner la congère pour te surprendre par-derrière en détournant ton attention…

— Non, ça ne marche pas, mon garçon. Tu es la proie, pas le chasseur. Tu es devant et je te traque, répondit-il en se retournant brusquement pour vérifier quand même si Yeruldelgger n'était pas passé dans son dos. Dis-moi, tu crois vraiment avoir gagné le temps de prendre suffisamment d'avance pour te mettre à l'abri du kilomètre de portée de mon Arasaka ?

— Qui te dit que j'ai besoin de mettre un kilomètre entre nous ? Il me suffit de t'attirer à moins de cent mètres de mon Makarov pour reprendre l'avantage.

Erdenbat reporta aussitôt toute son attention sur le paysage devant lui. La vraie ruse était-elle que Yeruldelgger soit caché dans la neige à moins de cent mètres de lui ? Il préféra ne pas risquer d'endommager son arme en déclenchant le piège avec, et décida de contourner la zone piégée en posant très exactement ses pas dans ceux de Yeruldelgger. Les traces bleutées étaient bien marquées dans la neige et il s'appliqua à ne pas en dévier. Au deuxième pas, la mâchoire d'acier bondit hors de la neige sous la pression du ressort et lui broya la cheville.

Après avoir armé le piège trouvé dans le coffre, Yeruldelgger s'était couvert de la bâche blanche comme d'une cape. Il l'avait tirée jusque sur sa tête, retenant le tissu entre ses dents pour le maintenir en place, et s'était allongé sur la berge gelée. En s'aidant de ses bras, les jambes immobiles et tendues, il s'était propulsé sur la glace comme une luge humaine pour s'éloigner au plus vite. Il n'avait aucune chance de se mettre hors de portée de l'Arasaka, mais si son piège avait fonctionné, ce n'était plus aussi urgent.

— Tu sais, Yeruldelgger, commença la voix tendue d'Erdenbat, j'avais prévu de te tuer de mes mains, sans verser de sang, dans le respect des traditions. Je t'aurais entaillé le ventre pour glisser ma main jusqu'à ton cœur et l'éclater dans mon poing, comme on fait aux chèvres. Mais tu as déjà saigné, et maintenant tu as versé mon sang. Alors puisque la neige est souillée désormais, je crois que je vais t'égorger.

— Comment va ton pied ?

— Je crois que tu as réussi à me briser la cheville.

— J'espère que tu souffres.

— J'ai enlevé ma chaussure. Mon pied nu dans la neige va geler et le froid va anesthésier la douleur le temps de me traîner jusqu'à toi.

— Ne te donne pas cette peine, c'est moi qui vais venir.

La colère foudroya Erdenbat plus que la douleur. Son orgueil était plus déchiré que sa cheville. Yeruldelgger s'était joué de lui. Il se déchaussa pour constater les dégâts. Les mâchoires d'acier avaient probablement brisé son péroné à la base. Il s'était servi du canon de son Arasaka en levier pour les écarter, glissant au fur et à mesure ses jumelles entre elles pour éviter

547

qu'elles ne se referment. Le froid qui glaçait son pied atténuait la douleur, mais s'il voulait continuer à marcher pour traquer Yeruldelgger, il allait devoir réduire la fracture et poser une attelle. Il fit le bilan de ce dont il disposait. Il trouva dans son sac de survie un rouleau de toile adhésive et un bout de tissu, mais rien qui puisse tenir sa jambe, à part son arme et il n'hésita pas une seconde. Par chance l'Arasaka se démontait en cinq pièces. En quelques manipulations il en récupéra le canon et l'enroula dans le chiffon pour que le froid ne colle pas le métal à sa peau. Puis il le plaqua sur sa jambe, le fixa solidement à l'aide du ruban adhésif, et se releva pour tester la douleur.

Il n'avait jamais perdu de temps à se décider. Pour survivre, pour tuer, pour choisir, il avait toujours fait confiance à son instinct. Il venait de perdre un avantage certain en renonçant à son fusil, mais son but n'était pas de tuer Yeruldelgger à un kilomètre de distance à travers un viseur laser. Il se moquait qu'il meure debout, courageux, ou fuyant et chiant de peur dans sa ligne de mire. Ce qu'il voulait, c'était le voir mourir les yeux dans les yeux. Peu importait que cela lui prenne un peu plus de temps en boitant. Et puis Yeruldelgger ne savait pas qu'il avait démonté son fusil et restait psychologiquement sous sa menace. Il rassembla ses affaires et s'intéressa à nouveau aux traces qui disparaissaient soudain sur la glace. Il pressa le bouton de l'émetteur.

— Ne me dis pas que tu as eu recours à ce vieux truc de la glissade sur la glace. On dirait un pauvre manchot qui espère échapper à l'ours blanc sur la banquise.

— Il n'y a pas d'ours blancs là où vivent les manchots. Tu te mélanges les hémisphères. Et le seul manchot qui se dandine en boitant ici, c'est toi avec ton fusil pour attelle !

Erdenbat dégaina aussitôt son arme et balaya la steppe d'un geste panoramique. Yeruldelgger était assez proche de lui pour l'observer.

— À la bonne heure, nous voilà à égalité, grésilla la voix de Yeruldelgger dans le récepteur : un Makarov chacun. Reste à savoir qui chasse qui, maintenant…

93

... et Erdenbat était là, debout face à lui.

Il s'était laissé glisser le plus loin possible jusqu'à un autre repli de la steppe. Au printemps les rivières soudain violentes creusent toujours des lits turbulents et entrelacés dans les plaines immenses où elles cherchent des passages. En hiver sous la neige, les vastes étendues semblent plates et lissées par le gel, mais les reflets sont trompeurs. Yeruldelgger avait rejoint un autre bras de la rivière gelée et l'avait remonté, toujours camouflé sous sa toile blanche, à l'abri du regard d'Erdenbat. Quand il pensa être remonté assez loin pour se retrouver derrière lui, il rampa jusqu'à la rive glacée pour repérer Erdenbat, mais ne vit rien. La steppe s'étendait à perte de vue et s'arrêtait net au bout de l'horizon, comme tranché au cutter contre le ciel argenté.

Il observa chaque bourrelet de neige, chaque croûte de glace, où Erdenbat aurait pu se cacher dans sa tenue de combat blanche, sans déceler sa présence. C'est en cherchant à le deviner plus loin qu'il aperçut, encore beaucoup plus loin, un point mobile qui se déplaçait lentement.

— Tu n'as pas osé venir seul ? se moqua Yeruldelgger.

— Il n'est pas avec moi, répondit la voix d'Erdenbat.

— Il n'est pas avec moi non plus.

— Un chasseur nomade alors…

— Il ne suit pas la route d'un homme à cheval.

— Alors un chasseur en motoneige.

— Depuis quand les nomades chassent-ils en motoneige ?

— Qui te dit que c'est un nomade ?

Cette fois Yeruldelgger ne répondit pas. Quelque chose dans la voix d'Erdenbat l'inquiétait. C'était celle d'un homme sans peur. Pas d'un homme traqué. Il roula brusquement sur le dos, et Erdenbat était là, debout face à lui.

Il n'avait plus qu'à attendre.

Il les observait depuis longtemps mais avait choisi de les suivre à bonne distance. Dans ses jumelles à visée laser, des données s'affichaient et défilaient en diodes orange chaque fois qu'il déplaçait son angle de vue de l'un à l'autre. Les deux hommes étaient face à face, et l'un menaçait l'autre de son arme de poing. Il décida que c'était le bon endroit et que le bon moment approchait. Il descendit de la motoneige et sortit du coffre sous le siège une combinaison de combat, deux toiles de camouflage blanches et l'étui de son fusil. Il recouvrit la moto de la première toile, enfila la combinaison, étendit l'autre toile sur la neige et s'allongea dessus pour déplier le bipode qui servait de support à son arme. Un Izhmash SV-98 à canon flottant lourd, équipé d'un viseur télescopique 1P69 3-10x42 adapté aux tirs à très longue distance. Il tassa la neige sous la toile pour caler son arme et approcha son œil du viseur. Dans de bonnes conditions, il savait pouvoir viser le cœur d'une cible à mille mètres avec des munitions supersoniques dont la détonation et le flash étaient atténués par un silencieux. Il n'avait plus qu'à attendre.

95

Un danger de mort.

— Lâche ton arme, ordonna Erdenbat.

Il était debout au-dessus de lui, curieusement de travers à cause de sa cheville brisée, son Makarov à la main. À moitié tourné, empêtré dans sa toile de camouflage, Yeruldelgger eut vite fait d'évaluer la situation. Il n'aurait jamais le temps d'aligner sa ligne de mire et de tirer avant qu'Erdenbat ne l'abatte. Il jeta son arme le moins loin possible mais Erdenbat lui logea aussitôt une balle dans le pied. Puis il jeta négligemment son arme dont le canon brûlant grésilla dans la neige.

— Tu vois, je suis fair-play : nous voilà à égalité parfaite. Même blessure et désarmés tous les deux. Et maintenant je vais te regarder mourir, parce que je suis plus fort que toi.

Le choc de l'impact avait secoué Yeruldelgger, mais la douleur n'avait pas encore irradié son corps.

— Si je meurs ici, répondit Yeruldelgger en grimaçant, tu meurs aussi. Tu ne survivras pas à la nuit. Ta jambe est trop mal en point pour récupérer ta moto-neige. Avec un peu de chance, je regarderai les loups te dévorer.

— Parce qu'ils ne te dévoreront pas, toi ?

— Non, pas moi…

— Tu n'as donc rien appris ? Quand il s'agit de survie ou de pitance, chaque animal, homme ou loup, sauve sa peau aux dépens des autres. Les loups dévorent même leurs petits. Quand je me suis évadé des camps, j'ai mangé certains de mes compagnons. Pas seulement ceux qui étaient morts de fatigue ou de froid. Ceux que j'avais tués pour ça aussi. C'est comme ça qu'on survit. C'est comme ça que je m'en suis sorti aussi longtemps. Et quand je t'aurai regardé mourir, s'il faut te manger pour sauver ma peau, je le ferai aussi. Et s'il le faut je brûlerai ta graisse pour me réchauffer. Et je te survivrai.

— Tu mourras d'abord, pour tout le mal que tu m'as fait.

— Quoi, tu en es encore à traîner cette vieille douleur ? Ne me dis pas que tu vas me priver du plaisir de te tuer en mourant de chagrin comme une vieille bonne femme ! se moqua Erdenbat. Les chagrins, les morts, les autres, tout est fait pour être oublié. Tu sais ce qui m'a fait avancer et résister ? C'est de ne jamais traîner comme toi tous les boulets de mon passé. Ma vie est à moi, et à personne d'autre. Surtout pas aux morts.

Yeruldelgger ne répondit pas. Il défit sa chaussure et sa chaussette pour constater l'état de sa blessure. La balle avait perforé la semelle de sa botte pour traverser par en dessous le cou-de-pied et se ficher dans le cuir de l'autre côté. Erdenbat aussi releva son pantalon jusqu'au genou et Yeruldelgger vit l'autre blessure au mollet, et les marbrures violacées sur sa jambe autour des boursouflures mal cicatrisées. Il réalisa que ce n'était pas la blessure provoquée par son piège.

— Tu vois, cette blessure-là ne m'a pas empêché de te traquer jusqu'ici. L'autre ne m'empêchera pas de te tuer.

— C'est la morsure du chien, celui du marin dont tu as brisé la nuque au Havre ?

— Qui t'a raconté ça ?

— Le Français que tu n'as pas réussi à flinguer là-bas.

— Oui, j'ai tué ce marin, c'est vrai, et je suis là malgré son chien. Tu vois !

— Ce n'est pas très beau comme blessure.

— Quoi, tu veux que je t'énumère tout ce à quoi j'ai survécu comme coups de lames rouillées dans les ruelles, comme morsures de chiens fous dans les camps, d'ours ou de loups dans les forêts ? Toutes les infections, les macérations, les putréfactions : j'ai survécu à tout. Je survivrai à ça.

— Juste pour me voir mourir, c'est beaucoup d'honneur. Qu'est-ce que j'ai fait pour mériter ça ?

— Tu as failli me priver d'une belle revanche.

— Sur qui ?

— Tu n'as pas encore compris ? Sur le même homme qui nous a prévenus, toi et moi.

— Bathbaatar ?

— Oui, le grand héros, le maître manipulateur. Il t'a mis sur ma piste pour que tu élimines le danger que je représente pour lui.

— Et quel danger tu es pour lui ?

— Un danger de mort.

... leur obstination à survivre.

Il suivait leur conversation muette dans le viseur télescopique de son SV-98. Il avait vu Erdenbat tirer sur Yeruldelgger et avait été très déçu que le flic se fasse surprendre aussi facilement. Il avait failli intervenir en descendant Erdenbat, mais ce n'était pas ce qu'il voulait. Il préféra attendre et tira à lui la thermos de thé salé bouillant pour ne pas laisser le froid l'engourdir. Il se demanda s'ils l'avaient repéré avant qu'il ne se camoufle et si cela ajoutait à leur pression ou pas. Il lui sembla que non. Qu'ils étaient partis dans d'étranges discussions à se montrer leurs blessures. Étaient-ils conscients qu'ils allaient mourir ici, dans cet endroit glacé de la steppe ? Quand ils seraient morts tous les deux, il irait probablement les dépouiller de leurs vêtements pour que les prédateurs les dépècent plus vite. Il ne resterait d'eux au printemps que des os blanchis qu'emporteraient les premières eaux boueuses du dégel. Ils retourneraient à la steppe, comme les deux idiots de nomades obtus qu'ils étaient en fait, hermétiques au progrès qui passe, et si semblables au fond, l'un dans la lumière et l'autre dans l'ombre. Il fallait qu'Erdenbat tue Yeruldelgger, bien qu'il pût très bien arranger les choses s'il le voulait. Mais la curiosité le prit de savoir si Yeruldelgger trouverait les ressources de s'en sortir. Ou au moins d'essayer. Ce qui le fascinait chez ces deux dinosaures d'un autre temps, c'était leur obstination à survivre.

97

... Erdenbat lui échappait encore.

— Alors tu as tué Colette juste pour ça ?

Il était prêt à se jeter sur lui malgré la douleur qui irradiait maintenant son pied, quand il remarqua un furtif nuage d'absence dans le regard d'Erdenbat. Un très court instant, il crut voir le colosse vaciller et mit cette faiblesse sur le compte de ses blessures. Quand le regard d'Erdenbat s'aiguisa à nouveau pour se planter dans le sien, il devina des perles de sueur sur son front.

— Il le fallait, pour t'emmener là où je voulais. Si je n'avais pas fait tuer Colette de façon à t'impliquer, je n'aurais jamais pu attirer ton attention sur Ganshü et éveiller en toi ce mielleux complexe de culpabilité qui allait m'aider à te manipuler.

— Pour que mon enquête remonte jusqu'au Havre ?

— Tu es un sale con, mais un bon flic. Je savais que tu remonterais la filière des gosses. Je voulais que ça te mène jusqu'en France et que tu tombes sur leur enquête à propos du cadavre de Batguerel. Alors tu serais tombé sur l'autre cadavre dans la gravière et tu aurais ressorti l'affaire du MacDo. Je n'avais pas prévu que tu t'attarderais à venger cette Colette et que le Français remonterait l'affaire dans l'autre sens, jusqu'ici. Mais le résultat sera le même. Je vais me faire Bathbaatar.

— C'est une vieille affaire.

— C'est une vieille affaire mais avec un nouveau cadavre.

— Et ça change quoi ?

— Ça change un héros en assassin.

— Je ne comprends pas.

— Tu ne comprendras jamais rien ! Bathbaatar est devenu un héros en enlevant et en ramenant chez nous ce type qui s'appelait Mejet, mais il ne sera plus qu'un vulgaire assassin quand on saura qu'il a tué pour ça un innocent.

— L'homme de la gravière était innocent ?

— Pire que ça : Mejet était innocent. L'homme de la gravière, celui qui se faisait apeller Alagh, était celui que nous étions venus chercher. Il se planquait au Havre chez un marchand de sommeil avec de faux papiers chinois. Nous l'avons enlevé et séquestré dans un ancien bunker sur une digue pour le faire parler. Bathbaatar était persuadé qu'il pouvait lui faire avouer le nom de ses commanditaires. L'endroit puait la merde de zonards et la pisse de rat et nous voulions tous en finir au plus vite. Bathbaatar a appuyé le canon de son arme sur le front du type pour le terroriser et au lieu de ça il l'a flingué pour de bon. Il avait enclenché un chargeur vide en oubliant que le type d'arme qu'il avait récupérée en Hongrie gardait une munition engagée dans la culasse. J'ai été chargé de me débarrasser du corps pendant qu'il contactait Batguerel pour lui trouver un pigeon.

— Pourquoi ? S'il avait vraiment tué l'assassin qu'il poursuivait, il pouvait très bien rentrer en Mongolie mission accomplie, non ?

— Pas pour lui. Il était déjà bien trop ambitieux pour ça. Ramener l'assassin d'un leader politique et le faire juger pour son crime, c'est une chose. Assassiner un opposant politique, fût-il assassin lui-même, en territoire étranger, en France, c'en était une autre. Il lui fallait un coupable, Batguerel lui en a trouvé un.

— Ça n'explique pas ton intérêt à remuer tout ça aujourd'hui. Et surtout pas en quoi ça justifiait le meurtre de Colette.

— Colette n'était rien qu'une petite pute dépressive, même pas un pion dans la partie qui se joue. Sa seule valeur était de pouvoir mettre en branle ta commisération à la con et ton obstination d'enquêteur buté. Tu sais que Bathbaatar a fait jeter notre ancien Président en prison ?

— Bien sûr que je le sais, cette histoire nous a ridiculisés aux yeux du monde entier.

— Tu parles, les trois quarts du monde ne savent même pas que nous existons.

Yeruldelgger se souvint de cet épisode grandguignolesque. L'ancien Président, de nouveau candidat, arrive chez ses parents quand une nuée de flics en civil se jettent à l'assaut de sa voiture. Ses gardes du corps jaillissent et dégainent à leur tour. Ils forment un cercle hérissé d'armes autour de lui et se replient dans la maison, laissant les flics, frustrés, battre le pavé à l'extérieur. Aux premières heures du matin,

Bathbaatar supervise lui-même l'assaut de la maison par deux cents de ses hommes des services secrets. L'ex-Président est arrêté, exhibé en chaussettes et en pyjama devant toutes les chaînes de télé judicieusement prévenues, et jeté en prison pour corruption.

— On dit que les preuves contre lui ont été fabriquées.

— Pas toutes, mais c'est vrai que j'ai moi-même aidé à en forger quelques-unes, ricana Erdenbat malgré la douleur qui cirait son teint sous le givre.

— Et alors ? relança Yeruldelgger toujours attentif aux fugaces absences qui voilaient de plus en plus souvent le regard d'Erdenbat.

— Alors le pauvre type innocent que nous avons ramené chez nous et qui n'était qu'un multirécidiviste de la cambriole, a été jugé et condamné, et l'héroïque Bathbaatar a été décoré dès le lendemain de la plus haute récompense de l'État par le nouveau Président qu'il venait de faire élire. Mais nous sommes malheureusement en démocratie, n'est-ce pas ? D'autres élections approchent et l'ancien Président aura bientôt purgé sa peine. Tu commences à comprendre ?

— Quoi, tu joues l'ancien Président contre Bathbaatar, c'est ça ?

— Celui qui clame son innocence et hurle au procès politique aura purgé sa peine et sera libre dans un an. Il va sortir de prison acclamé par ses partisans et auréolé du statut de martyr de la démocratie nouvelle. Les Occidentaux vont adorer ce type. Ils vont parler de Mandela de l'Asie. Il va gagner ces prochaines élections.

— Et toi, avec l'affaire du Havre, tu veux lui apporter la tête de Bathbaatar sur un plateau, c'est ça ? Et tu as tué Colette, et cette femme en France, et laissé mourir tous ces gosses pour une partie de billard politique ? Pour toi, pour la survie de ta petite personne. Je jure au Ciel que je te tuerai pour ça, tu m'entends ? J'y mettrai mes dernières forces avant de mourir s'il le faut, mais je vais te tuer pour ça.

Il essaya de se relever, mais la douleur lui cisailla le souffle et il retomba dans la neige.

— Tu ne récupéreras jamais tes forces. Ton destin est de mourir ici, et ce qui dégèlera de toi au printemps sera dévoré par les charognards et la vermine. Ce sont des temps sauvages, Yeruldelgger, et tu n'es pas de taille.

— Parce que toi, tu penses t'en sortir ?

— Bien sûr. Depuis l'affaire des terres rares, tu as fait de moi un paria dans mon propre pays, un pestiféré dans ce monde politique que j'ai nourri et enrichi pendant des années. J'y ai perdu des millions de dollars et j'ai dû m'acoquiner avec les pires pègres russes pour subsister. Alors le temps est venu de me venger et de reprendre ma place.

— Te venger de qui ?

— De toi d'abord. J'ai déjà commencé en tuant cette pute. Et de Bathbaatar par la même occasion en le faisant tomber pour... je vais revenir... grâce à... le Président va...

Cette fois le colosse vacilla, le regard vitreux, les yeux roulant soudain vers le ciel glacé, et il perdit connaissance en restant droit assis dans la neige.

Yeruldelgger l'avait compris : Erdenbat mourait sous ses yeux d'un choc septique, le sang empoisonné par la morsure du chien de Honfleur et il n'aurait donc pas à le tuer. Il n'aurait pas à vider à bout portant dans ses yeux surpris les cinq dernières balles de six millimètres du chargeur de l'arme d'Akounine qu'il gardait cachée dans sa chapka pour ça. Il ne pouvait dire s'il en était heureux ou pas. Il avait imaginé une vengeance plus violente, mais même dans la mort, Erdenbat lui échappait encore.

98

... qui perforait son oreille.

Il comprit en scrutant le visage d'Erdenbat dans son viseur que Yeruldelgger n'aurait pas à le tuer. Ce monstre allait mourir tout seul, échappant encore une fois à la vengeance des autres, mais lui n'avait plus à craindre cette sourde menace sur ses ambitions que faisait peser la seule existence d'Erdenbat depuis l'affaire du Havre. Il aurait finalement été le plus fort. Il allait pouvoir tout reprendre en main. À condition bien sûr que cet imbécile de Yeruldelgger ne révèle rien de ce qu'il avait appris.

Bathbaatar fit glisser le viseur du visage d'Erdenbat à celui de Yeruldelgger, vida ses poumons pour gagner en stabilité et atténuer le battement artériel de son cœur, et pressa la détente. Il savait qu'un tir à la tête ferait basculer le corps alors qu'un tir au cœur l'aurait fait s'affaisser sur lui-même, mais il fut surpris de voir Yeruldelgger projeté à plus d'un mètre sous le choc.

Il inspecta la scène à travers sa lunette de visée. Yeruldelgger gisait inanimé, le nez dans la neige, le crâne ensanglanté sous sa chapka déchiquetée par l'impact. Il cala son SV-98 à nouveau et visa derrière l'oreille de Yeruldelgger pour le coup de grâce. Par sécurité.

Sa dernière sensation fut celle d'une balle qui perforait son oreille.

99

... d'une balle en plein front.

Dans sa fièvre, Erdenbat sentit la forte odeur de sueur et d'urine du cheval qui s'ébrouait autour du cadavre de Yeruldelgger. Comme dans les légendes guerrières où les corps jonchaient la steppe ensanglantée, l'animal fou poussait le cadavre de ses naseaux fumants pour le ramener à la vie. Erdenbat était le Roi Brigand de la légende, vainqueur des tribus de l'Orkhon et de la Toula et il savait que l'étalon noir était là pour lui. Le devin l'avait lu dans la craquelure d'une omoplate de mouton brûlée dans un feu de pierre. « Ce cheval sera ta mort. Fuis-le si tu veux survivre ! » Erdenbat se dressa soudain pour chasser l'animal mais la douleur cisailla sa jambe et il retomba dans la neige, le regard blanchi par la terreur. De son front bouillant perlait une sueur aigre dont les gouttes roulaient dans ses yeux pour geler sur ses cils.

Dans son esprit lacéré par la peur et la douleur, il revécut les nuits noires de son enfance, quand les vieux dans des veillées sans feu se répétaient la légende du Roi Brigand. Celui qui retrouvait dans la steppe les squelettes blanchis par les vautours des mille gardes chargés d'éviter que son cheval préféré n'accomplisse la prédiction du sorcier et ne cause sa mort. Sans comprendre comment tous avaient péri. Sans comprendre comment son cheval mort pouvait à présent le tuer.

Il se releva à nouveau, malgré sa cheville qui se déboîta sous l'attelle, pour tenter d'amadouer le cheval en furie. Il fallait que l'animal lui pardonne. Il fallait qu'il comprenne qu'il l'avait mis sous la garde de son armée pour le protéger de la mort, pas pour se protéger de la sienne. Mais sa vue se brouilla. Il ne voyait plus du cheval que son regard fou et sa crinière noire qui claquait au vent et lui cinglait le visage. Puis l'animal baissa la tête jusqu'à son pied blessé et Erdenbat aperçut dans ses yeux la terrifiante lueur. Celle qu'avait vue le Roi Brigand de la légende dans l'orbite creuse du crâne blanchi de la bête. Celle vers laquelle il avait tendu une main curieuse, oubliant son étalon mort pour croire à un trésor.

Erdenbat se déchira la gorge dans un cri de terreur. De l'orbite du crâne jaillit la gueule grande ouverte d'un crotale du Gobi qui devint aussitôt celle du chien grimaçant du marin et pour finir le visage enfantin de Kushi, possédé par la haine, et qui mordit à pleines dents son mollet pour le déchirer.

Il perdit connaissance quelques secondes puis émergea à nouveau de son délire fiévreux pour découvrir que l'homme était là, sur son cheval, l'arme braquée sur lui au-dessus du corps inanimé de Yeruldelgger. Il n'était plus le Roi Brigand. Il était redevenu Erdenbat. Seulement Erdenbat, l'homme, blessé, avachi, et pour une fois vaincu.

— Qu'est-ce que…

L'homme à cheval le tua net, sans répondre, d'une balle en plein front.

100

Redford jeune, bien entendu.

Bathbaatar avait logé Erdenbat dans un campement
de yourtes pour touristes, isolé dans la steppe à six
heures à l'est d'Oulan-Bator sur la route de Baruun-
Urt. L'endroit était désaffecté pendant l'hiver et
Erdenbat y avait trouvé refuge. En été le camp servait
de relais pour des trafics depuis la province du Dornod, profitant du va-et-vient des touristes. En hiver,
il servait quelquefois de repaire discret. Bathbaatar
avait expliqué qu'il fallait remonter à cinquante kilomètres au nord de Baruun-Urt jusqu'à un village de
trappeurs, puis suivre une piste à l'ouest sur dix kilomètres jusqu'au campement. Un des trappeurs gérait
la logistique pour les touristes et l'équiperait sur place.

Ils roulèrent toute la nuit et rejoignirent le village à
l'aube. Une dizaine de baraques en planches, comme
des bêtes isolées pelotonnées contre le froid. Une
des façades placardées de réclames signalait le seul
commerce. Zarza y avait suivi Yeruldelgger qui ne
lui avait pas adressé un mot de toute la nuit, même
quand il avait proposé de prendre le volant. Le Mongol s'était contenté de s'arrêter au beau milieu de la

piste et de contourner la voiture dans le faisceau des phares pour venir s'endormir sur le siège du passager. Zarza n'avait même pas demandé son chemin. Il n'y avait qu'une seule piste. Sans embranchement ni carrefour. Suspendue à la lumière de leurs phares, sur quelques mètres à peine devant eux dans la nuit sans fond de la steppe.

— Tu prends la voiture et tu rentres, avait ordonné Yeruldelgger à Zarza. Que je revienne ou pas, ce n'est pas ton affaire.

Il avait négocié une motoneige et choisi la plus rustique. Un émetteur-récepteur était scotché sur le guidon. De meilleures bottes, une parka plus chaude, et un fusil de chasse parmi ceux que lui proposa l'homme de la boutique.

— Va-t'en maintenant, c'est entre lui et moi. Je te regarde partir, dit-il alors qu'il démarrait déjà sa motoneige.

— Pas assez d'essence, répondit Zarza. Je vais attendre que le type de la pompe se réveille.

Yeruldelgger grogna quelques ordres à l'homme du magasin et Zarza comprit, au regard qu'il lui jeta, qu'il lui interdisait de l'équiper, pour qu'il ne puisse pas le suivre. Puis il se lança sur une piste tracée dans la neige par d'autres chenilles.

C'est le regard de l'homme qui l'avait alerté. Il s'était décidé en une seconde et avait repris le volant pour sortir du village par le côté opposé. Juste assez loin pour dissimuler la voiture dans un repli neigeux à l'abri des regards. Et il avait attendu celui que l'homme du magasin redoutait tant. Une heure plus tard, Bathbaatar arrivait seul au volant d'un 4 × 4.

À travers ses jumelles, Zarza le vit décharger du coffre un sac à dos de survie façon commando et un étui qui ne pouvait abriter qu'un fusil longue portée de sniper. Quelqu'un l'appela alors sur son portable et il eut une brève et sèche discussion. Zarza comprit à ses gestes qu'il donnait des ordres définitifs. Puis il raccrocha, enfourcha une des motoneiges, et se lança sur les traces de Yeruldelgger sans un regard pour les deux hommes qui avaient rejoint celui du magasin et se tenaient respectueusement à bonne distance. Dès qu'il eut disparu dans les replis de la steppe, Zarza était revenu dans le village négocier avec le boutiquier terrorisé. Avec de grands gestes et un paquet d'euros sur la table, il marchanda un cheval, des vêtements chauds, des bottes et un fusil de chasse. Parmi ceux que lui montra le Mongol et qu'il essaya tous un par un à l'épaule, il choisit un robuste Baïkal équipé d'une lunette de visée. Même si ce modèle à bascule ne lui assurait qu'un coup à la fois, il savait pouvoir faire mouche jusqu'à trois cents mètres avec une telle arme. Il s'équipa, enfourcha le cheval, et se lança sur la piste de Yeruldelgger et de Bathbaatar en se disant qu'il devait ressembler à Robert Redford dans *Jeremiah Johnson*. Redford jeune, bien entendu.

101

Il est le seul survivant de la tribu des Huns déci-
mée par l'armée de l'empire Khan. Il a échappé à la
mort enseveli sous tant de morts que leur poids l'a
enfoncé dans la terre. Jusqu'à tomber dans les galeries obscures de la tanière des grands loups où la louve
impérieuse l'a adopté. C'est d'elle qu'il a appris le
hurlement de la meute et qu'il a fait de cette plainte
un langage chanté devenu le chant long des Mongols.
Le lien invisible qui le retient à la vie lumineuse, loin,
très loin au-dessus des entrailles noires de la terre.

Il est le descendant de Borte-Tchino, le Loup Bleu,
et il a grandi sur le dos d'un cheval. Il hurle depuis
quatre ans dans les montagnes un chant céleste que
sa mère louve a appris du vent et qui fait pleurer ses
frères de meute. Il est l'homme enfoncé dans la terre
par les guerriers morts et que le chant long tire depuis
des éternités pour le remonter à la lumière. Pour
retrouver le monde des hommes. Une princesse. Pour
lui dire qui il est et enlever pour elle sa peau de loup
et redevenir un homme. L'esprit soudain ensoleillé par
la mélopée, il surgit enfin, déchire sa fourrure animale,

et glisse ses épaules nues et tout son corps hors de sa dépouille de loup, jaillissant des entrailles de la terre pour s'éblouir de lumière.

— Bienvenue, dit le Nerguii d'une voix éternelle comme la steppe.

Yeruldelgger cligna des yeux, émergeant d'un néant habité de rêves et de légendes.

— J'ai dormi ? demanda-t-il.

— Tu sors à l'instant d'un coma de cent onze jours.

— Cent onze ? Comme la somme du carré magique de Xian ?

Le Nerguii s'amusa de ces premiers mots improbables.

— Aucune magie ne t'a plongé dans ce coma. Juste la violence d'une balle qui a rebondi sur l'arme que tu cachais dans ta chapka.

— Où suis-je ?

— Tu es chez toi, au monastère. Nous t'avons ramené ici après un mois à l'hôpital.

— J'ai signé la décharge et j'ai arrangé les choses, dit la voix de Solongo, douce et ronde comme le vent d'été sur la plaine.

Yeruldelgger tourna la tête et vit dans les yeux de la jeune femme autant de bonheur que de tristesse.

— J'ai aussi mauvaise mine que ça ?

La petite cellule du monastère était équipée de moniteurs et de perfusions, comme une chambre d'hôpital.

— Le choc a fracassé ton crâne et la commotion a failli t'être fatale. Et tu as perdu un orteil et deux doigts par le froid.

— Que s'est-il passé ?

— Tu as tout le temps pour l'apprendre, repose-toi.

— Où sont les autres ?

— Saraa est aux États-Unis. Elle a obtenu une bourse en sciences de l'information à l'université du Minnesota grâce à toute cette affaire. La confession du général a fait le tour du monde sur le Net. Quarante-quatre millions de vues. Elle est partie avec Steeve.

— Oyun ?

— Oyun est en France. Zarza avait la possibilité d'accorder quelques visas français à condition de partir vite. Elle a saisi l'occasion. Gantulga aussi. Ils vivent à Paris.

— Ils auraient pu attendre que je meure, sourit faiblement Yeruldelgger, ou que je revienne d'entre les morts. Ce n'est pas ce que font les gens qui t'aiment ?

— Peut-être bien, mais tu es si difficile à aimer, Yeruldelgger, si difficile… et je dois te dire aussi pour Uyunga. Elle s'en est allée. Elle s'est laissée mourir doucement et je l'ai aidée à partir sans souffrir. J'espère que tu ne m'en voudras pas.

— Je suppose que tu as fait pour le mieux.

Il se tut quelques instants, les yeux perdus dans un brouillard de larmes.

— Et Erdenbat ?

— Zarza m'a dit de te remettre ça quand tu poserais la question, dit-elle en lui tendant une enveloppe. Il était certain que tu survivrais.

Il était encore trop faible pour l'ouvrir lui-même. Elle déchira le papier et en sortit deux photos. La première montrait Erdenbat assis dans la neige, le regard figé par le froid et la peur, son front tanné percé d'une balle. Le sang avait gelé avant de couler de la blessure. L'autre montrait Bathbaatar en tenue de combat d'hi-

ver, un trou béant à la place de l'oreille gauche, mort
à côté d'un fusil de sniper SV-98.

— Est-ce qu'il a dit autre chose ?

— Qu'il s'est arrangé pour qu'officiellement ils
se soient entre-tués en cherchant à t'éliminer. Il a dit
aussi que tu dois la vie à un flingue de gonzesse. C'est
exactement ce qu'il a dit.

— Très bien, dit-il après un autre long silence. Au
moins je vais pouvoir classer toutes ces affaires.

— Je ne crois pas, Yeruldelgger, murmura Solongo
en prenant sa main blessée dans la sienne. Je ne crois
pas, non. Tu n'es plus flic. Ils t'ont viré…

Du même auteur :

YERULDELGGER, Albin Michel, 2014 ; Grand prix
des lectrices de *Elle*, Prix Quais du Polar/*20 Minutes*.

LE TEMPS DU VOYAGE. PETITE CAUSERIE
SUR LA NONCHALANCE ET LES VERTUS DE L'ÉTAPE
(sous le nom de Patrick Manoukian), Transboréal, 2011.

Le Livre de Poche s'engage pour l'environnement en réduisant l'empreinte carbone de ses livres. Celle de cet exemplaire est de : 700 g éq. CO_2 Rendez-vous sur www.livredepoche-durable.fr

PAPIER À BASE DE FIBRES CERTIFIÉES

Composition réalisée par NORD COMPO

Achevé d'imprimer en février 2016 en Espagne par
CPI BLACKPRINT
Dépôt légal 1re publication : avril 2016
LIBRAIRIE GÉNÉRALE FRANÇAISE
31, rue de Fleurus – 75278 Paris Cedex 06

37/2857/6